D0422420

Candelaria

GERMÁN CASTRO CAYCEDO

Candelaria

Calle 21 Nº 69-53; Bogotá, D. C.

Diseño de la cubierta: Camila Cesarino Costa
Fotografía de la cubierta: Germán Montes
Diseño y armada electrónica: Editorial Planeta Colombiana S. A.

Primera edición: noviembre de 2000

ISBN: 958-614-941-2

Impreso por: Quebecor Impreandes

Impreso en Colombia

A Gloria, compañera de
todos mis atardeceres.

1

El muro del frente podía estar a menos de dos pasos. Muros verdes, techo blanco. Sus manos atadas a la cama. Arriba sonreían máscaras que luego dejaban ver las caras. Allí estaban todos: Emilio, Valentina Nicoláievna, Santos, Colette, Nadia Stepánovna con su cabeza cuadrada, el sargento Moore. El Barón Rojo llevaba un caldero y dentro del caldero un cadáver dividido. Luego miles de partículas de espejo y en cada una el rostro de Frank. Las secuencias se proyectaban según la intensidad de los recuerdos, pero la historia era coherente. ¿Acaso había enloquecido?

No había ventanas y cuando afuera debía alumbrar el sol, veía el campo de desterrados en Siberia y las caras envejecidas por la noche permanente. La cocaína había partido del Caribe a bordo de un submarino soviético que navegó hasta el Báltico y la puso en manos de la banda Tambovskaya. Sobre las crestas de las olas volaba una jauría de lanchas vestidas con capas azules como la coloración del mar.

Posiblemente estaba atardeciendo. Ahora veía las playas de Vietnam erizadas de agujas hipodérmicas, y a la vez, laboratorios clandestinos en Argentina y en las selvas del Brasil. Holanda ya no cultivaba tulipanes.

Eran escenas constantes. Cuando no la inyectaban, recordaba los casinos de Israel la víspera del sábado. Los Lobos Grises buscaban a la 'Ndranguetta de Calabria. Y más cerca de ella, un meandro de túneles bajo la frontera que separa a México de los Estados Unidos.

Una vez cerraba los ojos, debía ser medianoche, las imágenes se decantaban y la película comenzaba muy lejos, en San Petersburgo. A partir de allí, Candelaria la hilvanaba siempre en el mismo orden.

Los pasos ligeros sobre las gradas tenían el ritmo de su respiración. Tras el porrazo de la puerta del ascensor subió cuatro escalones de piedra y cuando llegó al último se escuchó un ¡*aggg*! En la entrada al piso que ocupaba el viejo habían colocado un sello: Oleg Kurátov ha muerto y los del gobierno trasladaron su cadáver a la morgue.

Atardecía. Nadia Stepánovna fue hasta el lugar y habló con el responsable. Le dijo que venía en busca del documento que certificaba la existencia de aquel hombre. La mañana siguiente, debía entregárselo a un notario. No podía ser después.

—Entréguenme el pasaporte de Oleg Kurátov. Se que él está aquí —le dijo.

—El pasaporte va con el muerto hasta el final, porque cada muerto lleva el suyo hasta la tumba y Oleg aún no ha sido enterrado. Su cuerpo está en una de aquellos frigoríficos —le explicó el hombre y se marchó.

Ella salió, recorrió las calles, finalmente consiguió todo el vodka que le fue posible y regresó dos horas después, pero ya no estaba aquel camarada. Entró hasta el depósito de cadáveres y vio a cuatro hombres.

—Quiero que me entreguen el pasaporte de Oleg Kurátov —le dijo a uno de ellos agitando la botella que llevaba en su mano derecha. Él sonrió y guardó silencio. Le entregó otra. Silencio. Ante la reticencia le dio una tercera.

—Hace demasiado frío, tres botellas son pocas —dijo aquel.

—No tengo suficiente. Tres, son tres —les explicó, pero el más joven señaló la bolsa que ella creía haber escondido a sus espaldas y finalmente aceptó darles dos más y se sentó al lado de una camilla mientras uno de ellos traía vasos de cristal, opacos y desportillados.

El mayor de los tres, un hombre corpulento con barba de dos días, era el patólogo Vasílii Sokolóff. «Ése es el trabajo menos importante para un médico», pensó ella, y le preguntó:

—¿Cómo llegaste hasta aquí?

—Bueno, te lo voy a decir: por castigo. Se me murió un paciente. Algo accidental, pero grave. Era un hombre joven, lo abrí, hice lo que debía y cuando terminé, se quedaron unas pinzas en su vientre... Pronto podré regresar a mi trabajo en el hospital, pero no deseo continuar haciendo turnos; unos turnos que son la eternidad y eso me fatiga y me tensiona. Y me altera la conciencia. Antes debía aceptarlo, era mi obligación, pero ahora... El día de las pinzas llevaba catorce horas sin salir del quirófano.

Cuando terminó de contar su historia todos esperaban con las copas en las manos. Entonces él se puso de pie y luego de mirar sus caras levantó la suya, y dijo:

—Había una campesina llamada Nadia y una tarde cavando un foso golpeó algo con su herramienta, y en ese momento, ¡oh! vio que se trataba de un señor feudal sepultado en aquel lugar. Con el golpe de Nadia, el señor feudal despertó y salió de allí, sonrió de júbilo, se miró las vestiduras deshechas, levantó la vista, la miró alborozado y le dijo:

»—Tú me has devuelto la vida. Tú me has sacado de la tierra y me has hecho florecer de nuevo. Pídeme tres deseos y yo los cumpliré.

»Nadia pensó. Y pensó. Y pensó, y finalmente le dijo:

»—Mi primer deseo es que me des gozo.

»El señor feudal la abrazó y... Bueno, allí mismo la hizo feliz. Muy feliz.

»—Te quedan dos deseos por satisfacer —le dijo luego.

»Ella volvió a pensarlo y por fin habló:

»—Quiero que me hagas gozar nuevamente. —Y el señor feudal la hizo feliz por segunda vez.

»Terminaron, y cuando terminaron, le recordó:

»—Te queda sólo un deseo.

»Esta vez ella no lo pensó:

»—Hazme gozar otra vez.

»Y él la hizo gozar una vez más, pero después de ese tercer arrebato, el señor feudal volvió a la muerte.»

Los que escuchaban se pusieron de pie, levantaron los vasos y el patólogo dijo:

—¡Bebamos por Nadiashka que nos salvó del feudalismo!

El segundo tenía un jersey grande, el pelo lamido con una cola atrás. Ella pensó en un artista y le preguntó cómo se llamaba.

—Sergei Divróv.

—Tienes facha de artista.

—Sí. Soy pintor, estudio Bellas Artes.

—¿Qué tienen que ver las Bellas Artes con la muerte?

—Mucho —respondió él—. La muerte es un estado tan singular... Me inspiro en ella. Me inspiro en los rostros de los muertos, en su placidez, o en su desesperación. Recreo los rictus, el color de la piel, su anatomía cercana.

—Dime —le preguntó ella—, ¿el cementerio está lejos de aquí?

—Bueno, cuenta unas cinco verstas, eso deben ser...

—Un poco más de cinco kilómetros, pero hay mucha humedad. Ha llovido —dijo el patólogo, y tras de sus palabras, se puso de pie el artista:

—Hay mujeres que para cruzar un pequeño charco, se levantan la falda hasta el tobillo.

»Hay mujeres que para cruzar un riachuelo, se levantan la falda hasta la rodilla.

»Hay mujeres que para cruzar un río se levantan la falda hasta la mitad del muslo.

»Vamos a brindar por aquellas que se atreven a cruzar el océano.»

Nuevamente se levantaron los demás y chocaron sus copas.

El tercero le pareció un guasón. En una nevera para muertos, ahora vacía, guardaba salchichón, queso y pepinillos. Trajo algo para comer mientras bebían, sorbió con prisa y luego dijo que se marchaba. El marido de su amante trabajaba esa noche.

Esta vez, desde luego, no hubo quien brindara, pero tampoco chocaron sus copas. El tercero es por los ausentes y en este caso, el ausente estaba presente dentro de una nevera.

En el fondo se oían sus risas después de que alguien se ponía de pie, decía unas palabras y los demás lo escuchaban atentos. Luego se incorporaban, chocaban los vasos y se bebían el vodka de un solo trago hasta dejar los cristales vacíos.

—¿Por qué se muere hoy la gente? —preguntó Nadia Stepánovna, y tras recordarle que no había dónde resguardar los autos en invierno porque las ciudades soviéticas no habían sido diseñadas para que vivieran en ellas gente que tuviera coche, el Estado había fabricado una especie de cajas metálicas en las cuales los funcionarios del gobierno y los miembros destacados del Partido, gente privilegiada, metían los suyos.

—Pero como tampoco la gente halla donde amarse aparte de los parques, entran con su pareja en el auto, cierran esas cajas que son herméticas, tú las conoces muy bien, y mientras hacen el amor, dejan el motor del coche encendido para alimentar la calefacción... Y, caray, se intoxican con el monóxido de carbono y cuando la policía comprueba que están bien muertos, nos los trae. En los frigoríficos hay ahora seis: tres hombres y tres mujeres que fallecieron buscando la felicidad.

—¿A quién más tienen aquí?

—Alcohólicos. Gente que luego de emborracharse hasta perder el sentido rueda por el suelo y el hielo da cuenta de ellos.

El cuarto en la morgue sólo pronunció una palabra aquella noche. Era también un hombre corpulento con la nariz enrojecida, alcohólico desde luego, callado e insensible. «Herencia de su trabajo», pensó Nadia Stepánovna, porque lo veía al fondo inclinado sobre algún cadáver y con frecuencia se acercaba a ellos, llenaba su vaso, pero no comía pepinillos. Los pepinillos y el salchichón acaso eran poca cosa para su paladar, rústico como el resto de la figura. Por el contrario: traía consigo una envoltura hecha con la página de un diario viejo y sacaba de allí cebolla larga y tocino, y luego de beber le pegaba una dentellada a cada uno, doblaba nuevamente el papel y regresaba a su lugar.

Su trabajo consistía en coser los cadáveres una vez el patólogo había terminado, pero los cosía con una aguja grande como quien cose un colchón o un saco con patatas.

En algún momento, Nadia Stepánovna se acerco a él y se quedó allí un instante viéndolo engarzar puntadas, pero en el momento de sacar el punzón del vientre de una mujer joven, salió un trozo de piel, voló y se posó sobre una de las mejillas de Nadia. Ella quedó inmóvil. Estaba aterrada. Miró las manos del hombre, y él, sin levantar la cabeza, dijo:

—*Buibaet.* (¡Sucede!)

Hacia las once le entregaron el pasaporte pero le dijeron que también debía llevarse el cadáver.

—¿No pueden desaparecerlo? ¿Enterrarlo ustedes mismos?

Los que quedaban, sonrieron. Escanciaron una nueva ronda de vodka con pepinillos y trozos de queso, y el de la nariz enrojecida, con cebolla y tocino. Dijeron que ellos no eran enterradores.

—Danos más vodka y te prestaremos un trineo para que acomodes el cuerpo. Es un muerto realmente liviano, un manojo de huesos forrados por la piel. Míralo tú misma —dijo el patólogo.

Después de las doce, a cuarenta grados bajo cero, Nadia Stepánovna con su abrigo, tacones altos, un gorro de marta cebellina que había cambiado por unos cuantos rublos, arrastraba un trineo y sobre el trineo un muerto. La gente y los perros se alejaban del camino.

Un par de calles adelante halló un teléfono:

—Nadieshda, tengo a un muerto en mis manos. Necesito tu ayuda —le dijo a su mejor amiga.

—Te ayudo, yo te ayudo, pero... ¿Por qué lo mataste?

Su temor era que la policía la sorprendiera, puesto que sería incapaz de explicarle la historia, y en la morgue no aceptarían que le habían entregado el cadáver y el pasaporte a cambio de unas botellas de vodka.

Una hora después la luminosidad de la luna describía sus cuerpos encorvados avanzando lentamente, turnándose para llevar el trineo a través de la vía que conducía hasta el cementerio. En las calles se escuchaban sus pasos y el tajo de los esquís sobre el hielo.

—¿Un manojo de huesos? Quisiera ver al patólogo llevándolo —dijo Nadieshda.

Hacia las tres, debían de ser las tres, distinguieron las siluetas de cuatro personas y luego las de otras dos y a sus espaldas dos más. Gente silenciosa que se iba acercando. Cuando los primeros estuvieron próximos, ellas identificaron sus harapos y un olor que les punzaba las narices a pesar de hallarse en ese instante un tanto retirados de ellas.

—¿Qué buscan? —preguntó un hombre.

—Una tumba.

—En Krásnenko no hay tumbas vacías.

Era gente que se refugiaba en aquel cementerio al sur de San Petersburgo, en un país en el cual, hasta hacía pocos meses no se conocía a alguien que careciese de un techo donde abrigarse. Acaso estos indigentes eran parte de aquellos que la misma Nadia Stepánovna había despojado de sus viviendas para vendérselas luego a gente con recursos que buscaba un piso para vivir sola, sin compartir habitaciones, sin compartir una cocina y un baño comunitario en los edificios donde habían vivido desde que nacieron, porque ahora su luz interior le parecía sucia, el aire plomizo y aquel ambiente de estrechez, simplemente un caos. Luego de comprar cada domicilio lo reconstruían y lo llenaba con muebles y aparatos eléctricos de Occidente. Ahora, detrás de cada vivienda confortable había alguna familia sin techo.

—No, no hay tumbas vacías —dijo una mujer y se acercó al trineo, inclinó los hombros y deslizó la mano por sobre el hule que cubría el cadáver. Luego se detuvo, vaciló unos segundos y al remover con ansiedad el hule, escuchó el sonido de las botellas acomodadas en el espacio que dejaban libres las piernas separadas del muerto.

—Podemos ayudarte, pero...

Se incorporó y movió la cabeza señalando el hule.

Nadia Stepánovna dijo que sí, alguien tomó el trineo y entraron en el cementerio, donde ella abrió una botella, luego otra y otra. Eran demasiados. Bebían con avidez, de manera que ella se apoderó de la cuarta y logró hacerlos sorber a su propio ritmo.

Tal vez a las cuatro de la mañana una de las mujeres le dijo:

—Déjame tocar tu abrigo, nunca he pasado mis manos sobre un visón.

El frío calaba más que cuando llegaron, pero ella se lo quitó y lo colocó sobre los hombros de aquella mujer que empezó a acariciarlo, escurrió los brazos por entre las mangas y se quedó inmóvil ante la mirada sarcástica de los demás. Entonces se despojó de él y se lo devolvió. Cuando Nadia volvió a vestirlo lo percibió agrio como el aliento de aquella gente, y luego sintió los piojos ensañándose en sus brazos. Se lo quitó y le dijo a la mujer:

—Ksenia, te lo regalo, quédate con él —y ella le respondió:

—No lo quiero. El visón no va con mi condición de habitante del cementerio. Llévatelo tú, Nadia Stepánovna.

Estaba amaneciendo cuando, por fin, aquellos desarraigados aceptaron esconder el cadáver en algún lugar del cementerio. A esa hora sentía hormigueo en el cuerpo, estaba sudando, un sudor helado como el amanecer. Apretó el pasaporte con su mano derecha y se fue en busca del notario para que certificara que desde ahora ella era la dueña del piso que figuraba a nombre del difunto.

Oleg Kurátov era un alcohólico solitario que ocupaba dos habitaciones en un edificio de la calle Karalenka, un entorno ecléctico cuya fachada no se parecía a ninguna de las especificaciones de San Petersburgo. Desde hacía muchos años Nadia Stepánovna había fijado tanto su vista en aquella edificación que terminó por enamorarse de ella. Vivir allí era la mayor obsesión de su vida. Había llegado a asociar aquel edificio con una joya por sus arcos falsos soportando consolas con dragones, y escudos de armas que hacían alusión a Mercurio y pavos reales que simbolizaban el confort y la prosperidad de la casa. Vieja arquitectura rusa y algo romana que estaba de acuerdo con su prosperidad económica gracias a su yerno, un hombre joven que un día llegó del trópico, estudió geología y se quedó a vivir en San Petersburgo. Estando en la universidad se casó con Evgenia Alexándrovna, su hija, y consiguió algún dinero en plena Unión Soviética porque tenía imaginación.

Entonces ella era un cuadro del Partido y utilizó su influencia para guardar sin temor los dólares que él le entregaba, hasta tener tantos que llegó a perecerle insuficiente la alacena donde los escondía, porque cada semana los rollos de billetes se multiplicaban, de manera que logró aproximarse a la mafia vietnamita (especializada en monedas occidentales), que se movía en torno a las universidades, y comenzó a hacer negocios con ella.

Nadia Stepánovna había vivido siempre con su esposo, ahora fallecido, y con sus dos hijas en una habitación de seis metros cuadrados, en Avtovo, región residencial compuesta de panales de hormigón prefabricado. Llegar al centro de la ciudad, donde trabajaba, le tomaba una hora en cada recorrido: cuarenta y ocho cada mes, más de quinientas al año. Y eso no estaba bien —pensaba— para alguien como ella, que ahora podía calzar botas hechas en Francia, y en lugar de una gabardina de polietileno, cubrirse con abrigo de visón.

Pero además del edificio, le encantaba el entorno, compuesto ahora de algunas tiendas de ropa extranjera y una iglesia ortodoxa consagrada al Protector de un regimiento de la guardia del Zar, con cúpulas negras y detrás de una verja con morteros, el bosque de tilos y las voces graves, profundas de un coro. Armonías con herencia bizantina que para ella debían tener algo parecido a la resonancia celestial. «Música para los oídos de San Cirilo», pensaba cuando los escuchaba. Amaba los tilos y la música sacra.

Como lo acostumbraba ahora, porque ésa era su nueva profesión, logró que Oleg Kurátov firmara algunos documentos según los cuales le cedía las dos habitaciones que ocupaba, a cambio de un par de cajas con botellas de vodka y algunos rublos.

—¿Para qué quieres tanto espacio? Eres un hombre solitario y con este dinero podrás buscarte una nueva habitación. Con dinero es fácil conseguirla —le decía cada tarde, sabiendo que con el puñado de rublos que le iba entregando poco a poco, Kurátov no podría pagar ni su mortaja.

Realmente él gozaba de un espacio que no utilizaba. Su soledad comenzó una noche de octubre, a las once, con un dolor de muelas que lo aplastaba, y cuando creyó que se le iba a desprender la mandíbula, le dijo a su mujer:

—Liena: necesito a un odontólogo. Ve adonde Aleksei Vorísovich y le dices que venga. No soy capaz de moverme.

Y ella se fue. Pero se fue para siempre porque esa noche conoció a Aleksei y se enamoró de él. Un par de semanas después la mujer tomó a sus hijos y desapareció. Oleg se entregó al vodka. Bebía todos los días y todos los días repetía:

—Si le hubiese dicho que buscara a otro odontólogo...

Emilio Grisales, el yerno de Nadia Stepánovna, aquel que la hizo percatarse de la existencia de los dólares y comenzar a enriquecerse con ellos, era un geólogo colombiano, a quien ella siempre asoció con la gente del sur. «Tú eres un checheno», le soltó en la cara el día que lo conoció. «¿Por qué me dices eso?», le preguntó. A ella le brillaron los ojos y guardó silencio. Luego se retiró.

Emilio llegó a la Unión Soviética a los diecisiete años. Venía a estudiar y lo mandaron a cursar el año preparatorio, *la prepa* le dicen los extranjeros, a Kalinin, dos horas en ferrocarril más allá de Moscú. Allí aprendió el ruso y a la vez el alemán. Más tarde el francés y el italiano en San Petersburgo. Hombre inteligente. Y despierto.

En ese momento era un mestizo con rasgos duros, buen tono muscular, el cabello cubriéndole las orejas. Había nacido en una ciudad de provincia en el trópico, cuyo porvenir era el pasado. Tierra de mariscales y políticos, sin ambiciones de metrópoli.

Cuando tenía trece o catorce años, trabajó en una peluquería y allí descubrió que el cabello de los aristócratas, aún se habla allí en estos términos, era igual al suyo y la piel tenía el mismo color de la suya. De acuerdo. Pero lo que le despertó la rebeldía, que para él no era más que un asomo de dignidad, no fue la actitud de la gente poderosa en su región, sino sus ideas. «Debo pertenecer a otro planeta», pensaba cuando escuchaba que el progreso era una forma de suicidio. Ninguno creía en la capacidad de seres humanos como él, en su destino, en la fuerza para triunfar sobre la ignorancia.

«Lo que ganan en peinados lo pierden en dignidad», decía entonces.

Los sábados de fiesta, el peluquero hacía su trabajo en el club. Cuando el muchacho terminaba sus obligaciones, escapaba de aquel funeral de gentes amortajadas con trajes de gala y se colaba en una sala de lectura. Allí descubrió una colección de revistas que por lo visto nadie había tocado antes, con crónicas de música, literatura, artes, y entró en una dimensión virtual que acabó por romper definitivamente las fronteras de su vida. Éstas habían comenzado a desaparecer mucho antes porque era un devorador de libros.

Llegó a Kalinin con su aire de provinciano, nada petulante, espontáneo, reventado de tomarle el pelo a tanto rábula en su ciudad de arcos españoles, mariscales y estatuas tropicales.

Su primer año en Rusia fue una película fragmentada en la cual sucedieron muchas historias sin conexión unas con las otras, pero con la lógica de la vida, inesperada, brutal. Una masa de muchos episodios, en la cual todo se reunía.

Cuando conoció el invierno ruso, aún tenía los ojos de la tierra tibia de su pueblo. La idea de los europeos gira en torno a un trópico cálido, pero para los sudamericanos es muy claro que allí existen tierras frescas, tierras tibias y tierras cálidas. Climas que nunca varían y dependen de la altitud.

Esos ojos de tierra con clima de primavera le permitieron disfrutar de la belleza de una tormenta de nieve. Se hallaba en la estación del tren y soplaba una ventisca como aquellas que había visto en el cine, en *El doctor Zhivago,* en películas con historias del norte de Europa, y la fuerza y la belleza de aquella tormenta lo electrizaron. Nunca supo cuánto tiempo permaneció allí, pero cuando volteó la cara, vio en el andén a una mujer cubierta de nieve. Tenía un gorro de piel y abrigo hasta los pies y lo miraba. Lo miraba fijamente. Él no la conocía, y desde luego, se quedó mirándola. Nueve de la noche, iba hacia las residencias estudiantiles y de pronto, aquello. Era una mujer joven. Se acercó y él entendió en su ruso incipiente que ella le decía: «Estaba esperándote».

—No puedes estar esperándome a mí. No soy la persona que buscas —respondió Emilio.

Comenzaban los años ochenta, no era el período que siguió a Gorbachov, la época de la prostitución. Ella le dijo luego:

—Yo quiero conversar contigo.

—Yo no te conozco.

—Pero eres la persona que busco —insistió la chica.

Debía ser el destino: dos seres humanos sin un solo vínculo en común, que jamás se habían visto, que no... «Es la casualidad anudándose a medida que vives la vida», se dijo Emilio y cambió el tono: «Está bien: conversemos».

Ella se llamaba Tamára Valentínovna, alta, delgada pero no flaca, el pelo negro y la piel muy blanca, muy blanca y muy suave. Los ojos rasgados, esa mezcla de los rusos del norte y la población que un día llegó con la invasión tártara.

«Te invito a la cafetería de las residencias universitarias», le propuso, y ella aceptó con la cabeza. «El mejor diccionario es el de pelo largo», el diccionario del amor, dicen en Rusia, y se fueron caminando bajo la nieve. Pero una vez llegaron allí, Tamára dijo otra cosa: «Quiero quedarme esta noche contigo», y allí surgió un gran problema. Ese problema era ingresar.

Hasta cuando se acabe el mundo, en cada edificio ruso habrá una viejecita medio alcohólica que siempre estará refunfuñando y siempre dirá «*niet*» NO. Pero si alguien le lleva una botella de cerveza o media de vodka, cambiarán su semblante y su monosílabo, y dirá entonces: «*da*» que es, SÍ. Aquella mujer tenía una bufanda de lana enrollada en torno a la cara y la cabeza, y no aceptó una sola explicación: que si la tormenta, que si el hogar lejano de la chica... «*Niet, niet, ¡niet!*» respondía. Pero en ese momento apareció un moldaván, estudiante de Moldavia que tenía allí un cargo de honor. Él habló con la viejecita y finalmente la escucharon decir «*¡Da!*»

Durmieron poco aquella noche. Ella le preguntaba por aquel lugar lejano, inconcebible, del cual venía, y él le contó historias que, más que anecdóticas, tenían un carácter simbólico. Así era Emilio.

Cuando se subió al avión, él tenía claro que nunca regresaría al trópico. Iniciaba un viaje a un mundo desconocido y maldito como decía la gente de su pueblo, recitando la propaganda estadounidense. En Rusia convierten a los jóvenes en terroristas, no vayas. En Rusia, los extranjeros desaparecen para siempre, le decían en cada esquina. Cuando se elevó el avión, no solamente iba en busca de la otra cara del mundo, sino más allá del mundo conocido.

Se vino leyendo *Cien años de soledad*, un libro colombiano, aunque deseaba irse de Colombia. Y cuando volaban sobre el Atlántico sintió unas ganas inmensas de llorar. En su cabeza giraba la imagen de lo que había dejado atrás y acaso no volvería a ver jamás. Pensaba que no encontraría igual todo lo bello y amado que había tenido. Desde luego, contaba con el porvenir, pero el porvenir no era claro. Lo único claro era su pasado y lo acababa de perder.

«Es una transición en mi vida», se dijo. Estaba dejando atrás un estado arcaico y comenzando a construir otro que desconocía. «Ya no eres el hombre antiguo que fuiste alguna vez y al cual estabas aferrado», pensó entonces.

A treinta mil pies de altura y novecientos ochenta kilómetros por hora, no se explicaba por qué se hallaba arrepentido si deseaba profundamente irse a Rusia. Pero no era una pesadumbre de conciencia por haber tomado la decisión equivocada. Era un remordimiento que tenía que ver con la existencia que dejaba atrás.

Le contó a Tamára que había nacido en una región de montañas con la expresión de una pintura. Su familia estimuló la sensibilidad frente a la naturaleza. Su madre cultivaba flores. El padre, un hombre del campo, como manifestación de amor le llevaba todas las tardes hojas de encenillo, una planta perfumada y, carajo, la naturaleza de sus montañas estaba metida entre su alma. ¿Qué es el alma?, se preguntó, y él mismo respondió ante los ojos alucinados de Tamára: el alma es una combinación de las palabras de tus padres, y de la luz brillante, y de los colores del paisaje que te rodea.

Esa tarde en aquel avión estaba renunciando a todo lo que para él era pictóricamente bello, en un país que despreciaba su historia y su propio paisaje. Un país insensible hacia el cromatismo de las montañas. Sobre el Atlántico, sentía que estaba perdiendo el color de su tierra. Que perdía los atardeceres y los amaneceres con un sol rojo sobre el verde de las montañas, que es el mismo de las primeras edades geológicas. Pero cuando llegó a Moscú, había entrado en el mismo plano de tranquilidad de quien se lanza a un abismo.

Cuando aclaró el día tenía la cabeza apoyada en el pecho de Tamára Valentínovna.

En el instituto, los militares libios y libaneses, que también hacían la preparatoria, se movían como reyes. Ellos recibían mensualmente de sus gobiernos mucho dinero, mientras a él le asignaban un puñado cada mes, pero pronto supo que allí operaba un mercado negro de moneda, en el cual cambiaban seis rublos por un dólar, mientras en el banco le entregaban apenas la mitad de un rublo, y una noche se dijo:

—Si caminas *torcido* podrás convertir catorce dólares en algo más de ochenta rublos.

Sus mejores amigos eran pilotos militares del ejército de Angola que se habían preparado en Cuba. Una tarde salió a la ciudad con ellos y consiguió vodka con el cupón que le daba derecho a una botella cada mes.

«Una botella es una ración miserable en mi habitación», pensó.

Emilio valía más de lo que aparentaba y compartía vivienda con un vietnamita y un hindú. Para él un pequeño mundo de ricos, porque veía que sus compañeros manejaban dinero. No sabía de dónde salía, pero sabía que andaban con los bolsillos llenos.

Una noche escuchó que alguien tocaba a la puerta. Era un libanés. Preguntó por el vietnamita. El vietnamita no se encontraba allí.

—Quiero comprar una botella de vodka —dijo. La de Emilio era pequeña. Valía tres rublos. Le cobró diez. El libanés la tomó.

La mañana siguiente reunió los cupones de algunas chicas sudamericanas que no bebían y los cambió por más vodka. Por la noche volvieron a llamar a la puerta.

—¿El vietnamita?

—No se encuentra.

Vendió sus tres botellas.

Luego un árabe le prestó dinero. Compró vodka, champaña y coñac, esta vez en el mercado negro de licores.

El mercado negro. Allí llegó a través de una vieja que se movía detrás del mostrador de una pequeña tienda. Habló con ella. A ella también le gustaba andar *torcida*.

—Una botella grande, cinco rublos. Es el precio del gobierno —dijo la mujer—. Mañana a las seis, antes de que amanezca, debes traerme los rublos que cuesta el vodka y quince más... Ah. Y un maletín. Luego tienes que regresar a las cinco de la tarde. Colocaré las botellas dentro del maletín.

Hasta entonces el control para ingresar a la residencia estudiantil le había parecido estricto. Esa mañana regresó allí y recorrió por primera vez el lugar. No se había fijado antes en un arce adulto cuyas ramas rozaban el muro posterior y descubrió que una de ellas descansaba cerca de la ventana de su habitación. Consiguió una cuerda y la ató a la rama del arce.

Por la tarde ingresó con el maletín, buscó el extremo de la cuerda escondida en el árbol y lo ató en ella. Ingresó al edificio, subió hasta su habitación y lo izó.

La revisión semanal del lugar era minuciosa y por tanto debía poner las botellas a salvo: un recurso aprendido de su amigo el vietnamita que las escondía en los conductos de aire.

Bueno, el negocio creció. «Esto es *El cántaro roto* pero con un final feliz; la quimera de Von Kleist en ruso», pensó, y luego se dijo a sí mismo: «La vieja se está quedando con parte de las ganancias. Hay que quitarla del medio». No le resultó difícil hacerlo. La siguió y tras ella llegó a una bodega general desde la cual abastecían las tiendas de un sector de la ciudad.

«Si negocio directamente con el administrador, no solamente he de conseguir precios más bajos, sino que llegará un momento que pueda sacar de allí todo un caudal de vodka», pensó, y esperó a que la anciana regresara a su tienda. Luego entró al lugar.

El administrador era un veterano de la Segunda Guerra Mundial en la que los rusos pusieron el mayor número de muertos, muchos de Kalinin, tal vez la ciudad soviética más atormentada por los alemanes. Era lo primero que le habían enseñado al llegar allí, de manera que cuando tuvo al frente a Víctor Fiodórovich, así se llamaba el administrador, se ocupó de admirar las cintas de mil condecoraciones en el pecho de su chaqueta de paisano. Emilio lo saludó y el hombre le respondió: «¿Eres azerbaiyano?».

A Víctor Fiodórovich también le seducía dar pasos *torcidos* a pesar de su amor por el pueblo ruso, que salía a flote en cada actitud y en cada historia de su entrega en la guerra. Igual sucedía con la multitud de veteranos que encontraba en las calles, en los teatros, en los parques de Kalinin, una ciudad muy socialista y muy bella en la ribera del Volga.

Llegó a comprar hasta setenta botellas de vodka en un día, porque en el instituto había celebraciones continuamente. Cuando no se trataba de las fiestas del socialismo, había fiestas nacionales en Nepal, Mongolia, Nicaragua, Cuba, Angola; cumpleaños cada tercer día. Allí acostumbran a celebrarlos en forma especial y los jóvenes compraban cuanto era almacenado la noche anterior en los conductos del aire.

Los estudiantes recibían cupones a cambio de los cuales, cada mes reclamaban raciones, pero en Kalinin no conseguían lujos como pasta dental extranjera o jabón en polvo, que entonces comenzaban a llegar a Moscú. Pero para trasladarse hasta allá necesitaban una visa, que para Emilio no significaba un obstáculo. Su capacidad de sufrimiento le había multiplicado la imaginación.

Un sábado se deslizó por el tronco del arce y llegó a la estación del ferrocarril a las cuatro de la mañana. Le dio un rublo a un borracho y le pidió que comprara a su nombre el billete hasta Moscú. Comenzaba el invierno. Cubrió parte de su cara con la bufanda y subió a un furgón. En el camino un policía le pidió el billete y fingió estar borracho y dormido.

En las *beriozkas* de Moscú compró bananas y crema dental. La gente prefería la de Alemania.

Cerca del metro se hallaban las tiendas más grandes. En una de ellas hizo una fila, pagó por una buena cantidad de artículos porque allí no limitaban las ventas, y regresó a la estación. El lunes lo había vendido todo a precios altos.

A este ritmo sintió que se esfumaba el primer año, al cabo del cual le dijeron que debía trasladarse a San Petersburgo para comenzar estudios de geología.

2

Cada viernes Candelaria ocupaba una mesa en el Café Plaza, contaba las monedas y luego ordenaba un té acompañado por algo. Le gustaba ver desde allí el atardecer fugaz del trópico, la luz de las cinco y media que, irremediablemente, una y otra vez la llevaba a recordar la alameda de ceibas y samanes colosales, debajo de los cuales crecían plantas de sombra, con hojas tan grandes como nunca había vuelto a verlas en ningún otro lugar. Era un efecto que se reproducía tarde tras tarde: ella iba silenciosa de la mano de su madre. Pensaba entonces en cómo empezar a recordar, cómo encontrar el sentido de las cosas que tenía a su alrededor. Un sentido. Cualquier sentido. Debería tener nueve años. Un poco después, con la luz indefinible de las seis, cuando cada nube y cada árbol transmiten reposo, empezaban a acentuarse las siluetas de los troncos corvos y de las enredaderas en los samanes y sentía nuevamente que su madre le acariciaba el pelo negro, grueso.

La relación con sus padres era más de silencios que de diálogos; de miradas insinuantes, algunas veces de reproche, pero, ante todo, de complicidad. Candelaria siempre fue silenciosa pero cuando abría la boca, los demás callaban. Su voz parecía un susurro de cazador solitario. No conocía los tonos altos ni los tonos fuertes, no discutía. Generalmente escuchaba porque aprendía a través del oído y no por lo que veía, o tocaba, o sentía.

Una tarde conoció allí a un hombre que se sentó a su mesa y le dijo que se llamaba Santos Mendoza y comenzó a hablar, y por hablar se olvidaba de beber y algunas veces de respirar y terminaba atragantado con su propia saliva. Tal vez fue el único hombre incapaz de sentir la fuerza de su voz. Candelaria parecía cantar cuando hablaba, movía los brazos y las manos con la misma cadencia que medía los tonos. Tenía la voz opaca, una tonalidad en Re menor. Una voz íntima.

A él tampoco lo impresionó el componente emocional de su cabello corto, porque mientras hablaba le miraba los senos, ni grandes ni pequeños, densos y fijos en el tórax jugando a la ingravidez.

Candelaria había intentado enfrentar sus propios miedos desde niña y ahora creía conocer sus sentimientos y sus emociones, por lo cual, las diferencias con los demás no la impresionaban. El temperamento de Santos Mendoza la tenía sin cuidado. Unas semanas después, él habló de matrimonio y ella lo aceptó, más por ponerle fin a la obligación de contar dos o tres monedas antes de pedir un té que por otra cosa.

Se fueron a vivir a una ciudad populosa, también en el trópico pero en la cima de los Andes, donde había nacido Santos.

Los vecinos de su barrio empezaron a ocuparse de él una mañana que salió a la calle vestido de blanco. De blanco en una ciudad de tejas grises, y más abajo, edificios hundidos en el frío, que allí es tangible como el gris. Hacía unos días los había impresionado la cadena dorada en el pecho. Después unos zapatos de charol color caramelo y herrajes en los tacones. Él, que no era modesto ni silencioso, bajó por esa calle que declina hasta la Gran Plaza, y antes de llegar a la avenida vio un Cadillac rojo con un par de aletas grandes, como se usaban entonces.

El dueño era un señor Huertas y parece que aquel le preguntó en tono, entre burlón y altanero, cómo lo había conseguido. Huertas, que era de los que pisaba duro, lo miró también con altanería y le dio la espalda. Un par de semanas después las llamas consumieron el Cadillac. La guardia dijo que habían encontrado rastros de brea o algo parecido en el depósito de carburante, lo que hacía presumir que el incendio fue provocado, pero nunca dieron con el culpable.

Naturalmente nadie ignoraba quién era Mendoza. Barrio de ciudad grande, mundo pequeño; iglesias y casas españolas que huelen a bosque porque están al pie de las montañas; patios grandes con duraznos y ciruelos, laurel, romero. Tapias encaladas de barro apisonado con hileras dobles de tejas inclinadas. Allí nació la ciudad. Al final del día, la gente veía el atardecer en el parque y esperaba el regreso de los pájaros con la luz malva filtrada por los árboles. Él no. Él tenía una onda para dispararles. Su lugar en el colegio era el de los castigados, ¿lo recuerdas?, los ojos enrojecidos, las manos atenazando el asiento de la silla.

A los quince, su territorio eran los tejados. Había abierto un agujero sobre las duchas del colegio femenino y una mañana se desplomó el techo y él cayo en mitad de las vírgenes. Se quebró un brazo. Luego desapareció: lo habían expulsado por robarse los temas de un examen y vendérselos a sus compañeros. Después, alguien dijo que su padre, un médico entrado en años para ser su padre, lo había enviado a la milicia como castigo. Le debió gustar la rudeza del servicio porque al año andaba con el traje de la Academia de Policía, un colegio privado para clase media en descenso. Parece que allí terminó estudios de secundaria y regresó. Abrió un bar y se lo bebió. Una de las pocas veces que ha trabajado. Luego volvió a marcharse. No era un hombre basto, se expresaba bien; cuando se fue, vestía bien. Pero era prepotente. Un día regresó acaballado en una Harley ruidosa, una bandera negra y una calavera estampada entre dos huesos, y se quedó a vivir en esta misma calle con su ruido y sus delirios. No mucho tiempo después comenzó a hablar en el idioma del momento:

—Yo he tenido deseos de saber qué es un narco... Porque aquí, cuando cruza alguien en un auto grande y brillante, todo el mundo dice: «Allá va un narcotraficante». Cruza un helicóptero: «Ah. Ése es de un narco». Y aquí hablan de los narcos, pero no se sabe qué hacen ellos; ni cómo son, ni cómo viven. Yo sé de personas con dinero, pero, no... Me gustaría conocerlos.

La gente lo miraba.

En esa época tenía un coche modesto, realmente poca cosa, y una mañana, «descubrió», decía él, un auto deportivo. Un pedazo de hierro. Lo cambió por el suyo, lo hizo pintar de rojo y le dijo a Candelaria: «Está enrazado con avioneta... Como los de los narcos».

Pero hay sueños que ligan. La mañana de un domingo mientras dormía, le anunciaron que un tal Rigoberto, o Dagoberto, preguntaba por él. Decía que era su sobrino. No tenía más de veinte años, la nariz pequeña, los ojos redondos y fijos. Hablaba con seguridad. Al parecer se trataba de alguno de aquellos familiares lejanos que uno pocas veces ve, que no frecuenta, por los cuales no pregunta nunca, a juzgar por la curiosidad con que estiró la cabeza y miró las azaleas y los helechos del patio y las lozas de la fuente con su pellejo de musgo.

—Si tiene los ojos como platos y el pico pequeño es un hijo de María Luisa. Háganlo pasar —dijo.

El pequeño búho se acomodó en una sala con ventanas de madera a medio abrir. Lo primero que veía desde esa silla era el retrato del mariscal Mendoza pintado después de su muerte en la guerra de los Mil Días. El pelo largo, aplastado sobre la cabeza. Se lo fijaban con goma. ¿Goma laca? O goma lina. Bueno, con cualquier goma, pensó. Esas cataplasmas que van de las orejas para arriba no parecen de pelo sino de pasta. Cuando hacían un retrato de alguien y querían darle aires de prócer, le orientaban la pelambre hacia adelante como si el viento soplara por la espalda. Uniforme de paño inglés, charreteras de plata y galones de oro. Cómo mentían los pinceles. O cómo mentían los que estaban detrás de los pinceles. Les daban un aire de sangre azul. Pero hay que ver las fotografías de principios del siglo. En ellas se ven como pordioseros, con un sombrerote y un par de cananas llenas de balas cruzadas sobre el pecho. Alguien debió contarles cómo vestía Pancho Villa... Mariscales. Como quien dice, dueños de tierras. En este país de guerras, sus huestes eran diez, veinte, treinta peones maniatados con rejos. Se los llevaban al amanecer. Y había tantos mariscales que lograban reunir entre todos una muchedumbre descalza. Cuando avistaban al enemigo los desataban, les daban un machete a cada uno y los enviaban a luchar. Era la guerra. El mariscal de campo se quedaba atrás para dirigir la batalla o acomodarle un balazo por la espalda al miserable que intentara huir. ¿La ley de qué? Debía de ser la de traición a la patria. Qué patria... ¿Y esa otra? Ésa debe ser la bisabuela. Y el del frente tiene que ser, ¿cómo dice mi mamá? Ah. El obispo de Mendoza y Nieves. Por eso le dieron ese aspecto de santo. Cara de pobre y hábito de rico. El paño también debe ser inglés y el púrpura del solideo y el de la banda, italiano. Nuestro antepasado más ilustre. Es el que certifica que los Mendoza venimos directamente de españoles. Al que se atreva a pensar que tiene algo de mestizo, en esta familia lo desheredan. (Hay que ver la pinta de mi tío)... El obispo. Con esa carita de «yo no fui», fíjate bien: era el que tenía el verdadero poder. Y el oro. ¿La Iglesia? ¡Cuidado! Ese fue mi antepasado... ¿Antepasado? No se me había cruzado antes por la mente: ¿los Mendoza venimos de un obispo?

Caras ariscas en marcos ovalados. Los retratos, una Biblia con tapas de cuero y los forros de cretona que cubrían los muebles para protegerlos del polvo y del sereno olían a moho.

Finalmente vio a Santos Mendoza, de pie, bajo el marco de la puerta: el pelo oscuro y el bigote trazando dos arcos por los extremos de los labios. Se incorporó, intentó abrazarlo, pero al chocar con su mirada prefirió estirar la mano y decirle simplemente: «Tío, aquí estoy».

Santos tampoco supo qué contestar aparte de un «Hola, ¿qué hay?». Y como no encontraba de qué diablos conversar, lo observó y después le dijo: «Quédate a comer con nosotros».

El muchacho encontró su tono en la mesa.

—Tío, ¿sabes a qué he venido?

Las palabras del joven quedaron en el aire, y un poco después, sin levantar la cabeza, Santos dijo:

—Hombre, pues no.

—He venido a comunicarte un saludo especial de Frank Martínez —y él respondió:

—¿Frank? Ah... ¿Qué es de la vida de ese hombre?

Frank fue su compañero en la Academia de Policía, pero Santos había perdido su rastro hacía muchos años y ahora aparecía borroso en sus recuerdos.

—Pues tío, Frank se ahoga en oro. Es uno de los narcos más duros del país. Lo buscan en diferentes partes del mundo y, además, es un prófugo de la justicia de los Estados Unidos. Un piloto amigo mío lo trajo de regreso hace un par de meses.

—¿Cómo va a ser? No, no, pero... ¿Dónde está? No, carajo. Vamos a verlo ya. Vamos a verlo.

Se le atragantó la comida, retiró los platos, se puso de pie:

—Pero, ¿dónde está? Muéstrame el número de un teléfono para comunicarme con él, o alguna seña. Algo. Hay que buscarlo ya. Hombre... El buen Frank, mi amigo de siempre.

—No —comentó el búho—. Él solamente me pidió que viniera a saludarte y a decirte que desea verte, pero un poco más adelante...

—No, no —interrumpió Santos—. Hazme un favor: vete inmediatamente y dile que lo invito a cenar mañana en el restaurante de Jacobo. Que nunca he dejado de recordarlo y que tenemos que reunirnos allá a las ocho de la noche.

Cuando se despidió el chico, Santos comenzó a caminar por los corredores de ladrillo de la vieja casa: «Se me apareció la Virgen. Ahora sí, Madre del Cielo. Ahora sí... ¿Pero, por qué me había olvidado de la existencia de Frank?».

Ese día no hubo más tema, no se volvió a hablar de nada diferente de esa amistad entrañable que permanecía viva en su alma.

—Pues fíjate: yo todos los días me acordaba de él —le decía a Candelaria—. Si yo se lo había preguntado a Rafael Rodríguez, al tuerto Pedro, a Carmen Cruz. Yo andaba buscándolo por todas partes. Claro: si es un gran hombre. Si te contara los momentos que compartí con él...

Luego calló y pasó el resto de la tarde pensativo y sonriente. No durmió bien y cuando amaneció, sintió la boca arenosa, miró la silueta de Candelaria que aún dormía y presintió bajo la sábana la desnudez que espera, pero prefirió dar un salto y caminar hasta el armario de donde sacó el famoso traje de lanilla blanca a pesar de la mañana fría, y le dijo a ella que también debía vestirse de blanco. Buscó una caja con cubiertos de plata —herencia de su madre que ahora lo miraba desde arriba y le ponía la gloria en el camino—, fue hasta el teléfono y le dijo a Jacobo que consiguiera unas cuantas botellas de champaña, claveles, o rosas, o jacintos, o cualquier basura, y arreglara una mesa al fondo del restaurante.

Frank y su mujer llegaron en un Mercedes Benz blanco, escoltado por dos autos más; guardaespaldas, ametralladoras cortas, carreras, amague. Un despliegue que no se había visto antes en aquella ciudad. Eran tiempos de paz. Santos lo atrapó en un abrazo: «Yo sí había preguntado por ti, yo sí te había extrañado».

Su voz de bombardina, la camisa negra, el clavel en la solapa; el vestido oscuro y las piernas largas de Candelaria, esas nalgas sólidas que se mecían a cada paso como timbales de banda de caballería, eran parte de la coreografía.

Frank no era un hombre alto. En el momento de entrar, Candelaria descubrió que de la cintura hacia arriba era proporcionado, pero se movía sobre unas piernas tan cortas como sus brazos. La impresionó el tamaño de su cabeza, grande y descolgada. Caminaba como un felino y miraba como un felino cuando quería controlar, y abría un poco más los párpados si buscaba atraer.

Colette, su mujer, había nacido en Saint Jean de Luz, cerca de la frontera y hablaba un español aceptable. Se conocieron en París. Ella trabajaba en un café y en cuanto le escuchó el cuento de sus minas de esmeraldas en Sudamérica, se dijo: «Ése es mi autobús», pensamiento que compartían los dos, porque a él lo deslumbró su cara con efectos especiales y los labios de color vulvar absolutamente demarcados por la pintura, jugando a provocar. Y más abajo, medias de seda oscuras, tacones altísimos, un par de falos grandes debajo de los tobillos y un meneo, un ir y venir por entre las mesas, buscando que la deseara. Era una histérica que seducía para luego castrar, y él se tragó el anzuelo.

—No entiendo por qué me miras como queriéndome tragar, Hermano Lobo —le decía después de cada recorrido.

—Es una *baby boomer* —le dijo Candelaria a su marido cuando la vio, y él le preguntó:

—¿Una qué? Háblame en cristiano.

—Una mujer nacida después de la posguerra.

—¿Por qué?

—Pues porque son las que más se pintan.

Colette era una cosmetomaníaca y después de las primeras de cambio, aquella noche Candelaria descubrió que tenía dos sonrisas: una falsa y una verdadera, según las circunstancias.

—¿No te parece espectacular? —le preguntó Santos y Candelaria sonrió:

—¿Dónde está la espectacularidad?

—En su imagen.

—Por si no lo sabías, ese *look* es el de *Los Ángeles de Charlie.*

—Como se llame, pero me parece espectacular —insistió Santos.

—Sí, pero anda muy, pero muy pasadillo de moda, querido esposo, remató Candelaria entre sonrisas.

El que sí captó el contraste con la piel cetrina y lavada de Candelaria fue Frank.

—Qué personalidad la de esa mujer —le comentó a Colette en voz baja, y ella guardó silencio.

Terminado el brindis, Santos dijo: «Sigan los escoltas y ocupen una mesa». Frank no lo podía creer, la democracia no podía llegar tan lejos. Y Santos: «Tráiganles la carta; atiéndanlos». Los gorilas ordenaron comida del mar, vino francés, café y una botella de coñac.

—Cuando abandonaste la academia —le dijo Santos— alguien contó que tú... Bueno, que Frank se hallaba «muy lejos» y nunca se volvió a hablar de ti. Amigo, cuéntame: ¿qué sucedió con tu vida?

Una vez dejó las botas, Frank trabajó con una viuda, dueña de joyerías en diferentes puntos de la ciudad.

—Tú sabes: los salarios de entonces y la arrogancia de la mujer terminaron por aburrirme y resolví probar suerte en las minas de esmeraldas. Asunto muy duro aquél. Y, además, un espejismo. Una aventura en la cual no triunfa nadie. O para ser menos trágico, casi nadie. Lo que no excluye en modo alguno que los muchachos, en lugar de escuchar a los mayores, tratemos de aprender por nuestra propia experiencia. Total, una mañana salí de casa. Llevaba unas pocas camisas, un pantalón y tres o cuatro cosas más, pero dos meses después estaba de regreso: flaco, cadavérico. Mi hermana dice que se me veía el hambre. Desde luego, no tenía un céntimo entre el bolsillo.

Candelaria acercó su cara a la de Frank y con su voz enronquecida le pidió que hiciera salir de allí a los guardaespaldas. «Pienso que ellos no deben enterarse de lo que hablemos», murmuró, y él le preguntó por qué.

—Son cosas íntimas y no me parece bien que ellos las escuchen. Es que, mira: por lo que entiendo, tú eres un hombre muy rico y ellos no. Y aunque les pagues muy bien, muy bien, nunca lograrán conseguir lo que ven a tu alrededor, ¿y qué puede suceder? Que un buen día dirán «No más», y...

—Dilo, estamos entre amigos —dijo Frank

—Bueno, que te harán pasar un mal rato.

—Pero son de mi confianza. Es gente leal.

—Hasta ahora han sido así, pero creo que cuando el dinero está de por medio no existe la lealtad. No sé si esté cometiendo una imprudencia, pero así pienso yo.

Santos se sintió incómodo. Al fin y al cabo estaba acostumbrado al silencio de su mujer cuando se trataba de tomar decisiones, y ese gesto, desconocido en ella, lo alteró. Por otro lado, sentía que él era el dueño de Frank, su amigo entrañable desde la juventud, y cualquiera que se interpusiera no pasaba de ser un advenedizo. Sí. En ese momento Candelaria era una advenediza.

Ella vio su gesto desteñido, pero cuando iba abrir la boca para protestar, Frank le dijo a sus hombres que hicieran la guardia afuera, y para solidarizarse con ella, porque captó los ademanes de Santos, le preguntó si tenía alguna loción o una crema en su cartera. Sentía ardor en la cara. Era blanco y pobre de barba.

—Una piel frágil —dijo Candelaria, y Colette contó que le daba mucha lata.

—Le molesta el sol, le molesta el aire frío. Es que tiene picores, «rojeces» y sensaciones de tirantez como la de ahora. Yo creo que es el resultado de su mala vida —dijo, y los demás callaron.

La piel del capo contrastaba con el pelo cárdeno. Había tomado asiento bajo una lámpara buscando el reflejo de la luz en sus joyas. Le gustaba hablar de él o que le hablaran de sus cosas y desde luego esperaba que los demás permanecieran en un plan de inferioridad. Se trataba de eso.

Y su mujer: «Cuando no dramatiza parece una armadura de lata», pensó Candelaria, y comenzó a asociarla con Brigitte Bardot. «Una Briggite Bardot en pequeño», se decía.

Cuando salieron los pistoleros, Jacobo entrecerró las puertas del restaurante y a partir de allí se escuchó un monólogo.

Camino de aquellas minas, Frank llegó a un pueblo caliente, una humedad pesada, una gente que lo miraba con desconfianza y lo seguía con los ojos sin decir una palabra. Desde allí caminó tal vez dos días hasta el corazón de unas montañas tan altas como nunca las había visto en su vida. Montañas y montañas, y más allá, una hilera de peñascos borrosos por el vapor. Los contrafuertes, casi verticales: paredes de roca oscura con vetas grises en los pliegues. En el fondo, un río de aguas gruesas. Y oscuras. Una corriente de lodo, pero un lodo ennegrecido porque hasta allí se desliza parte de la tierra removida por las máquinas que trabajan arriba, sobre una terraza cortada por ellas mismas.

El valle, estrecho en las riberas del río, permanece invadido por una muchedumbre infinita de hombres, de mujeres con sus niños. Un hormiguero andrajoso que escarba entre aquella harina de carbón en busca de una esmeralda, o de una chispa de esmeralda que muy rara vez encuentran.

A un día de camino de aquel punto, la cordillera es igualmente elevada. Como allí no hay máquinas trabajando en lo alto, los valles son desiertos pero más calientes que los que quedaron atrás. Setenta metros arriba de la pata de las montañas aparecieron boquetes redondos, de un metro o un poco más. Dos o tres hombres recibían afuera pequeños sacos con tierra que alguien les alcanzaba desde adentro. Uno de ellos bajaba hasta el arroyo y la mezclaba con agua para buscar las gemas. El otro permanecía arriba accionando un émbolo dentro de un tubo, de aquellos que se utilizan para inflar los neumáticos de las bicicletas. El aire que sale de la bomba va por entre una manguera hasta los pulmones del que se halla adentro.

Hasta allí sólo llegaban quienes tenían con qué sobornar a los capataces de la mina. Frank contaba con un dinero que le dio su padrino, y otro que había logrado ahorrar, y allá se asoció con dos buscadores de esmeraldas. La zona que les indicaron estaba a unos ochenta metros sobre el arroyo, en una vertiente empinada. Treparon, tallaron un terraplén angosto y luego empezaron a taladrar la montaña.

Dos semanas más tarde, el agujero llegaba tal vez cuarenta metros al fondo. Trabajaban turnándose. El que iba a punzar la montaña se deslizaba sobre el pecho y el vientre, hasta llegar al extremo. «Hay que empujar la barra de acero manteniéndola adelante», le dijeron. Y avanzar arrastrando la punta de la manguera, atada a la cintura con una cuerda, hasta llegar al final de la oscuridad sofocante. Allí encendía una lámpara de minero que cargaba en la frente, se metía la punta de la manguera entre la boca y la sostenía con los dientes.

El agujero apenas le permitía doblar los antebrazos para empuñar la barra sobre la cabeza y atacar la montaña. Nunca dijo cuánto tiempo duraba cada turno adentro, pero cuando terminaba, estaba saturado de sudor y barro. La montaña lloraba y con la excavación se iba formando una masa negra y pegajosa. A partir de ahí, no volvió a distinguir las facciones ni los gestos de sus socios, ni ellos las suyas. Los tres se habían convertido en marionetas de barro, oscuro y aceitoso como el petróleo, con los ojos enrojecidos, los labios agrietados, los surcos del sudor sobre la tierra del pecho y de la cara.

Trabajaban hasta tarde, movidos por la misma fiebre que impulsaba al hormiguero. Dormían en la entrada del túnel, y desde cuando él abría los ojos en las mañanas, creía ver esmeraldas en el cielo que empañaba los abismos.

Al atardecer, bajaban hasta el arroyo y se zambullían tratando de asearse. Pero no lograban vencer el barro impregnado en el cuerpo. Un poco más tarde escalaban nuevamente, y el viento sucio que se arremolina a esa hora ensombrecía nuevamente sus caras. Luego venía la noche sofocante.

La piel se le pobló de escamas, y la espalda, como el pecho, como el vientre, estaban ahora cruzados por pequeñas grietas coloradas que le ardían como si le hubiesen aplicado un hierro caliente. Pero el mundo que se había creado, ese mundo verde transparente, ese brillo denso, era más poderoso que el dolor, y por eso sus sueños parecían tranquilos. En ellos no se producía el menor movimiento, no lo acompañaban ni la alegría ni la tristeza. Soñaba en verde absoluto, pasivo y reposado como un adagio.

Lo que ocupaba ahora sus sentidos era el cono imaginario de una esmeralda, pura como una gota de aceite, con un punto de luz brillante en el fondo, tal vez pálida con el reflejo de su lámpara, pero verde intensa si abandonaba el aturdimiento de aquel baño de vapor y salía al sol que reverberaba afuera.

Nunca se acostumbró a sentir la boca terrosa ni a escuchar el chirrido de sus dientes mezclados con esa arena fina que levantaba el viento en olas de polvo. Un atardecer bajó hasta el arroyo. Arriba volaba una bandada de pájaros. Más abajo vio el hueco en la montaña y no creyó tener alientos para trepar una vez más. Se desnudó para bañarse y midió el espesor de sus huesos. Pasó los dedos por la piel cuarteada; la sintió endurecida como pergamino. «No subo más», les dijo.

Durmió allí. Esa vez, el azul invadía su mente. Un alegro. Como soñaba en tonos más bajos, las imágenes tenían una sonoridad diferente de la de otras noches. Entonces recordó la figura de la mujer de las joyerías. Vio su cara despectiva, sus carnes flojas. Despertó y sonrió.

Dos semanas después le preguntó a su hermana por Eduardo Chávez, y ella le dijo que aún vivía en el mismo lugar. La casa era una de las últimas del barrio, en un sitio medio urbano, medio rural, en la esquina de dos calles angostas y empedradas, tres gradas frente a la entrada, una puerta de roble y un arbusto con algodones blancos florecido todo el año.

Detrás de la puerta colgaba una bolsa de cuero con una piedra dentro para mantenerla ajustada, y en el pasillo que conducía a un patio cubierto —donde aquel hombre tenía su carpintería— encontró un arrume de jaulas vacías alineadas contra la pared. Las palomas mensajeras estaban en un segundo patio, sombrío como el resto de la casa.

—La crianza es sencilla —dijo Eduardo.

Eran aves que él había conservado desde niño, pero se multiplicaban en tal forma, que cada año debía sacrificar muchas de ellas. Las conocía bien, las había agrupado según su calidad. Las de la izquierda eran las mejores. En la última carrera habían empleado ocho horas para recorrer unos setecientos kilómetros, desde un puerto al norte del país. Él había partido en un autobús con diez de ellas y dos días más tarde llegó al sitio. Las liberó a las seis de la mañana, y según le dijo su mujer, arribaron al palomar a eso de las dos de la tarde.

—No son las mejores porque partí de variedades casi silvestres —le explicó— y tienen algunas carencias.

—¿Cuáles?

—Las comunicaciones de radio parecen enloquecerlas.

—¿Se pierden? ¿No regresan nunca?

—No. No se pierden. Cuando las libero cerca de alguna central, al comienzo vuelan sin rumbo. Pueden durar orientándose, no sé: una hora, más o menos, pero luego encuentran su rumbo y llegan adonde tienen que llegar, que es su palomar.

Eduardo hablaba sin detenerse, no mucha gente se interesaba por las palomas mensajeras y cuando alguien lo hacía, se olvidaba de todo.

—Eso de las comunicaciones... ¿Hay manera de ayudarles para que aprendan a vencerlas? —le preguntó Frank.

—Sí. Se estudia cada carrera. Si hay antenas en la ruta, uno las lleva al aeropuerto, las libera, ellas se elevan, vuelan en círculos, derrapan, ascienden nuevamente, trazan giros, flotan en trechos cortos, hacen un sobrepaso sobre la torre de control, luego otro, y otro, y finalmente ascienden hasta perderse en el azul y toman el rumbo que deben tomar. No hay un lugar más crítico que un aeropuerto. A partir de la tercera semana comienzan a mejorar sus tiempos. Pero, ¿ese detalle es tan importante para usted?

—Sí.

—¿Sí?

—Desde luego.

A Frank le gustaría llevarse cuatro. Eran pocas si deseaba organizar un palomar de competencia. Cuatro, no. «Diez palomas podrían ser una cantidad razonable», dijo Eduardo. Le daría buenos ejemplares. Frank no tenía dinero suficiente. Ése no era problema. Quien mostraba interés por las palomas merecía toda clase de consideraciones.

—Llévelas usted. Algún día me las pagará. Igual, no tengo espacio suficiente y prefiero que estén en sus manos a verlas entre una olla.

En ese instante comenzó a enseñarle los secretos de la crianza, la distribución del palomar, la alimentación. Frank lo escuchaba.

Esa misma tarde consiguió una bicicleta con una lámpara al frente y una canastilla detrás de la silla. ¿Dónde? En alguna calle, en alguna plaza. La pintó de gris y a la mañana siguiente acomodó en la canastilla una jaula con las palomas que creyó más fuertes, y partió. La ruta más corta hasta el aeropuerto debía de tener unos veinte kilómetros, pero cruzaba por el centro de la ciudad. Prefirió tomar calles y carreteras que bordeaban la periferia, lo cual aumentaba considerablemente la distancia. «No importa: mientras las palomas aprenden a vencer obstáculos yo iré recuperando fuerzas», se dijo.

Nunca supo realmente si las aves habían hecho progresos, porque no preguntaba, y en su casa nadie estaba pendiente de la hora en que ingresaban al palomar. Algunas semanas después creyó tener la fuerza suficiente para recorrer mayores distancias, partió y se detuvo frente a un teléfono en el extremo opuesto de la ciudad. Cuando identificó la voz de la mujer de las joyerías, disfrazó cuanto pudo el timbre de la suya:

—¿Sara?

—Sí. ¿Quién eres?

—Alguien que conoce tu vida.

—Ajá. Y, ¿qué quieres?

—Sé donde vives, a qué horas sales de tu casa, a qué hora vas a la tienda de la Avenida Jiménez, a qué hora visitas la de la Calle Catorce. A qué hora...

La mujer no respondió. Simplemente cortó la comunicación y Frank insistió nuevamente.

—¿Sara?

—¿Nuevamente el de las bromas? —Volvió a cortar. Reacción que él había calculado porque conocía su temple. Se trasladó a otro barrio y una hora más tarde repitió la llamada, tratando esta vez de lograr que la mujer lo escuchara, y cuando ella descolgó, dijo:

—Sara, no son bromas. Te tengo en la mira.

—¿Cuál mira?

—Sé de ti más de lo que imaginas...

—¿Sabes una cosa? Los he conocido más machos y si es cierto que me conoces, debes saber que a mí no me asustan los bandidos. —Soltó una carcajada y cortó la comunicación.

A partir de allí intensificó el número de llamadas, cada vez desde sitios distantes y en los distintos puntos cardinales de la ciudad. El tercer día creyó que, por fin, la mujer comenzaba a caer en su juego: lo escuchaba con paciencia y preguntaba sólo cuando a él se le acababan las frases. Pero transcurrió una semana y Sara continuaba en silencio. Eso también lo había calculado. Buscó una librería de viejo, escarbó entre un arrume de descuentos y dio con el libro que necesitaba: grueso como de dos pulgadas, no más de treinta centímetros de alto, barato; un regalo; y, conociéndola como la conocía, con el título ideal: *Sexo y maleficio en cien lecciones*.

En la mina de esmeraldas había descubierto la pólvora y pensó en alquimia: convertirla en gemas; una quimera, ¿por qué no?; manejar explosivos, hacer añicos la tierra, escarbar en ella y encontrar los puntos verdes, diminutos, brillantes, y adueñarse de ellos. Sus códigos eran elementales, pero aun así, tomó un cuchillo y abrió un nicho entre las páginas del libro, compró alambre fino, baterías de linterna, celdas fotoeléctricas, fulminantes y algo así como media libra de pólvora. Armó un mecanismo, lo activó y vio cómo anochecía en el patio de su casa a pesar del sol: primero, una llama anaranjada, baja y fugaz; luego la nube de humo, el olor a salitre y azufre. Soltó una risotada que se escuchó en todo el barrio; «Espectro de María *La Judía*, ánima de Cagliostro, estáis conmigo»; repitió el dispositivo dentro del libro y se fue hasta la oficina de correos.

Frank tenía razón. El título la hizo vibrar, pero cuando Sara levantó la tapa sintió que la aprisionaba una ola de calor. Un estruendo, el fogonazo que le abrasó la cara, un olor seco, le faltaba el aire, no podía respirar, y se dejó caer. Sus hijos intentaron penetrar el manto de humo que partía de su habitación, pero el remolino de hollín se reproducía con el aire y les taponaba los ojos y la boca. Los bomberos tienen máscaras.

La encontraron con la cara negra como la de Frank cuando salía del agujero: dos óvalos rojizos que debían ser los ojos, una espuma achicharrada en la cabeza, el vestido cubierto por una capa de ceniza pegajosa.

La mañana siguiente sonó el teléfono a las seis:

—Sara: el próximo será con dinamita.

Tres días de silencio. Al cuarto, él creyó escuchar su voz acobardada y soltó la primera carga de profundidad:

—Sara: selecciona treinta esmeraldas de cien puntos cada una...

—¿Cien puntos?

—Tú sabes: un quilate. Ocho milímetros en cuadro, el cono de tres milímetros. No vayas a resultar con basura. Las quiero gota de aceite.

—Eso no existe. No seas iluso.

—¿Iluso? ¿Sabes qué es verde azulado? ¿Sabes qué es una piedra sin gasa ni espejos dentro? Eso es gota de aceite. Sé más que tú.

—No las tengo. Me pides una fortuna.

Suspendió la comunicación, tomó su bicicleta y se alejó.

Dos días después llegaron a un acuerdo. Ella le entregaría quince. Pero, ¿cómo?

—Ya te daré instrucciones.

«Lo demás será fácil», pensó. Era un viernes. Le preocupaba la vecindad de aquella mujer con una estación del cuerpo de bomberos y varias antenas de comunicaciones. El sábado, y luego el domingo, volvió con las palomas al aeropuerto. El lunes realizó dos llamadas. Pero como Sara se había entregado, ya no hizo grandes recorridos y decidió utilizar un teléfono cercano, al sur de la Calle Séptima.

El martes creyó advertir en su voz un tono de nerviosismo.

—Tranquilízate —le dijo—. Te haré llegar dos jaulas con palomas. Cada una lleva en las patas un portamensajes de aluminio. Coloca tres esmeraldas en cada uno y las dejas volar.

—¿Y si se cae alguna esmeralda? No tengo experiencia...

—Te pedí quince y recibiré quince.

—Dime donde encuentro las palomas.

—Te lo explicaré luego.

A las ocho de la mañana del jueves, tomó el mismo teléfono de los últimos días.

Tres minutos después, en los cuarteles de la guardia, un oficial decía por radio:

—Teléfono público al sur de la Calle Séptima: hombre con jaulas y palomas mensajeras.

Escuchándolo, Candelaria pensaba que Frank se daba demasiados aires y eso a ella no le parecía heroísmo. Por el contrario: sentía que, desde luego, la historia era interesante, pero chocaba con lo que habían sido hasta hora sus costumbres. Ella era unos tres lustros menor que los demás y hasta ese momento había creído que el camino a seguir tenía otros rumbos. Luego hizo algunos comentarios y mientras hablaba, Jacobo le comentó al hombre del bar que esa voz le erizaba la piel.

—A mí no. Yo pienso que tiene una combinación tremenda entre la delicadeza y la fuerza sexual de las piernas y los pies.

—¿Tú que estudias, hijo?

—Arquitectura... De mujeres.

En el comedor había continuado el monólogo.

Frank salió de la cárcel y se fue a México. Allí lo esperaba un compañero de prisión liberado antes que él. Buscaban cruzar la frontera y colarse a los Estados Unidos por un punto al oriente, llamado Nuevo Laredo. Atravesaron a pie el río Bravo y una noche de agosto se internaron en una zona desértica. Un poco antes del amanecer, sus guías intentaron darles muerte para robarlos. Fue un lance breve, a cuchillo y en silencio. Él recuerda el brillo apagado de las armas, la respiración agitada de los cuatro, sus pisadas en la arena y el maullido de uno de ellos:

—No va más —dijo, y lanzó el puñal a sus pies. Hasta ahí llegó el cuento. Bajaron las orejas.

—No pueden escapar vivos —gritó el compañero, pero Frank se interpuso. Estaban en solar ajeno. Cuando amaneciera en cosa de una hora, los cadáveres atraerían a la policía. Ya habían cruzado la línea fronteriza y, por si no lo había advertido, desde allí podían verse las luces de algo parecido a una autopista. «Lo lógico», pensó, «es obligarlos a devolverse y continuar nosotros solos». Se lo dijo al compañero, pero antes de que éste respondiera con otra estupidez, se acercó a los coyotes y como los vio mirando manso, ordenó que se tendieran sobre la arena. En sus ropas encontró un tercer puñal. Lo tomó en su mano y alargó la cara hasta muy cerca de las suyas, y se quedó así un par de segundos. Ahí les midió la cobardía.

—Desaparezcan —les dijo.

Esperó algunos minutos y cuando las sombras se alejaron, caminaron en busca de la autopista.

En Huston se separaron. Él soñaba con Chicago y la leyenda de la mafia. Se encaminó a Chicago. Su compañero buscaba Nueva York.

No mucho tiempo después había que ver a su madre orgullosa, mostrándoles a las amigas las fotografías de mi hijo, tan inteligente, tan aprovechado en la vida. Esto que tú ves blanco, es la nieve. Me dice en la última carta que allá están en invierno. Y este coche es suyo. El chico, imagínate, hizo un enorme sacrificio para poder irse, pero, fíjate: ya está en una universidad, y tiene trabajo. ¡Lo que son los Estados Unidos!

Comenzó vendiendo marihuana en las calles: vestido con casco y ropa de trabajador, la escondía entre vasijas simulando el *lunch*, y mientras entregaba la vasija, sostenía una pistola en la otra mano para asegurarse el pago inmediato de la yerba. Había muchos compradores y poca mercancía.

Ahora lo recordaba así:

—Para mí fue una época inolvidable. En ese momento la marihuana se había convertido en algo vital para millares de jóvenes que regresaban desmoralizados de Vietnam. Detrás de ellos, que eran los ídolos, los de doce y los de quince, los *teen agers*, entraron pronto en el cuento y terminaron con un porro de marihuana en la boca. Igual que sus ídolos. Ésa era la estrategia de los malditos comunistas. En Vietnam, los amarillos no sólo utilizaron trampas en la selva. Su «objetivo», como decían en la Academia de Policía, era minarlos. Y les colgaron el vicio. Y, carajo, esos muchachos regresaron a fumarse la grama de los jardines, las hojas del maple en otoño, las ramas de los árboles de Navidad. Descubrieron el *hemp*, una marihuana de porquería que crecía al lado de las vías férreas de *Am Track*, y se lo fumaban. El *hemp* es cáñamo y, claro, les rompía los pulmones. Cada soplo era una patada de elefante en el cerebro. Soñaban con la *cannabis* de Vietnam, porque ellos mismos me lo contaban. Ahí fue cuando entró en escena este servidor. Ahí estaba yo con mi lonchera. Les vendía la flor que es lo que vale, pero también les vendía la hoja, y les vendía la rama con semilla. La semilla es otra porquería. No importaba. Ellos se lo fumaban todo.

— ¿No seleccionaban?, preguntó Santos.

—La selección la hacía yo. Un día se me ocurrió inventar variedades exóticas y le puse cualquier cantidad de nombres femeninos a la misma yerba colombiana: *la ensoñadora, la voladora, la amorosa... La Castelgandolfo white*, con la que el Papa vio a la Virgen. Eso fue una locura. Vendía el doble. Pero como lo nuestro no daba abasto, ellos empezaron a buscar en Jamaica. Y Jimi Hendrix, otro de sus ídolos, con su guitarra, una guitarra prodigiosa, no se puede negar, el negro promovió allí la marihuana jamaicana. Luego se murió de sobredosis: una aguja, coca entre las venas del cuello... Ésa es harina de otro costal, porque a lo que vamos es a que la yerba de Jamaica también resultó insuficiente. Entonces, ojo: Sudamérica.

Que traigan más. Empezamos a derribar la selva para cultivarla. Y se fumaban la selva.

—La misma época del rock —dijo Candelaria—, y la misma de Hendrix y de Castaneda, el que le enseñó a esa generación que la vida no tenía sentido sin marihuana.

Santos abrió los ojos mientras le daba una coz por debajo de la mesa.

—Claro —respondió Frank—. Es que el rock iba de la mano de la marihuana. Lo digo porque me tocó vivirlo: la música no tenía sentido sin la yerba. Las dos eran, la una, los huesos; y la otra, la carne de toda esa cantidad de cucarachas que se les habían trepado al cerebro. Primero nacieron los grandes festivales de música rock. De ahí en adelante, el ritmo se volvió capitán general. Mis clientes decían que para escucharlo y entenderlo, o sea, vivirlo intensamente, primero tenían que organizarse la cabeza con marihuana. La marihuana era la imagen de la naturaleza. Se trataba de blasfemar de la guerra y del consumismo. ¿Cómo? Refugiándose en «Natura», como decía el profesor Erazo. ¿Lo recuerdas? Natura era la trinchera contra todo aquello. Y Natura eran formas de vida sencillas, economía de trueque y, óyeme bien: el campo espiritual, la conciencia de las emociones intensas potenciada con droga. Querían huir.

—Woodstock marcó toda una época. Nos marcó, inclusive, a nosotros.

—Lógico. Ése fue el festival más famoso de todos. A partir de allí se agigantó el mercado de la yerba. De Woodstock para adelante, el negocio fue crecer. La juventud de los Estados Unidos, y la del resto del mundo, porque eso fue mundial, vio en la televisión, y en películas, y en lo que tú quieras, a esa masa de yanquis adolescentes metiendo yerba, trabados, cantando con The Who, un conjunto inglés que los electrizaba, el himno del momento: «Espero morir antes de hacerme viejo».

—Eso se llama *Mi Generación* —dijo Candelaria y Santos no soportó más la intromisión y esta vez descargó:

—¿Quieres dejar hablar a Frank? ¡Por favor!

—Lo que dice tu mujer es cierto. Déjala participar. Ella es más moderna que nosotros y, además, conoce bien el pasado —anotó Frank, y continuó—: creo que nunca en la historia, un vicio había tenido una divulgación tan penetrante. Pero las cosas buenas no duran. Al poco tiempo se me acabó el negocio. Los rubios dejaron de importar marihuana. Estados Unidos se dedicó a fumigar con herbicidas las plantaciones que habían estimulado sus propios jóvenes en América Latina, y como la gente temía contaminarse, se dedicaron a cultivarla bajo techo. En todos los estados. Así se convirtieron en los mayores productores del mundo. Cuando esto se supo, algunos embajadores decían en Sudamérica que aquél era un problema interno de los Estados Unidos y no le incumbía a nadie fuera de sus fronteras. Pero ya ellos no solamente se la fumaban, sino que se la untaban, y se la bebían, y se la comían. Decían que había que preservar los pulmones. El día de Acción de Gracias, las revistas especializadas de Nueva York anunciaban en sus carátulas el *turkey pot*: pavo a la marihuana. Y en California apareció la *Hi-brew beer*: cerveza de marihuana, y el vino de marihuana, y los perfumes con olor a marihuana, que eran el toque de aquella generación.

Frank creyó que aquello duraría siempre y fue dilapidando el dinero a medida que lo recibía. ¿En qué? En vivir bien, en vestir bien, en hospedarse en los mejores hoteles. Pero, además, lo quemó en algo que le revolvía las tripas si dejaba de hacerlo. Y lo hizo.

—Cuando tenía diecinueve —continuó— la cárcel frustró mis ilusiones. Allá me quitaron el verde, que es parte de la explicación de mis sentimientos. Eso es lo que creo. Me la quitó un juez llamado Epaminondas. Así: Epaminondas, como una caricatura. Epaminondas Díaz Gordillo. Ese juez condenaba en un juzgado que no era juzgado. Era una bodega de papeles, mesas viejas, paredes desportilladas. Un sitio frío y sucio. Recuerdo las escaleras oscuras, el corredor profundo con barandas de hierro forjado y pasamanos de madera desgastada, los tablones del piso que no conocían el agua ni el jabón y traqueaban cuando uno daba un paso. El hombre estaba detrás de un búnker de papeles que llegaban hasta el techo. Tenía ojos de perdiz, me acuerdo mucho; un traje gris, arrugado, una corbatita negra, delgada, brillante. Se veía que la planchaba. Y la planchaba mal porque le brillaban los pliegues. Y tenía una voz de ardilla, pero cruel. Desde ese momento huyo de la gente con voz de ardilla.

»Estando en la cárcel supe que aquel edificio, un edificio antiguo en el que funcionaban algunos juzgados, no era del gobierno. Era rentado, y dije: "Algún día los pondré en la calle y haré desaparecer ese segundo piso y también haré desaparecer las escaleras. Lo haré desaparecer todo". Cuando tuve mis primeros dólares, me comuniqué con mi hermana en Colombia:

»—Búscame a un buen abogado. Para mí, un buen abogado no es solamente el que sepa de leyes. Tú me entiendes.

»Ella recomendó a tres, me comuniqué con ellos y finalmente escogí a uno y lo traje a Chicago pagándole hasta la risa:

»—Quiero que compre el edificio de los juzgados. Pague lo que le pidan —le dije.

»Se fue, trajo papeles, discutimos, regresó, luego vino otra vez... Resumiendo, compré el edificio. A mi nombre: Frank Martínez, su servidor. Parte se pagó con dinero en efectivo y parte con las primeras esmeraldas que había comprado allí. No eran bastantes pero las cambié por el edificio. Eso tenía para mí mucho sentido, porque en mi vida cada sentimiento es una clave cifrada. Después de un pleito eché de allí a los jueces con sus papeles amarillentos y sus mesas con astillas. El abogado tenía la misión de ordenar fotografías del lanzamiento. Todavía las tengo, me acompañan. Y conservo también las de la demolición de ese edificio. Lo eché al suelo. Completo. Hice desaparecer hasta el último ladrillo. Guardo una serie de fotografías tomadas adentro, en las que se ve, paso por paso, la demolición de aquella oficina en el segundo piso. Cuando vi que no había quedado nada, le dije al abogado: "Quiero que localice a Epaminondas Díaz Gordillo". Lo localizó».

—¿Dónde está ahora? —preguntó Santos.

—En el Cementerio.

A Candelaria la impactó escuchar a un narco. Aunque las historias le habían parecido en algunos momentos deprimentes, encontraba en ellas un panorama que jamás había imaginado. «Mi vida ha sido vacía», pensó.

Cuando conoció a Santos le sucedió igual. Ella trabajaba en una tienda, ganaba lo justo para medio vivir, no podía darse el gusto de dejar pasar los días libres sin aceptar lo que se presentara para complementar su salario en la tienda y la vida se limitaba a levantarse temprano, trabajar sin descanso, regresar a casa hecha ceniza. Todos los días igual. Año tras año lo mismo. Cuando apareció Santos creyó que la perspectiva cambiaba.

Ahora le sucedía igual. La cercanía con Frank significaba para ella una nueva apertura, porque lo que había encontrado novedoso en Santos pronto se convirtió en rutina y a ella la agobiaba la monotonía y aún más, tener que aceptar cosas que le parecían algunas veces absurdas. Su ambición era crecer, pero necesitaba que alguien le diera la oportunidad de medirse en una actividad intensa.

A Santos no. A él lo apasionaba lo sórdido, creía que había encontrado por fin la manera de enriquecerse y para conseguirlo estaba dispuesto a hacer lo que le dijera su amigo.

Frank y su mujer se despidieron. Santos lo abrazó con más fuerza que cuando lo vio al comienzo de la noche. Colocó la cabeza contra el pecho de su amigo, hizo luego una venia y le besó la mano a su esposa. Se sentía muy honrado, muy feliz. La pareja aceptó visitarlos el sábado siguiente.

Cuando salieron de allí, las nubes reflejaban la luminosidad de una ciudad húmeda, y una vez en marcha, Candelaria le preguntó qué pensaba de todo aquello.

—Que Frank es aquel que estaba esperando. Te lo dije desde el primer día. ¿Viste su pulsera? ¿Y esos zapatos? Lleva un traje extranjero bien cortado, y yo con esta basura...

—Dime una cosa: ¿para qué quiere uno todo eso si es como la francesa? Una cosa es haber vivido menos, tener menos mundo, y otra ser un testigo mudo —respondió ella.

—Difícil hablar en esos términos. Es que esta noche has estado irreconocible.

—¿Por qué?

—Porque te he visto habladora, «opinadora» de cosas que no conoces bien. La mujer debe callar. ¿No te impresionaron acaso el porte y la elegancia de esa señora tan silenciosa? Me dice Frank que maneja fuerzas del más allá.

—A mí me interesa lo del más acá, lo que me rodea y se encuentra a mi alcance, de manera que yo pueda controlarlo.

Santos se encerró nuevamente en sí mismo y Candelaria sonrió. Pensaba en la sensibilidad social con que en algún momento hizo alarde el narco. Le pareció elemental. Estaba convencida de que no era más que una recitación escuchada en boca ajena, algo que tocaba repetir para tratar de demostrar que se estaba en la onda del momento.

Pero por otro lado, se sentía tentada a embarcarse con ellos aunque tuviera que cambiar parte de sus costumbres. Sabía que era capaz de hacerlo y eso significaba convivir con la violencia. Tema difícil pero ineludible. Aquella pistola que llevaba él y la manera como abría su chaqueta para que se la vieran los demás, los guardaespaldas, el juez en el cementerio... Creyó que tendría tiempo para pensarlo antes de tomar una determinación.

La tarde siguiente, Santos comenzó a alistarse para la visita de Frank y su mujer.

—Estas paredes están vacías. Le pediré a Juan que me preste algunos cuadros de los suyos para colgarlos ahí —comentó, y Candelaria le salió al paso.

—Somos como somos y así deben vernos.

Nunca se había atrevido a hablarle en ese tono y él prendió en ira y se marchó. Ella también estaba sorprendida. Había reaccionado ante la falta de autenticidad de su marido. A partir de la cena, todo era un despertar, no por las aventuras escuchadas, ni por lo que para Santos significaban la fortuna y el poder, sino porque por primera vez había decidido confrontarse con alguien en presencia de su marido y ahora le parecía que en algunas cosas iba más lejos que ellos.

Al final de la tarde volvieron a hablar. Santos dijo que le mortificaba mostrar una casa vieja, sin lujo, sin quien atendiera la cena, sin gente con cofias en la cocina.

—Todo aquí es viejo, estrecho, humilde, vivimos en un barrio de gente común —comentó en voz baja.

—Piensa que lo importante en la vida no es dónde se viva sino cómo se viva, dijo ella, y nuevamente se abrió la brecha.

—Estás volviéndote loca de remate. Eso no es así —replicó Santos.

El sábado aparecieron Frank, su mujer, los autos con cristales ahumados, los guardaespaldas que esta vez no corrían para tomar posiciones, ni intentaban cruzar la puerta de la casa, y Candelaria sonrió.

Frank se mostró interesado en los retratos del mariscal Mendoza y del obispo de Mendoza y Nieves, y cuando el tema apuntaba hacia aquellas guerras, Santos hizo su propio discurso, según el cual no debían dejar de lado cosas importantes. En el restaurante de Jacobo había quedado en el aire el final de una historia apasionante, cuando se arruinó en Chicago porque lo desbordó el mercado de marihuana.

—¿Qué sucedió luego? ¿Cómo saliste de esa sepultura? —le preguntó, y Frank aceptó continuar.

Vendió dos automóviles, varios relojes, joyas. No ocupaba un techo propio. Desde luego, no logró recuperar una gran suma, pero como tenía buenas conexiones —porque hablaba inglés—, fue una mañana adonde Bob Collins, un abogado de la *pizza nostra,* y él le dijo: «Frank, vete para Miami. La coca es el futuro».

Se fue. Allá no conocía a nadie; en esa época había pocos colombianos y decidió entrar en la universidad. Él siempre había querido estudiar leyes. Con su dinero y otro que le había prestado Bob, ingresó, no a la universidad sino a una escuela que, aunque no era lo que deseaba, lo acercaba al mundo de la legalidad. Por decir algo, era una escuela de nivel medio. Allí conoció a Carolyn y un día ella le dijo:

—El hermano de mi novio quiere comprar un kilo de coca. Se llama Glen y éste es su número, y esto y lo otro.

Al escuchar aquello, sintió que nuevamente se le abría el mundo. Tomó un teléfono. Glen dijo que sí.

Frank sospechaba que el cocinero de un restaurante adonde iban colombianos manejaba coca, pero no había querido relacionarse con él. Le parecía poca cosa, pero dadas las circunstancias, lo enfrentó: «Maestro, necesito un kilo. Tengo el cliente», dijo.

El cocinero aceptó, pero a cambio, Frank debía llevar a su hermano y repartir con él las ganancias. Nada qué hacer: fue al banco, retiró los ahorros y compró billetes para un punto llamado Birmingham. Cientos de millas. No recuerda cuantas horas estuvo metido dentro de un autobús. Antes de la medianoche, Glen tomó el kilo, se lo llevó y a las tres horas lo devolvió. Estaba demasiado mezclado con harina. Querían nieve más pura.

Cuando empezó a amanecer él estaba en una habitación de motel, sentado en el borde de una cama, frente a alguien que no conocía, con un kilo de coca ajeno, cansado, con hambre, y por ahora, sin un mañana claro. Regresó y devolvió el kilo. Recordaba que sólo le quedaban doce dólares. Al regresar, el cocinero le colocó la mano en el hombro, y le dijo:

—Quédate. Hay un trabajo.

Alguien lo llevó a un piso amplio. En una habitación había un arrume de dólares de todas las denominaciones, tirados en el suelo.

—Tu trabajo es contarlos —le dijo un hombre.

—Sí, pero tráigame comida —respondió Frank.

Era un gran arrume. Cuando estuvo al frente, pensó: «No es solamente contar. Hay que ordenarlo primero». Y lo ordenó: los de diez en bloques de mil dólares; los de veinte en bloques de dos mil; los de cincuenta en cinco mil; los de cien, en diez mil. Había que marcar cada paquete: *stack of fives, stack of fifties, stack of hundreds*... Tres días y dos noches trabajando. Al final no faltaba un centavo y le llevaron otros dos sacos rellenos de dólares. Los ordenó, los contó. Nada era suyo, pero sentía que nuevamente estaba en algo. «Ya arranqué de nuevo», pensó. Los hombres dijeron: «Eres un buen trabajador», y le dieron otros oficios. Empezó a conocer la ciudad. Eso era importante.

—¿Cuánto te pagaban? —le preguntó Santos.

—Al cabo de quince días pude comprar un auto modesto. Después de haber tenido tanto dinero en Chicago, ahora dos mil dólares me parecían una fortuna. No me pagaban un sueldo fijo. «No importa», pensaba yo. «Estoy acumulando». En esa época llevaban pasta de coca del Ecuador y del Perú hasta Colombia, y allí la cocinaban, en laboratorios clandestinos. No sabían cocinar y a Miami llegaba basura. Se vendía porque el vicio del gringo no tiene medida.

—Un negocio sencillo. O, ¿no?

—Sencillo. Pero tenaz. Alguien la cocinaba en Colombia y se la vendía a otro. Quien la compraba se la entregaba a un transportador que la colocaba en Estados Unidos. Los compradores finales, los buenos clientes, todos eran estadounidenses. El negocio a gran escala sigue siendo de ellos. A los gringos sólo les interesa recibir, pagar y distribuir. A nosotros, todo. Lo que sea necesario hacer, lo hacemos.

Un día le dijeron: «Hay un trabajo como "caletero". ¿Te interesa?». Caleta le llaman los narcos a aquellos lugares clandestinos donde almacenan coca o dinero. El caletero es quien la cuida. Frank aceptó. Lo llevaron a una casa sin muebles. Sólo había un tapete, un televisor y cajas con coca por todos lados. Allí lo dejaron encerrado tres meses.

Qué tan fácil se dice, tres meses. Un calabozo. Soledad total. Empezó a hablar consigo mismo, pasó mucho miedo, se volvió paranoico. Ahora no le daba vergüenza reconocerlo: fue un calvario porque aquello no tenía siquiera la apariencia de una vivienda. Allí lo que había era un hombre tirado sobre el tapete de una sala, cubierto con una frazada, con la cabeza sobre una almohada sucia y algunos libros regados por el piso. El abandono se volvió monólogo. Para tratar de darle vida al sitio, o para sentir que allí vivía alguien más, colocó las fotografías de la demolición de los juzgados en las paredes. Le había pedido a los demás que le llevaran libros, porque su oficio se limitaba a vegetar, a mirar un televisor, y a esperar...

—¿A la policía?

—La policía era lo de menos. A esperar un asalto de las bandas que venían a robarte.

Y el monólogo. Frank: El que viene a robar, viene a matar. El caletero no puede quedar vivo. Pero el caletero no carga ni una aguja. Ése es el curso que estás haciendo. Ahí es donde vas a ponerte a tono con la vida: o te vuelves valiente, o te rajas. No se puede salir del sitio nunca, porque el caletero no debe asomar las narices a la calle. Ni recibir el sol. Debe quedarse allí pariendo.

Le falta el sol de la mina, achicharrante o como sea. Plomo derretido que quema las montañas. Por eso son pardas. Grietas y arroyos calcinados, un sol que te deja ciego en las mañanas. Al mediodía tienes que esconderte en algún sitio, en algún hueco, bajo una piedra. No hay árboles suficientes, no hay sombra. ¿Hierba? No, no hay hierba. Aún así, soñaba con aquello, todas las mañanas y todas las tardes a partir de la primera semana de encierro.

Frank, el olor de la coca te está minando. Sí, lo sé. Según el miedo, aquella coca huele diferente: a sentina de buque o a cuero viejo. Es grasoso. O agrio, como la ensalada con vinagre. O huele a acetona seca o a pomada fermentada. A pólvora, a tabasco, a sulfuro.

Por las noches apagaba las luces y abría algunas ventanas para que entrara el aire. El olor no desaparecía, se le colaba en la piel. Al poco tiempo pensaba: «Me estoy pudriendo». La misma idea que en la oscuridad sin aire de la mina. Muchas veces trató de recordar esa mezcla sofocante del carburo quemado de la lámpara con el vaho de la montaña y con su propio hedor a infección, y juntos le parecían menos sucios que el olor aprisionado en el salón principal, en las habitaciones, en la cocina. No era una casa grande. Del centro del salón hasta la puerta de entrada, cinco pasos y medio. De allí hasta la cocina, ocho. Del centro del salón hasta el baño más cercano, tres y un cuarto. Medidas en metros o en cuadros de tapete. El tapete simulaba paño escocés, verde, azul y líneas rojas muy finas. Tenía tres manchas: una en la esquina oriental del salón, otra más allá del centro, y la última, o la primera, según el sentido en que caminara, casi a la entrada. Alguien debió dejar caer allí aceite o barniz. Era la más espesa de las tres.

La bicicleta. Frank: ¿recuerdas la bicicleta? La bicicleta era el espacio, el aire limpio que no puede ser reproducido por la mente. La mente es la perspectiva de estas doce paredes. Y la perspectiva son las tensiones de cada rincón, en una casa que se estrecha a medida que oscurece y vuelve a amanecer, y después se reproducen los días interminables, y cuando regresan las sombras, esas noches densas con los ojos llenos de imágenes.

Todo el tiempo sin mujer. Una mujer en una caleta puede significar la muerte. Una botella de alcohol puede significar la muerte. O te emborrachas o estás en lo que estás.

—Cada semana me llevaban comida y tres o cuatro libros. No terminé de leer ninguno. Eran basura. «Nos han dicho que son *best sellers*», decía uno de mis compañeros... Bueno, eso de «compañero» me gustaría aclararlo. Lo decía estirando el cuello. El tío los debía comprar guiándose por los colores de las tapas y las letras doradas o plateadas en relieve. Y por su peso. Como quien maneja coca. Cuanto más grueso fuera, él calculaba su calidad. Historias que me acababan de angustiar. Sexo, que está muy bien, bienvenido sea, especialmente en esa soledad, pero ¿siempre violencia? Torturas utilizando taladros y brocas de acero en las rodillas de la gente; hombres descuartizados con sierras eléctricas. Eso mismo lo mostraba la televisión, donde tantos bandidos han completado su inventario de maldades. ¿Sabes dónde aprendieron eso los estadounidenses? En *Texas chain massacre*, una de las primeras películas en que se ve torturar con taladro y luego descuartizar con sierra eléctrica a un ser humano. Lo hace un hombre con una máscara hecha con piel humana. Mira, recuerdo hasta el nombre del director: Tobe Hopper. Allá cualquiera lo sabe porque ese filme lo exhiben los viernes en todos los Estados Unidos. La juventud lo ve y sale transformada. Todos los viernes. Cuando vayan, compruébenlo. —Rió y se bebió un whisky.

»En aquella casa vi una noche, *Billy Bathgate*. ¿Película? O guía para torturadores: Dustin Hoffman hundiéndole los pies a otro entre un cubo con cemento, y cuando el cemento está seco, lo lanza al mar. La escena tampoco es muy original. La han trillado muchas veces en el cine. Lo atroz es que eso mismo lo hacen, hoy, algunos yanquis y algunos mexicanos y algunos colombianos y cubanos que andan detrás de la droga. Entonces, ver aquello cuando sabes que no es ficción sino que sucede a tu lado cuando asaltan las caletas, aterroriza. Y aterroriza mucho. Una cosa es pegarle un balazo a un hombre, y otra muy diferente descuartizarlo en vida. No me miren así, pero es que todo tiene su medida. No lo niego: yo he mandado gente a descansar, y tú lo sabes. Pero no en esa forma. Soy lo que soy. Y punto.

»La noche que vi esa película no pude dormir. Me fui a la ventana y ahí estuve hasta cuando amaneció, esperando a que me asaltaran. Y nochecitas como esa, tuve muchas en esos tres meses. Pero tuve también noches bellas. No es lo que te imaginas, porque salí de allí cansado de masturbarme. A toda hora. Me refiero a los sueños».

El primer mes su mente estaba en rojo. Lo contrario del verde: resonancia. Pero luego volvió a soñar en verde, que es lo suyo. Un reposo estancado, nuevamente los conos con la luz brillante en el fondo. Eran unos conos quietos. Miles de quilates poblando el espacio de aquella sala. Esmeraldas mejores que las de otras noches, porque tenían un brillo cargado de pensamientos. Y como todo estaba quieto, porque el verde es inmóvil, recobraba la indiferencia y en aquella fantasía esquizofrénica renunciaba al miedo y volvía a ser libre.

Como en un tiempo recuperado, esas noches se veía a sí mismo dentro del palomar de Eduardo. Algunas veces lo llevaban a competencias. Lo dejaban volar... Lo mismo que soñaba en la cárcel: era un pájaro desandando pasos en busca de tanta ilusión abandonada. Allí nadie podría alcanzarlo. Se remontaba aún más. Pero irremediablemente tenía que regresar al mismo palomar. Era incapaz de ser libre para siempre.

Despertaba.

Nadie había visto nunca tan callado a Santos, ni nadie había escuchado antes la historia de aquel hombre. Pero a pesar de que su mente continuaba evolucionando, Candelaria sentía que algo le impedía renunciar a la legalidad. Hasta ese momento no había considerado esa alternativa y en algunos momentos se sentía incómoda con la cercanía de alguien como Frank. Entonces miraba a Colette. Fue descubriendo en ella un aire de pedantería que no había advertido antes. Ella también venía del fondo. Luego de casarse con el narco, descubrió que la trataban con un respeto desacostumbrado y se inclinaban ante ella y le regalaban diamantes y no volvió a mirar hacia atrás. Candelaria pensó que no le sucedía lo mismo. Quería ser importante algún día, pero en el sentido de tener vida propia. Cuando se casó con Santos conoció las primeras comodidades, pero no permitió que eso la afectara.

Por lo que había escuchado antes de aquella cena, Santos continuaba impresionado con Colette. Su acento extranjero, sus ínfulas hablando de un París al que seguramente no había tenido acceso antes de conocer al marido, lo hacían repetir: «Qué mujer tan moderna. Ahí tienes un buen ejemplo». Candelaria prefería guardar sus pensamientos.

Tal vez por eso, esa noche se fijó en ella más que la primera vez. La veía aprobar ciertos pasajes de la historia que estaba contando su marido con un silencio o una inclinación de la cabeza. «O tal vez no los aprobaba», pensó. «Es posible que mientras lo tenga todo y la situación le permita desquitarse del ayer, lo que diga Frank y lo que haga, la tienen sin cuidado».

—Cuando terminó el encierro en esa caleta —decía ahora Frank—, me fueron dando cada vez más alas, hasta que llegó un momento en el cual yo estaba haciéndolo todo. Los otros tres, muy jóvenes por cierto, permanecían de rumba, paseando, en espectáculos, con mujeres. Yo vivía pegado a un teléfono. Entraba una comunicación: vamos a despachar tanta cantidad. Me ponía mi gorra verde, un mono verde, tomaba una libreta como cualquier repartidor de mercancía —le había pintado a la camioneta el letrero de una compañía imaginaria, y el mismo se lo hice estampar a la gorra y al mono—, iba al aeropuerto, entraba a la bodega correspondiente y sacaba una caja con cincuenta, sesenta kilos de cocaína. Cuando alguien reclamaba un envío, de la aerolínea llamaban a la aduana, la aduana venía, revisaba, y una vez revisada, dejaban salir la carga. Pero, no. Yo había hecho amistad con gente de una aerolínea estadounidense que viajaba a Sudamérica y cuando llegaba a reclamar mi envío, el gringo que tenía que llamar a los aduaneros no lo hacía porque yo le pagaba. Pero antes de todo esto, iba a un *junk yard*, donde vendían chatarra, y allí escogía piezas de motores, cosas de metal, las limpiaba y las empacaba en cajas de madera iguales a las que venían.

Siempre eran cajas iguales. Yo les había dado las especificaciones y allá las hacían como les dije. Lista la chatarra, la empacaba, iba al aeropuerto, entraba con una caja llena de basura y salía con otra llena de coca. Al día siguiente regresaba, el hombre de la bodega llamaba a la aduana, venían los aduaneros, abrían y preguntaban qué era:

»—Piezas de máquinas para reparar en Estados Unidos.

»—Salga.

»Fui centenares de veces. El del *junk yard* me preguntaba:

»—¿Usted por qué compra tantos hierros?

»—Tengo una hermana escultora y trabaja con ellos —le decía.

»Después logré que me dejaran hacer a mí la mezcla para equilibrar la calidad de la coca. Ahora la llamábamos *perica*. Entonces la desempacaba, la mezclaba con vitaminas naturales porque pura es veneno, le daba buena presentación al empaque, y de acuerdo con una lista, comenzaba a repartirla: quince kilos a Howard, diecisiete a Garry, trece a Kate... Después de las entregas llevaba una contraentrega, recogía el dinero, y cuando había reunido cierta cantidad, la camuflaba entre televisores nuevos y la despachaba a Colombia.

»De esa época sólo me quedaron unos dólares porque lo que ganaba lo gastaba en lujos. Pero en cambio conseguí algo my importante: buenas relaciones con todos esos yanquis. Yanquis buena gente. Unos comercializadores bárbaros. Mis clientes eran intelectuales, artistas, gente de la Bolsa, de la industria. Allí no había ratas de basurero.»

—Por lo que veo, o por lo que presiento —dijo Santos—, también se acabó esa época.

—Se acabó por un negocio que a mí no me gustó, pero yo no podía opinar, ni trataba de hacerlo porque era un simple trabajador. Fue un negocio estúpido, justamente con un yanqui. La persona que mandaba la coca dijo que iba a despachar un embarque a través de alguien de Oklahoma que nos lo entregaría en Miami. Y la tal entrega fue que cayeron todos. Quince personas en la cárcel. Yo escapé por suerte. Me escondí una semana. A los ocho días fui a una caleta de la que nadie sabía, rescaté algo más de medio millón de dólares y se lo envié a su dueño. El narco quedó muy agradecido. Luego estuve quieto, y un tiempo después, pensé: «Carajo, yo me puedo defender solo en este país». Tenía quien me despachara la coca; en Estados Unidos había hecho magníficas relaciones con los mayoristas que me la compraban, porque conocía el inglés, era su amigo personal, iba a sus fiestas, hablaba de lo que hablaban ellos... Quien tenga conexión directa con los yanquis puede ser príncipe. Ellos son los reyes. Yo también quería ser rey.

Desde entonces habían transcurrido ocho años, durante los cuales reunió una fortuna. Hizo inversiones en Italia, Francia y España. Casó con Colette y aprendió a beber champaña al despertar y nuevamente al anochecer.

Pero un día se lo llevaron preso y el juez le fijó una fianza de un millón de dólares a cambio de la libertad condicional. Él la pagó con esmeraldas. Cuando le preguntaron por su fortuna, dijo: «Yo soy un esmeraldero», y lo tomaron como esmeraldero. Salió de la Corte, viajó a Miami donde lo esperaba un pequeño avión y se fugó para Colombia.

—¿Y ahora?

—Ahora comienza la historia de hoy. Son las tres. Vámonos.

—¿Hacia donde van mañana? —les preguntó Santos—. Yo deseo acompañarlos, ustedes lo saben: la ciudad ha cambiado en estos años, Candelaria conoce las mejores joyerías, las tiendas de modas.

Frank guardó silencio.

—Pero, ¿cómo me comunico contigo? —insistió—. ¿Qué vas a hacer mañana? Yo voy temprano a tu casa, Frank.

Santos no volvió a aparecer por su pequeña oficina; comenzó a llegar diariamente a casa de Frank a las diez de la mañana y allí se quedaba hasta las diez o las once de la noche.

Mucho después volvió al restaurante para recuperar la caja con cubiertos de plata y Jacobo le habló del costo de aquella cena:

—Mira: he hecho un esfuerzo muy grande para conseguir los mejores pescados, la mejor comida de mar, vino francés, champaña, flores y, tú sabes: no soy hombre adinerado. Vivo de esto.

—Pero hombre, ¿cómo me vas a cobrar a estos precios? No. A mí tienes que hacerme un descuento. ¿Y a ti quién te dijo que les dieras comida a los gorilas? No. Eso yo no lo autoricé. Esto es increíble: traigo a esta pocilga gente de categoría y ahora me sales con esta cuenta y con este problema absurdo... ¡Por favor!

Nunca se volvió a hablar de aquel dinero.

3

—Eres un pésimo nadador, déjame que yo lo haga —le dijo ella mientras se desnudaba para lanzarse al agua y rescatar el remo que flotaba unos quince metros más allá de la pequeña embarcación, y Emilio comprendió que el remo era un pretexto para buscar el juego del desnudo con el agua, en una especie de ritual de purificación que caracterizaba la sensibilidad de algunos rusos.

Valentina Nicoláievna era la primera mujer que Emilio Grisales conocía en San Petersburgo: dos ojos huérfanos, blanca, alta, el pelo rubio. «Una rusa de verdad», pensó. Habló con ella y vio que estaba frente a alguien con personalidad, pero escuchándola algunas tardes en los lagos de la isla de Yelaguín, el lugar más apacible que había conocido, sintió que no era la mujer con quien le gustaría compartir su vida. Vivieron juntos tal vez un par de meses, al cabo de los cuales ella le dijo:

—Eres un buen hombre, pero, quiero que me comprendas: no deseo continuar viviendo contigo. Podremos ser amigos.

He decidido vivir sola nuevamente —le explicó adelantándose a cualquier desacuerdo futuro porque temía ser abandonada.

Él estaba de acuerdo. El entusiasmo por ella los primeros días fue diluyéndose hasta creer que Valentina no era la compañera que buscaba. A él le gustaban las mujeres inteligentes, sí, pero silenciosas. Se separaron.

Valentina Nicoláievna era hija de un coronel del ejército soviético, ambicioso y elástico frente a lo que debería ser la ortodoxia militar, y de una mujer codiciosa como él pero encerrada en sí misma, de manera que la chica sabía cómo era la soledad.

Cosas de la vida. Con el tiempo se acercaron más que antes, conversaron más, se contaron cosas que nunca habían contado. Cuando se conocieron ella le preguntó qué lo había llevado a Rusia y él fue más o menos evasivo. Ahora ella creía conocer su historia mejor que nadie. Emilio había dejado el trópico porque llevaba los genes de gente que había caminado mucho, y un día dijo: «Voy a partir». En ese momento decidió continuar con el destino de nómada que llevaba en la sangre.

Su padre era un colono y su abuelo otro y su bisabuelo igual, de manera que cuando se marchó sentía que lo impulsaban dos cosas: una razón de sangre profunda, y una apuesta de su parte en favor de un país con imagen de maligno, envuelto en una telaraña de geografía desconocida y una postal que lo presentaba ante Latinoamérica como el límite del infierno.

En ese momento, iba a cumplir los quince, aquella tentación lo fascinaba y le parecía un magnífico reto contrariar el legado católico de su medio, que le decía: «El bien está a este lado. Lo demás es el mal».

De otra parte, su idea no era evadir aquel ambiente en busca de un lugar en el cual podría hacerse rico y mejor, sino explorar medios que le permitieran crecer. A esa edad sabía perfectamente cuál era el camino a seguir, pero la sociedad se lo mostraba cerrado, y una noche dijo: «Me alejaré de estas montañas que me asfixian».

En aquel momento, de una manera muy larvaria estaban coincidiendo la mezquindad de la vida que se abría, y la ambición por romper con ella. «¿Cuál mezquindad?», le había preguntado Valentina, y él habló de su padre, un hombre del campo, respetado pero no próspero, porque el Estado y la Banca se quedaban con lo que ganaba. Él lo recordaba trabajando de sol a sol, pero cuanto más trabajaba, menos avanzaba, y por tanto Emilio creía haber heredado una gran voluntad, pero a la vez un gran pesimismo. El viejo tenía la voluntad de progresar pero... Ésa era la mezquindad de la vida.

«Pesimismo, ¿pero cuál es tu ambición?», le preguntó ella otro día, y él dijo: «La de abrir los horizontes». A los quince ya era presa de los libros y también de la música franquista. Nino Bravo había irrumpido como la expresión en contra de un mundo que entonces se aborrecía. Él conocía todas sus canciones, pero *Cansado de soñar* tenía más fuerza. Decía algo como «tras la frontera está su hogar, su mundo y su ciudad. Piensa que la alambrada no es sólo eso: un trozo de metal».

Mucho tiempo después supo que la letra se refería a la Cortina de Hierro, pero en aquel momento, creía que reflejaba su propio mundo encerrado entre montañas, sin estímulos para continuar el camino.

Las conversaciones de Valentina y Emilio eran largas. Ahora no hablaban de amor, hablaban de estas cosas. Valentina comenzó a entenderlo, y él a sentirla cada vez más cerca. Necesitaban escucharse.

En San Petersburgo, él descubrió que los negocios con vodka y crema dental que hacía en Kalinin eran un juego de principiantes frente a lo que veía ahora en su universidad. Una tarde, Rafael, un cubano, le dijo:

—¿Quieres ganar dinero?

—Sí. ¿Qué debo hacer?

—Llevar tabaco a Alemania y Francia.

Los cubanos eran los amos del mercado de tabaco. Recibían un tratamiento especial de parte de los soviéticos y a cada estudiante le autorizaban dos viajes a su tierra cada año en vacaciones y así podían llevar y traer, más o menos lo que les viniera en gana.

—Mira —le explicó Rafael—: nosotros compramos motocicletas, las desarmamos y acomodamos las piezas en cajas pequeñas. Las motos son una solución en un país donde el carburante no sobra. De regreso —continuó— vienen también habanos, pero como no podemos salir de Rusia, gente como tú los saca hasta Alemania o Francia o España donde hay muy buenos compradores. Nosotros te daremos sus coordenadas.

El jueves siguiente estaba embarcado en un ferrocarril que circunda el golfo de Finlandia. Cuatro horas después llegó a Helsinki. Allí, de acuerdo con las instrucciones de Rafael, tomó un barco que lo llevó a Estocolmo. Dieciséis horas de viaje. Lo esperaban un sueco y otro cubano.

—Tienes que salir ahora mismo para Malmo, al sur.

—Estoy fatigado, necesito descansar unas horas.

—Eso no es posible —le dijeron—. Vete ahora.

En Malmo abordó un buque con destino a Alemania y una vez en el puerto tomó un ferrocarril para Berlín Occidental. Allí, el hombre de la tienda, una tienda al parecer importante que sabía de su llegada, fue breve. En cuanto recibió el tabaco le hizo firmar un par de hojas para tramitar la legalización de la mercancía y luego le pagó.

Regresó por el mismo camino con los marcos entre una bolsa escondida bajo el vientre, y una semana después se los entregó a Rafael.

—Esto es muy poco. El trabajo ha sido fatigante —le dijo Emilio cuando recibió su parte.

—Bueno, es lo que pagamos por el primer viaje. Si quieres continuar, las puertas están abiertas ¿Te parece bien?

No, no le pareció bien, entre otras cosas porque cada viaje representaba una pérdida de tiempo incalculable y lo que realmente le interesaba eran los libros, escuchar a sus maestros, rehacer los pasos de Pushkin, su experiencia vital en el calor de las cenizas de Moscú y la retirada posterior de Napoleón. Pushkin se había colado entre la geología y la escuela de lenguas extranjeras.

—No lleves más tabaco. Está bien. Pero hay otras líneas que pueden favorecerte —dijo Rafael—. ¿Quieres probar?

Le presentó a Petr. Petr se reunió en una calle cercana con Vladimir. Petr y Vladimir lo llevaron hasta donde los esperaba Víktor. «Vamos a caminar», le dijeron. «Los negocios no se hacen en una oficina o en un hotel; en nada que sea recinto cerrado. Vamos».

Caminaron, y cuando llegaron a un pequeño parque, habló Víktor:

—Se trata de ir a Alemania, comprar autos y traerlos. Tú nos los entregas aquí con papeles a tu nombre y un año después firmas el traspaso de la propiedad a nombre nuestro. Mientras tanto, nosotros los utilizaremos.

Eran gente del gobierno, y los autos, para sus superiores. Grupos que podían manejar tanto dinero como para comprar coches de los modelos más modernos y mantenerlos en Rusia sin agobio porque no eran controlados, ni investigados, según le dijo Petr.

Emilio hizo un viaje trayendo a la vez algunas computadoras, pero cuando supo los precios a los que las vendían en el mercado negro, calculó que los dueños ganaban una fortuna y, sin embargo, le pagaban poco. No le pareció justo.

—No voy más —le dijo a Petr.

—Como quieras —le respondió—. Vete a tu universidad. Ya sabes lo que tienes que hacer.

Un mexicano, compañero suyo, había traído un par de autos pero no estuvo de acuerdo con lo que le dieron y le insinuó a su contacto que iba a hablar. La tarde siguiente lo encontraron en un parque cerca de la universidad con las piernas quebradas a garrotazos.

—Buena gente. Me perdonaron la vida —le dijo a Emilio.

Comenzaba el invierno. Ahora la vida era hacia adentro. En las sombras del día y también en las de la noche, Emilio hablaba consigo mismo. Algunas veces veía su casa en Colombia rodeada de colinas. Las plantas de café marcaban con círculos verdes, simétricos, soberbios, los niveles de un jardín de miles de kilómetros cuadrados que se perdía frente a unas montañas azules. Y había libros, muchos libros, porque, como contraste con parte de la vecindad, su padre era abierto a la superación.

Antes de cumplir quince años, cayeron primero en sus manos dos, *El lobo estepario*, que es la profunda desesperanza. Un personaje completamente lúcido que ve el engaño escondido detrás de las palabras y decide comprometerse con el pesimismo. Emilio ató aquello a la lucha estéril de su padre por despejar el horizonte, y a Hermann Hesse mostrando a una sociedad civilizada que vivía la crisis de Alemania antes del nazismo, pero estimulaba el surgimiento de la deshumanización y la barbarie.

Luego fue *Don Segundo Sombra*, un personaje solitario que con una voluntad indomable caminaba siempre por la Pampa, y aquella imagen y la música franquista de Nino Bravo hablando de la Cortina de Hierro, y Hermann Hesse, y su rebeldía sin esperanza que venía de la década de los años setentas, todavía con el hálito de buscar lo desconocido como en los sesenta, fueron completando la perspectiva del nomadismo como respuesta al deseo de dejar atrás una sociedad sin ilusión.

Ese invierno conoció a Andrei, un moscovita, y le preguntó qué hacía para mantener los bolsillos llenos de dinero.

—Negocio con jeans traídos de Estocolmo —respondió.

—¿Un negocio limpio?

—No seas ingenuo.

Andrei había conocido en Mozambique a un militar soviético. Él comenzó con el negocio luego de retirarse del ejército, pero ahora no tenía tiempo suficiente para continuar al frente porque viajaba al África. Allí tenía otros frentes de comercio: armas, municiones y cosas así, y un día le pidió que se hiciera cargo de lo de los jeans.

—Andrei, es tu oportunidad —le dijo, y Andrei la aprovechó.

Aquel mercado funcionaba rápido y bien. Desde hacía algunos años, los jeans eran la pasión de los jóvenes soviéticos y Vasílii, así se llamaba el militar, o ex militar para ser precisos, pensó que tenía al frente un mercado inagotable. Y no se equivocó. Buscó a un chileno despabilado y astuto, y empezó a enviarlo a Estocolmo en busca de ropa de segunda mano. Allí compraba cargamentos de pantalones y los traía hasta San Petersburgo.

Andrei le dio otros detalles del negocio, le habló de las mafias, de su vida, de Mozambique y finalmente le preguntó si quería trabajar para él. A Emilio le pareció bien y comenzó ese mismo día.

Jeans y geología. Ropa usada, francés e italiano. En eso se convirtió su vida. Se sentía a gusto, todas sus calificaciones en la universidad eran sobresalientes, pero al cabo de un mes el chileno descubrió que Andrei estaba robando, se lo dijo al militar y una noche la mafia mató a Andrei.

Fue en aquel funeral donde Emilio creyó haber encontrado a la mujer de sus medidas. Se llamaba Evgenia Alexándrovna, Eugenia hija de Alexander, rubia como las anteriores, de buena estatura, la cintura estrecha y una mente «cuerda», como decía él.

—¿Quieres casarte conmigo? —le preguntó más tarde.

—Bueno —respondió ella.

—¿Y tener hijos conmigo?

—Sí.

—¿Y serme fiel?

—Sí.

—¿Me amarás siempre?

—Sí.

Se casaron en una aldea camino a Nóvgorod porque así lo determinó su suegra. Con el rastro de sus ahorros compraron un vestido de novia y para él un traje oscuro con corbata.

La mañana del matrimonio Emilio llegó por Evgenia Alexándrovna, pero antes de llamar a la puerta de la casa en que ella se hospedaba, se acercó a una de las ventanas y colocó allí una cesta cubierta con un paño de telar con cuadros rojos y blancos. Dentro de la cesta una paloma. La dejó allí y se retiró. Ella abrió la ventana. La tomó en sus manos. Si lo aceptaba como su esposo debería echarla a volar. Lo hizo.

En ese momento él tenía dos alternativas. La primera, ingresar a la vivienda y negociar la dote con su suegra, pero la dote ya estaba negociada. Nadia Stepánovna guardaría el dinero que él fuera consiguiendo. Era un extranjero y frente a lo que decían las leyes, no deseaba aparecer como dueño de algo.

La segunda consistía en sacar a Evgenia Alexándrovna a la fuerza, pero no tenía necesidad de hacerlo, por lo cual cruzó la puerta y salió con ella en los brazos. La encaramó en un caballo traído por alguien. Un par de amigos suyos le ofrecieron a Evgenia un pan y un trozo de sal, y partieron en busca del Centro de Registro Matrimonial. Él iba a pie. Ella montada en el caballo. Detrás se movían al ritmo de los pasos lentos de la bestia, una balalaika y un acordeón tocando algo alegre y los invitados bebiendo vodka.

La noche siguiente se fueron a ocupar un rincón en la habitación de Nadia Stepánovna, aquella mujer con perfil de mazo que le preguntó si era checheno el día que lo conoció. Tenía unos cincuenta años, la cabeza cuadrada, el cuello largo, grueso y el pelo rojizo.

Esa noche, su mujer le preguntó lo que todos le preguntaban siempre: ¿por qué había llegado a Rusia? Él comenzó a explicárselo y ella a dormir. Cuando cumplió dieciséis años, se encontró con *Guerra y paz* ¿Qué hacía ese libro en la biblioteca de su padre? ¿Por qué estaba ese libro allá? *Guerra y paz* lo llevó a un mundo diferente al tiempo y al espacio de las montañas. Leyéndolo sintió la certidumbre de habitar en la estepa y escuchó la estampida de Napoleón. El narrador lo transplantaba a un mundo con personajes de carne y hueso como él.

Con Tolstoi descubrió la verdadera literatura. En ese momento no tenía la menor idea de quién era Tolstoi, ni qué significaba literatura rusa. Sólo sabía que la Unión Soviética era un país comunista según una cartilla que circuló por las montañas, con dibujos de hombres armados en medio de la nieve, quitándoles las tierras a los campesinos. Eso era todo lo que sabía de allá en ese momento. Alguien lo vio con aquel libro y le dijo que no lo leyera. Había sido escrito en un país ateo. Él venía de una familia profundamente católica y es un profundo creyente. «Soy un católico anarquista», le había dicho a su mujer, pero ella no lo entendió y prefirió callar.

No obstante, leyó el libro y se le quedó grabado el nombre de Kutúzof, uno de los personajes. A esa edad, Emilio era un idealista en cuanto a la guerrilla.

Kutúsof era un jefe de *partisanos*. Un hombre de casi ochenta años al que le lagrimeaba un ojo, casi no podía hablar, le faltaba una mano, era cojo. Los oficiales del Zar se burlaban de él, y sin embargo, él era quien trazaba las estrategias para enfrentar a Napoleón, un ser que había triunfado sobre Europa.

En ese momento estaba cerrándose el nudo de hilos que iba a definir su vida. Los libros y una radio que captaba emisoras de los países vecinos, le dieron la certidumbre visceral de partir.

La relación con Evgenia Alexándrovna, la mujer dócil y callada, fue demasiado silenciosa a partir del matrimonio y la semana siguiente sintió que no podría continuar en aquella habitación donde sus ojos chocaban a cada instante con la mirada cáustica de Nadia Stepánovna, pero los cuarenta rublos de su auxilio en la universidad solamente le alcanzaban para comer, y decidió buscar al chileno.

—Ayúdame —le dijo—. Me he casado y debo salir de donde de mi suegra.

Con la ayuda de Vasílii, el chileno andaba en un mundo que llaman en Occidente, metales estratégicos.

—Es todo lo que tiene que ver con fabricación de arsenal —le explicó—. Elementos para la seguridad de la nación. Hablemos de manganeso, cobalto, indio, iridio, paladio. El indio lo utiliza la industria militar y vale oro; el osmio sirve para fabricar armas químicas. La Unión Soviética ha almacenado cantidades de titanio que también comienza a salir de aquí en forma clandestina. En buques, ése es un cuento diferente, están sacando toneladas de aluminio que necesita Occidente para su industria aeronáutica.

»Hay un mercado al que desgraciadamente Vasílii no tiene acceso por ahora y en el cual se mueven millones bajo la superficie. ¿Sabes cuál es? El plutonio de las plantas nucleares. Así están naciendo parte de los inmensos capitales privados de lo que será la nueva Rusia.»

Entonces Polonia comenzaba a abrirse al mundo.

—Allí la mafia y el mercado son importantes —continuó diciendo el chileno—. En el transporte de los metales se utilizan autos pequeños, digamos para cuatro pasajeros, se les quita el asiento de atrás y allí los colocan; cubren con espuma y cargan la bodega con cosas de plástico, muñecas y basura de ésa, y la gente se va a vender juguetes en Polonia, donde entregan el cojín. No me preguntes cómo lo sacan de allí los polacos, pero todo termina en Occidente, que quiere comprar lo que les lleven.

»Con este negocio —continuó— la gente ha empezado a ganar dinero en monedas duras y a formar círculos de poder. Diferentes grupos acumulan capitales y se adueñan de las fábricas y de las tiendas. Adueñarse de una fábrica es sencillo: le das dinero al director y, como él gana poco, te entrega lo que le pidas. O tómalo por este otro lado: le damos al director una oportunidad para que viva mejor. Ahora están saliendo a

Occidente maquinaria pesada, liviana, pequeña y elementos que son fabricados para el Estado.

»Otra forma de adueñarse de las fábricas con su materia prima, que es ahora el negocio de Vasílii, es llevándolas al fracaso. Cuando quiebran, porque los administradores pertenecen a alguna mafia, las liquidan pronto. Ahí comienzan a llegar suecos o alemanes, las compran a precios de risa y las ponen a producir a su verdadera capacidad. Los mercados están esperando en Occidente, donde los rusos limpian el dinero.»

—¿Dónde puedo acomodarme yo? —le preguntó Emilio. El chileno lo pensó unos minutos y luego le dijo que en ese momento sólo veía una posibilidad.

—Trasladar a Europa occidental chips, o sea micro-esquemas ya programados, para algún tipo de operación específica. Por ejemplo, para sistemas de navegación de cohetes llevando satélites al espacio. Hay que entregarlos en París, pero la ruta por tierra es larga: Bielorrusia, Ucrania, Rumania. Allí es fácil trabajar porque se llevan a la vez, ropa, zapatos, caviar, se venden y luego continúa la ruta a través de Hungría y Eslovenia hasta Turín en el norte de Italia. Hay que entrar en Francia, seguir hasta Lyon y París.

»Esas micro-celdas son aparatos muy pequeños —continuó—. En un maletín de mano pueden caber, no sé, doscientas, trescientas, programadas con una precisión más perfecta que cualquiera, porque los sistemas de navegación de los cohetes rusos son los mejores del mundo. El secreto de un chip es su programación. Por cada uno que logres entregar en Francia, cobrarás treinta dólares al regreso. La llevada tiene riesgos.»

Emilio no conocía los chips, no entendía de electrónica y no le interesaban, ni el viaje interminable, ni los riesgos que podría correr, de manera que, ante el matrimonio y la dependencia de Nadia Stepánovna, recordó sus primeros pasos con el vodka en Kalinin, y una noche tomó la determinación: «Finlandia, el país más cercano, unas cuantas horas en tren, no hay que depender de otros, se gana menos pero uno es dueño de lo propio. Ésa es mi ruta».

Los planes debieron ser aplazados unas cuantas semanas por sus estudios. Quería saber; consumir libros era su oficio, y esa necesidad de crecer como ser humano lo llevaba a olvidarse de los sentimientos de su suegra y del silencio habitual de su mujer que cuando hablaba decía una cosa, pero luego hacía otra, de acuerdo con lo que determinara su madre.

En la biblioteca del instituto era uno de los últimos en salir y el primero en regresar la mañana siguiente. Era uno de los mejores estudiantes del curso de geología y también del de idiomas extranjeros.

—¿Cómo puedes hacer tantas cosas a la vez, y hacerlas bien? —le preguntó un día Valentina Nicoláievna, y él respondió:

—Quiero ser alguien.

—¿Por qué no estudias en casa?

—Allá no soy dueño ni de la luz que cuelga del techo.

Nadia Stepánovna, su suegra, era cambiante. Algunas veces le hablaba, otras lo dejaba con las palabras en la punta de la lengua y aunque él trataba de no tomar en cuenta sus desplantes, llevaba dentro el ardor de la humillación. Por lo visto, tampoco entregándole el dinero lograría bajar la presión.

Ahora Nadia no solamente traficaba con viviendas. Los alcohólicos que vivían en el cementerio habían caído bajo el control de un grupo de delincuentes cuyo jefe era un hombre a quien llamaban *La Tumba.* Ellos se lo presentaron y Nadia resolvió moverse también en esos ambientes.

— ¿Qué dice tu mujer de todo esto? —le preguntó Valentina.

—Nada. No dice nada. Y si lo hace es para repetir que su madre nunca se equivoca. Si Nadia lo hace, es porque tiene que ser así. Mira: yo he optado por no hablar con ella de estas cosas. Algunas veces finge no escuchar. Otras me pide que calle, pues según ella, mis argumentos buscan minar la relación con su madre y entonces llora. Y cuando se le han secado las lágrimas, se encierra aún más en sí misma y permanece hasta una semana sin mirarme a la cara.

—¿Y aún tienes cabeza para estudiar como lo haces? ¿Y para andar por el mundo tratando de conseguirles dinero?

—Debo ser masoquista o torpe, si es lo que insinúas, pero en esta trampa busco dos cosas. Una: encontrar la paz por cualquier medio. Y dos: ser alguien.

Junto con la geología, Emilio había iniciado estudios de italiano y francés. Cuando llegó a Rusia se sentía castrado, no porque no pudiera expresarse, sino porque no quería comunicarse en su lengua. Si hablaba con los latinoamericanos no aprendería el ruso ni el alemán, ni tampoco podría ingresar a la universidad, y por lo tanto, su decisión fue permanecer doce meses sin hablar español, a pesar de vivir con una legión de nicaragüenses. Entonces allí se respiraba cierto entusiasmo por el sandinismo que a su vez le había dado un aliento pasajero al régimen soviético. Se trataba de un pueblo joven que combatía por unos ideales y ahí estaban esos muchachos que acababan de dejar el fusil, pero habló muy pocas veces con ellos. Necesitaba aprender una profesión y su prioridad era la fonética.

Aunque en la Unión Soviética aún no había discriminación hacia los extranjeros, ese año descubrió cuánta identidad le daba el tener un acento. Aprendió que un dejo, una entonación, lo incluía o lo excluía de esa sociedad. Por eso quería hacer tantas cosas al tiempo.

Más allá del conflicto personal, las referencias que él tenía de Finlandia eran las mejores.

—Vete a la estación un domingo y allí podrás ver el mercado que te espera —le dijo un compañero y él lo comprobó.

Los trenes de Helsinki llegaban los viernes saturados de finlandeses en busca de alcohol. Durante el fin de semana navegaban en vodka y el domingo regresaban arrastrándose por los suelos en busca de aquel tren que partía de regreso con su cargamento de borrachos, pescado y sudor.

—Ese pueblo de alcohólicos encuentra aquí todo lo que tratan de prohibirles allá —le explicó un empleado de la estación.

En Suecia y Finlandia la venta de vodka era restringida aunque a los extranjeros les permitían entrar algo así como cuatro botellas. «Pero las leyes son para el turista» —pensó— «y yo no voy de paseo». El billete en tren costaba una miseria. Francesco, un italiano, se aprovisionaba durante los fines de semana y a partir del lunes hacía cinco viajes. Partía en el tren de la mañana, llegaba a Helsinki sobre las tres de la tarde y a las cuatro regresaba. Una operación relámpago con sus clientes esperándolo.

Según se le contó, al principio no había sido nada fácil escarbar en ese mercado, pero Emilio sabía cómo es todo comienzo, de manera que el relato de Francesco no lo impresionó, especialmente en ese momento en que Evgenia Alexándrovna, su mujer, le acababa de anunciar un hijo. Circunstancia muy difícil para él, arrimado contra una ventana, en el lugar más frío de la habitación, porque la suegra había colocado en su territorio todo el abrigo que tenía a mano. Una vez llegó él, colgó un par de tapetes en las paredes cercanas a ella, colocó el samovar al lado de su cama, cubrió el espacio que la separaba de la puerta con un armario grande que dividía el recinto, y frente a los pies de la cama, para tratar de no verlos, ni mucho menos escucharlos, acomodó dos maletas viejas, unas cajas y encima libros y cacharros, hasta alcanzar prácticamente el techo.

Por lo que le contó Francesco, en Helsinki podría ganarse hasta veinte dólares por botella. Necesitaba dinero para comenzar. Algo le prestó Francesco y otro tanto el chileno. Consiguió algunas botellas y se embarcó un viernes seguro de su aventura a pesar de no tener allí a alguien que lo esperara en un coche en el cual podría guardar la maleta y luego recibir el dinero.

Los estudiantes se acomodaban en uno de los compartimentos para cuatro personas reservados para extranjeros. Si llevaban equipaje normal, es decir, una maleta no muy grande, la colocaban arriba de la silla, porque por lo general en la frontera inspeccionaban solamente a los rusos, que realmente eran contados. Habitualmente no iba ninguno. Si el equipaje era más voluminoso, escondían las botellas detrás del espaldar, debajo de los sillones, en los conductos de la calefacción, en las escotillas del techo. Mandaban hacer llaves maestras y con ellas abrían los paneles y las metían en el techo.

—Debes buscar amistad con los encargados de cada furgón, aquellos que ofrecen té o entregan la ropa de cama durante las noches —le dijo Francesco—. Si a esa gente le das algún dinero, te señalarán otros lugares para esconder el vodka.

»Cuando seas rico —agregó— debes ir a la estación por las noches porque entonces tendrás contigo diez maletas... O más. La gente las guarda en los techos del corredor y allí se quedan. A la madrugada el hombre del té señala el lugar y al llegar a Helsinki esperas a que baje la gente. Cuando el tren esté vacío tú descargas lo tuyo. Mi maestro en estas andanzas fue un mexicano. Él llevó en su último viaje quinientas botellas. Debió ganarse nueve mil dólares, pero no volvió jamás porque dos días después tenía qué regresar a su tierra: acababa de recibirse como ingeniero.»

Nueve mil dólares eran entonces una fortuna en Rusia pero él no soñaba con grandes habitaciones, ni terrazas, ni baños *jacuzzi*. Pensaba solamente en un espacio, grande o pequeño, pero verdaderamente suyo, compartido con una mujer con vida propia. Quería ser libre, tener nuevamente aquella sensación de independencia que lo había llevado a luchar desde muy joven.

—Tienes el pecho hinchado como los atletas, y los hombros elevados y en ángulo recto —le había dicho el médico antes de su ingreso al instituto.

—Debe ser por la responsabilidad que llevo sobre ellos desde niño... Son hombros capaces de cargar con la vida —respondió.

Aquel verano cruzaba el pasado con su cara de deseo. Cuando Emilio llegó al final de la secundaria, su hermano quería que estudiara Derecho, pero él tenía muy claro que no lo iba a hacer. Como el resto de su familia, veía en las leyes la mentira. Nunca se lo dijeron así, pero el ejemplo del tío arrebatándole la fortuna a su madre era suficiente. A partir de allí le pareció difícil entender la relación de hermandad. El tío era un abogado respetable, todos creían en él y cuando murió el abuelo se quedó con la herencia. Ahí estaban las leyes. Luego apareció la beca en Rusia. Había llegado la oportunidad de estudiar filosofía y letras. Terminó el año preparatorio en Kalinin y le dijeron que sólo había una oportunidad en geología y él la aceptó como un reto. Al fin y al cabo, la literatura venía en la piel.

Tal vez por eso mismo, a la vez que conseguía el vodka su sueño era una habitación con un catre, una mesa y muchos libros, y más arriba, una bombilla que ardiera hasta la madrugada sin incomodar a nadie. Cuando se le agotó el dinero solamente tenía diez botellas de vodka. «No importa, es el comienzo», pensó, las metió en una pequeña maleta y se fue en busca del tren.

En la estación de Helsinki vio una nube de borrachos llevados de su suerte, pero con algunas monedas en la bolsa y les vendió lo que llevaba. Buscó un parque a espaldas de la estación y durmió allí. Por la mañana regresó a San Petersburgo.

Madrugaba los viernes y regresaba los sábados, pero pronto sintió que era alguien. Las ganancias le permitían ahora ocupar una habitación en las residencias estudiantiles de Helsinki. Allí conoció a un turco, lo escuchó y por sus indicaciones llegó hasta el Café La Habana, una sala de fiestas donde le comprarían lo que llevara. Venderlo todo minutos después de bajarse del tren y no volver jamás a aquella residencia colmada de piojos, ni a aquel parque, ni a deambular por las avenidas cargando con una maleta pesada, era un paso adelante.

Se trataba de entregarle el vodka al portero, un finlandés enorme, con manos que apretaban como prensas, llamado Kiril. Este hombre hablaba algunas palabras en francés y otras en español; estaba casado con una sevillana. Fue allá un viernes, y el segundo, antes de que Kiril le comprimiera la mano, escuchó que decía:

—Emilio, vodka es perder tiempo.

—¿Por qué?

—Hay cosas más livianas. Más pequeñas. Más valiosas. Si tú me las traes ganarás más. Trabajarás menos.

«¿Nuevamente *El cántaro* de Von Kleist, pero ahora en finlandés?», pensó, y sin dejar que Kiril terminara su discurso, le dijo:

—Voy para lo que sea. Dígame qué quiere que le traiga. Pero hable sin rodeos.

Kiril no comprendió el significado de «rodeo» y luego de una perorata fue al grano:

—Soy levantador de pesas, podré hacerme campeón de Finlandia. Tal vez podré ir la Olimpiada Mundial. Pero necesito algo llamado... ¿Cómo se dice? ¿Cómo? —Pensó una eternidad y finalmente escribió unas palabras en un papel, tal vez en latín, posiblemente en finlandés: *hormonas esteroides*.

—Son muy importantes para un deportista —continuó Kiril—. No las conseguimos aquí, aunque los jóvenes las piden. Pienso que en Rusia ha de ser fácil llegar a ellas. Allá no están restringidas. Creo que los médicos las utilizan en ciertos pacientes de las unidades de cuidados intensivos. Trata de buscarlas.

—¿Qué cantidad?

—No lo sé. Vienen en ampollas. Necesito estas dos.

Escribió sus nombres con letras cuadradas y más grandes que las anteriores.

—Una es líquida y la otra viene en polvo —le explicó.

—¿Cómo me las vas a pagar? —preguntó Emilio.

—Cada ampolla vale más que el vodka y pesa menos que el vodka.

Al despedirse se cuidó de ofrecerle su mano y regresó a San Petersburgo en busca de la encargada de una farmacia cercana a la universidad. Habló con ella y luego de una serie de historias logró que pronunciara *Optorg*, clave que lo llevaría hasta la bodega central de medicamentos.

Las hormonas eran realmente baratas en San Petersburgo y sólo llevó veinte ampollas. No sabía cómo, ni a cómo las pagaría Kiril, pero cuando se las entregó, recibió noventa veces más de lo que había invertido. Le pareció increíble. Contó una y dos veces los billetes y aún no podía creerlo. Con parte del dinero se fue a un banco, compró los primeros dólares y dejó una cantidad suficiente para volver con cien ampollas. Al tercer viaje llevó quinientas. Después de cobrar, volvió al banco.

De regreso a San Petersburgo respiraba mejor. Fue a la habitación y miró fijamente a Nadia Stepánovna. Sacó del bolsillo los dólares y se los mostró.

—¿Qué es eso? —preguntó ella.

—Dólares americanos. Oro —respondió, y ella los tomó en sus manos, los miró una y otra vez por un lado y por el otro. Luego sonrió y lo miró a la cara. Ahora sus ojos eran diferentes.

—¿Qué haremos con esto? —preguntó excitada.

—Vender una parte en el mercado negro. Allí nos darán una fortuna. El resto debes esconderlo. Los próximos fines de semana regresaré con más. —Tomó asiento y les contó una parte de la historia. Salió luego para la universidad y después fue a comprar un par de sillas y sábanas de lino y chocolates y flores para su mujer. Esa noche sintió el abrigo de las brasas del samovar cerca de su cama, y al día siguiente, como todos los días desde cuando llegó allí, encontró la mesa cubierta, es decir, totalmente llena de platos y botellas de vodka, pero esta vez la abundancia y la calidad de la comida eran mayores. Desde luego, él entendía que según su cultura, la mujer rusa piensa que el camino más corto al corazón de un hombre pasa por el estómago, así ese hombre no le parezca el más simpático. Pero más allá de aquellas razones, la mesa reflejaba el sentimiento utilitarista de Nadia Stepánovna.

En Helsinki, un amigo de Kiril le dijo un viernes:

—¿Sabes? En los gimnasios, a los jóvenes les gustan los esteroides, pero también la marihuana. Yo la puedo vender ¿Quieres traer? No serán grandes cantidades por ahora.

A Emilio no le sonó del todo la idea. Se trataba de un hombre joven, con las espaldas anchas como su amigo, pero no lo miraba a los ojos, algunas veces era evasivo y cuando él buscaba saber algo más de aquel asunto, no remataba las conversaciones y, por el contrario, hacía unos silencios sospechosos. Tal vez por eso tampoco le gustó el personaje y le dijo que lo pensaría con calma.

En los sueños de Emilio nunca aparecían grandes capitales, pues no tenía esa ambición por el dinero que cualquiera pudiera imaginar a pesar de su actividad. Su anhelo era la libertad. Si hiciera todas estas cosas solamente por dinero no se lo le entregaría a Nadia Stepánovna. Él creía que sus valores eran diferentes, pero lo empujaba a andar con una maleta en la mano el deseo de demostrarle a su suegra que era importante y merecía algún respeto. Por lo visto, le dijo un día a su mujer, la suegra había exagerado hasta el punto de creer que la calidad humana se medía en rublos.

Evgenia sonrió con timidez. Ella que veía a su madre con una lente de aumento, posiblemente estaba en desacuerdo, y como no prestaba atención por el tema, él bajó la guardia.

Comenzaba el otoño y Valentina Nicoláievna lo encontró dos días después en silencio. «¿En qué piensas?», le preguntó, y él le dijo secamente: «En San Petersburgo que es cal y arena, como mi vida. Una ciudad de fantasmas que está donde no debería haber una ciudad. Yo la miro y me hace pensar en un deseo feroz por alcanzar el desarrollo a cualquier precio. Por eso han levantado en este pantano uno de los prodigios del mundo. Para mí, San Petersburgo es un sueño de cristal entre la niebla».

Aquellas palabras la llevaron a comprender que en ese momento, aquel ser romántico que se había tragado tantas cosas durante las últimas semanas necesitaba que lo escucharan y ella se acercó hasta colocar su hombro contra el suyo. La banca del parque estaba húmeda, desdobló un diario y se acomodó de nuevo.

—Te ha tocado la maldición del poeta: «La ciudad te perseguirá» —dijo, y luego calló.

—San Petersburgo nos ha perseguido a todos porque aquí está lo fantástico como emanación de esa subjetividad que podemos tocar. Eso no es posible, dirás tú, y a lo mejor es así.

Yo debo estar diciendo una locura cuando creo que la subjetividad sale y la puedes palpar. Tal vez por eso mismo, en este lugar han vivido los grandes poetas. Desde cuando llegué, he creído que está llena de recuerdos y de un deseo profundo de oponerse a la naturaleza, y de un deseo salvaje de crear la belleza en medio de la frialdad de un pantano. Ahora mismo estoy sintiendo en esta banca, en este parque, la energía de generaciones que han luchado contra el universo que se opone a que aquí haya una ciudad.

Calló unos instantes y ella esperó a que continuara.

—Desde el comienzo yo he encontrado la explicación al amor que sienten los místicos y los poetas y los arquitectos por esta ciénaga que se convirtió en laberinto armonioso de palacios y de puentes que parecen plantados sobre espejos metafísicos.

—Explícamelo mejor.

—El cielo gris, los canales grises confundiéndose con él, como ahora. Allá al frente tienes la parte antigua de San Petersburgo ¿No es un equilibrio de piedra? O sea: la piedra que es brutal, está tocada con la delicadeza del arte. Una piedra que se ha sometido al hombre y ha convertido a la ciudad en una proyección metafísica del impulso de crear. Esos edificios no deberían estar allí. Esos puentes parecen imposibles junto al Báltico. El mar Báltico en esta frialdad, esta ciénaga que no es propicia para una ciudad... Definitivamente, San Petersburgo es la proyección de una mente febril que le impone el sueño a la realidad.

—Dime algo más.

—Es que San Petersburgo fue siempre una pesadilla. Ayer crucé por frente al Caballero de Bronce y me quedé mirándolo unos minutos. Para mí, más que la figura de un zar, representa la grandeza de la tiranía de Pedro I, porque le impuso un sueño a la ciudad. Ése es el impulso demoníaco que nos domina. Pero a la vez, pienso que es la expresión del genio creativo de la urbe. Mira: es que de aquí salió Gogol creador de sueños fantásticos, y se inventó esa pesadilla que llevamos sobre los hombros. Y la leyenda de San Petersburgo es la de Alexander Blok. Él lo tenía todo para ser un poeta feliz, sus poemas son una historia de amor en la que él se perdió. Eso es Blok y ahora siento que eso mismo soy yo: Emilio Grisales, un indio que vino del trópico. San Petersburgo está llena de todos esos espíritus y ahora encuentro una dimensión de densidad que está apunto de desaparecer. Ésa es su magia.

—¿Qué más te impresiona ahora?

—El peso de la historia como fuerza de la voluntad humana por alcanzar lo que no se puede. Sin embargo, ¿sabes cómo veo ahora a San Petersburgo? Como algo que tiene la grandeza de una ciudad caída.

En el siguiente viaje a Helsinki, Emilio vio al amigo de Kiril y aquél volvió a preguntarle por la marihuana.

—De acuerdo. Te traeré *kanaplá* —le respondió.

En las residencias universitarias de San Petersburgo se conseguía toda la yerba del mundo. La vendían los estudiantes caucásicos, grusinos, azerbaiyanos, chechenos, daguestanos. Les decían *chorni:* negros, y por su propia experiencia, Emilio sabía que algunas veces los trataban como a negros.

De regreso a la universidad habló con el primer sureño que encontró. Era un grusino y negoció dos kilos. Tal como se lo explicó el vendedor, visitó la *beriozka,* compró cerveza en latas de medio litro, las vació, metió allí la yerba y luego las arrugó como se hace con cualquier lata usada antes de tirarla, y para que no se escapara la marihuana, colocó pequeños cartones en el agujero y los aseguró con cinta engomada. Todo un trabajo de artesanía.

La mañana de partir, Nadia Stepánovna le dijo: «Emilio siéntate para el camino» y él buscó una silla y su suegra otra y su mujer una tercera y se sentaron allí en silencio. Para tratar de calmar la tensión que antecede a la partida, repasaban mentalmente las cosas que había acomodado en su maleta, nada debía olvidarse, pensaban en los sueños que vendrían luego, en lo que él hallaría al final de aquel camino. Después de la pausa, Emilio se persignó ante el icono y se fue a recoger basura, pero basura que se descompone pronto, residuos de comida, cáscaras de frutas, aquello que nadie quisiera tocar.

Al final de los furgones del ferrocarril había botes de aseo. Allí depositó las latas y encima regó los desechos de comida y, claro, los perros de los guardias finlandeses en la frontera pasaron de largo.

El amigo de Kiril salió a recibirlo, vaciaron las latas y colocaron porciones de marihuana en cajas de cerillas y el hombre partió con ellas. Fue un negocio rápido y cuando regresó, le propuso comerciar con heroína, que llegaba por nubes a las residencias estudiantiles a través de los mismos estudiantes del sur y él dijo que no. Y que tampoco regresaría con *kanaplá*.

Kiril se había alejado la sala de fiesta. Ahora recibía a Emilio en un auto nuevo, lo llevaba a su casa donde intercambiaban ampollas por billetes, iba con él al banco y le ayudaba a comprar dólares, cenaban y lo dejaba más tarde en la estación.

—¿Deseas conseguir más dinero? —le preguntó Kiril.

—La pregunta sobra. ¿Cómo?

—Sé de un lugar en el que te venden jeans estadounidenses falsificados en Corea. Valen una miseria.

La mañana siguiente cruzó por el control de aduanas donde dejó algunos dólares y las puertas abiertas con los guardias, y descargó en casa de Nadia, cuatro maletas con ropa. Nadia dijo que los vendería y esa misma tarde empezó a hacerlo con enorme entusiasmo.

—¿Sientes que la vida está cambiando? —le preguntó a Evgenia Alexándrovna, su mujer, y ella le contestó con la mirada distraída:

—Sí.

—Pero... ¿Estás feliz?

—Hhhh, sí.

4

Frank se movía con libertad en el trópico. Llegó con su mujer francesa, tres niñas pequeñas, tres gatos angola y se instaló en una casa campestre con una fuente a la entrada, garajes en los que guardaba una colección de autos blindados, y luego de cinco peldaños de granito, salones forrados con espejos, pisos de mármol y flores de plástico en jarrones de cristal. A partir de la fuga se había convertido en uno de los hombres más buscados en los Estados Unidos y, desde luego, regresó precedido de esa mala fama, y los narcos que lo conocían lo buscaban, y los que no lo conocían también querían llegar a él. Allí se enroló pronto en la cúpula del mundo de la cocaína, compró dos o tres aviones y se dedicó a transportar la suya y la de los demás.

En esa época, los mayores sufrimientos se los ocasionaba la servidumbre, compuesta de un mayordomo negro vestido de negro y tres mujeres con delantales blancos y cofias azules, además de Felipe, un ayudante medio valet, medio chofer, medio mecánico, cuyo oficio principal era llevar y traer a sus hijas del colegio francés, utilizando dos autos y varios escoltas.

—Que venga la rubia, que venga Rosa —le decía cada mañana a Felipe y cuando las mujeres aparecían en el centro del salón y levantaban la mirada, veían dos ojos incendiados en la planta alta:

—¿Por qué demonios has echado a perder el *jambon* y endurecer los huevos? Lárgate de aquí. Felipe: llévatela y déjala en el camino —gritaba con la voz empañada.

Santos no se alejaba de su lado. Y Candelaria no volvió a bajarse de la camioneta de su marido: una camioneta dorada con parachoques negros y seis reflectores en lo alto.

La de la camioneta es parecida a todas las historias de su vida:

Cuando terminó sus estudios, Santos se embarcó en la política, decía él, pero la verdad era que se desempeñaba como ayudante de algunos diputados, a veces hacía de chofer, otras de acompañante, y estando en eso, conoció a una anciana millonaria, dominante y con la suficiente capacidad de intriga para imponer candidatos presidenciales y hacer nombrar ministros. Gracias a su hígado de piedra, terminó por enquistarse en la vida de aquella mujer. Cada fin de semana la llevaba a realizar giras y concentraciones políticas en pueblos y aldeas. Candelaria preparaba algunos emparedados y partían temprano en un auto que crujía sobre la grava de los caminos. Un atardecer se desgajó el cielo, y como el agua penetraba a través de los espacios que dejaban los cristales, la anciana, entumecida, sacudió su sombrero y le dijo:

—Santos: auto viejo. Auto antiguo e incómodo.

Y él respondió:

—Es todo lo que tengo.

— Ve a mi casa mañana a las once —dijo ella.

Como era su costumbre, Santos llegó tarde, pero el ama de llaves le entregó un cheque y una nota: «Para que compres un coche moderno».

Así apareció la camioneta dorada con reflectores, un par de altavoces y un lugar donde acomodar jaulas para pájaros. En cada concentración, la gente le llevaba a la anciana aves grandes, pequeñas, con picos sangrantes, capturadas con redes que les había entregado Santos. Redes para robarse el cielo. Las colocaban en los bosques y allí amanecían cientos de aves atrapadas con los ojos aterrados. Un apocalipsis de colores y patas yertas. Horas después, más de la mitad fallecía de pena. Y las que sobrevivían, enmudecían. En cautiverio no cantan estas aves.

Desde luego, las autoridades nunca cruzaban por donde la señora tenía sus jaulas. Era ella quien hacía nombrar parte de las autoridades y lo que le interesaba de la ornitología era que por cada uno de esos pájaros de pico largo, los tucanes, un comprador de Miami le pagaba mil dólares. Y por una cacatúa, otros mil. Y por un sinsonte, si cantaba, dos mil. «La señora vibra con la naturaleza», decía la prensa.

La casa de Frank era una soledad llena de muebles de acrílico transparente como el cristal y luces violeta titilando. En la piscina cubierta y el campo de tenis aullaban los fantasmas. Entre quienes vivían allí ninguno había tomado en sus manos una raqueta, los dueños no sabían nadar, nadie se atrevía a mover algo del sitio en que lo había dejado un decorador, porque cualquier mano ajena atentaba contra la armonía, la servidumbre debía hablar en voz baja, moverse con la discreción de una pluma, doblar sus delantales en delta para ahogar el chirrido de los roces. La casa debe parecer un abismo de silencio.

Ideas de Colette.

Ella vivía en la segunda planta con sus tres parejas de mellizos: tres niñas y tres gatos. Isabelle y Bastet; Francoise y Anubis; Florence y Osiris. Desde luego, desconocía qué significaba «Bastet», y sólo un año después de llegar al trópico, descubrió que Egipto no quedaba en Sudamérica.

Decía que los gatos descifraban ámbitos astrales y la alertaban sobre cualquier vibración que escapara a la percepción de los órganos de sus sentidos, y que el idioma común entre ellos era la telepatía. Algunas veces la escuchaban cantando. Pero no eran canciones. Eran *mantrams*, un *Om*, o un *Mei*, largos, monocordes, con los cuales se agitaban oleadas de energía. En ese momento pensaba que los gatos, y las niñas, habían entrado en las dimensiones que ella estaba imaginando.

Soñaba con una piel naranja, pero ella era de leche. Entonces hizo comprar un conjunto de lámparas y al final del aquelarre se sometía al calor. Terminó en la clínica del dermatólogo.

En la oscuridad húmeda de la primera planta, la única señal de vida era el murmullo en una sala de recibir donde se negociaban diariamente embarques de cocaína con destino a Florida. En aquel sitio, Frank le preguntó una tarde a su amigo:

—Santos, ¿cuál es tu actividad real en este momento?

—Soy político. De eso quería hablarte. Estoy comprometido con la campaña para elegir a los miembros del Congreso de diputados. Trabajo al lado de una de las personas con más poder en este país. Tú tienes qué recordarla.

—Sí, desde luego que sí...

—Pero esto es muy duro —interrumpió Santos—. No hay dinero suficiente, no tenemos los medios necesarios para poner una bancada de diputados representativa en el Congreso. Mira: organizar una elección, que es en lo que andamos ahora, es una empresa de millones. Montar una simple concentración popular en cualquier poblado para motivar a la gente, es jugar con fuego: hay que llevarlos de los sitios vecinos en autobuses, en camiones, en carretas, en lo que tú quieras, para poder llenar la plaza. Por eso hay que pagar. El transporte vale el dinero que tú quieras. Pero una vez que tienes a la clientela en el sitio, debes darle de comer. Y de comer bien. Y emborracharla. Ah. Eso es definitivo. Y vestirlos con camisetas de tu movimiento, y con gorras del partido, y ponerles banderas en las manos... Tienes que cubrir el pueblo y las vías de acceso con pasacalles, pancartas, carteles, globos de colores, pagarle a la radio, tener gente a sueldo para que no los deje mover de su sitio o sino se largan a misa. Cualquier balcón no sirve para hablar. Todas las plazas tienen un rincón clave desde el cual el candidato y los periodistas las ven más llenas. Por usar ese balcón hay que pagar. Estamos hablando solamente de la preparación. El día de elecciones es un trapiche de millones, porque hay que hacer lo mismo, pero, además, pagarle a mucha, a muchísima gente para que vote, y estamos pobres.

—¿Qué opciones reales tiene el movimiento de la doña en este momento? —preguntó Frank.

—Las mejores, pero ya te digo...

—Entiendo.

—Mira —arremetió Santos nuevamente—. En cuanto a lo tuyo, es necesario controlar sitios claves en este país. Yo podría lograrlo.

—Lo mío son aeropuertos, pistas, matrículas de aviones. Y los puertos marítimos. Controlando esos puntos, pienso que lo tendré todo —explicó Frank.

—Secretaría de Aviación y Puertos. Perfecto —dijo Santos.

—Es que, por ahora, no aspiro a más —dijo Frank poniéndose de pie, y mientras abría una caja de seguridad empotrada en la biblioteca, de la cual extrajo luego una torre de dólares, agregó—: Entra de lleno en esa campaña.

Una semana más tarde volvió a desgajarse el cielo, pero ahora la anciana estaba acomodada en un Mercedes Benz blanco, al lado de Santos. Atrás podían verse a través de la lluvia las siluetas de otros dos autos de Frank con un grupo de personalidades que compartían causa con la vieja, una camioneta japonesa nueva destinada a Candelaria y sus emparedados, y cerrando la caravana un furgón apenas salido del almacén, en el cual, de ahora en adelante, serían acomodadas las cacatúas.

A pesar de hallarse en campaña política, Santos y su mujer llegaban temprano a casa de Frank. Revisaban con cautela los papeles que pescaran sobre el escritorio y después llamaban al servicio:

—José Inés, ¿ya ordenó el desayuno de los señores? Mariela, ¿le llevaron la champaña a Frank y a madame Colette? Son las nueve y media.

Él subía la escalera a zancadas apoyado en el pasamanos de acrílico y sin un aviso previo irrumpía en la habitación:

—Frank, Colette: ¿qué van a desayunar? Aquí nadie se ha acordado de ustedes.

—Fíjate. Fíjate. Esta servidumbre no sirve para nada —respondía Frank.

—Deja que yo me entienda con ellos. Vamos a cambiarlos nuevamente. Mientras tanto, dime qué deseas y Candelaria se encargará de traerte el desayuno —decía Santos, y se atropellaba con su mujer tratando de entrar primero en la cocina donde daban varias órdenes al tiempo, tomaban bandejas y abrían la nevera con la champaña, pero también atendían el teléfono, recibían a los clientes que comenzaban a llegar a eso de las diez, y los acomodaban en la sala de recibir con una mesa llena de revistas de vaqueros.

A las once aparecía Frank. A ellos les parecía un espectáculo verlo descender por las escaleras mirando como las estatuas, su vestido cosido en París, la chaqueta abierta para hacer visible una pistola con empuñadura de plata en la pretina del pantalón y una cartera colgando del hombro.

Entraba en la sala de recibir y Santos cerraba las puertas y las abría para dar paso a los visitantes, uno a uno, a medida que Frank se lo indicaba con un movimiento de cabeza. Luego, el patrón tomaba un café y luego pedía su cartera y sus anteojos de sol. Candelaria los traía y Santos lo esperaba afuera donde se encontraban listos los autos.

—Felipe: toma las llaves de la camioneta y quédate con Candelaria para atender a madame Colette. Yo acompañaré a Frank —decía Santos. Luego se encaramaba en el Mercedes.

Escena diaria que caricaturizaban las mujeres de cofias azules y delantales blancos, una vez Candelaria y madame partían en otra caravana.

Pero cuando más tarde ascendía por las escaleras de una casa donde funcionaba la sede del directorio político, Santos sentía que él era el espectáculo. Llegó a caminar con la lentitud de Frank, escuchaba a los demás juntando las manos abiertas y apoyando la barbilla en las puntas de los dedos. Cuando Frank se lo permitía, llegaba en el Mercedes, lo aparcaba frente a la puerta del Directorio, acercaba a la ventana un teléfono móvil, se comunicaba con su mujer y hablaba tan fuerte como podía. Luego marcaba el número de alguien que se hallara dentro de la misma sede, o el del hombre del restaurante, o el de cualquier conocido suyo y continuaba su discurso. Terminado el bochinche, ingresaba con la seguridad de haberse convertido en una pieza clave del triunfo. Ya no era el acompañante incómodo de la anciana. Por el contrario. Brillaba ante una gente como aquélla, perteneciente a la elite social. Gracias a su ayuda el partido había intensificado el ritmo de la campaña.

—Cuéntame —le dijo una tarde al Secretario General—, ¿por qué no fue mayor la asistencia al banquete de anoche? Eso merece una explicación.

El secretario, a quien se dirigía antes guardando la distancia que exigía su pasado como embajador, sintió una punzada pero reaccionó y contestó algo como:

—Secretos de la política.

—Embajador: ¿cuáles secretos?

—El banquete fue organizado a última hora y las invitaciones quedaron en manos de algunos voluntarios —le explicó.

—¿Lo que coordina la doctora Diana?

—Sí.

—Que se vaya la doctora Diana de esta casa. Es una incapaz.

Aunque era hija de una mujer que había estudiado con la anciana en París, y pertenecido al mismo club y jugado *bridge* con ella toda la vida, Diana abandonó su trabajo en el Directorio.

Su remplazo fue Gilma, una mujer joven que conoció justamente en uno de los banquetes organizados por el partido. Ella había llegado al salón con un grupo de modelos, y como Santos fue quien las contrató a través de una agencia, lo buscó para preguntarle algo. Desde ese momento él ya no tuvo vida. Terminado el banquete la invitó a una discoteca. Ella aceptó. Por la mañana le envió flores. Por la tarde le llevó un collar de perlas y dos semanas después le regaló un piso amueblado y un auto, y ella se separó de su familia modesta que vivía en un barrio modesto. «Mi Reina», le decía. La chica había sido candidata en uno de tantos reinados de belleza que organizan en todos los rincones del país. Ahora su profesión era *top model*, pero buscaba acomodarse como presentadora de televisión. Santos era el hombre.

A pesar de que su vida estaba cambiando, él se hallaba insatisfecho. Sabía que pronto sería miembro de la Cámara de Diputados, pero esa posición le daría sólo parte del poder con que empezó a soñar desde cuando era un niño y acompañaba a su madre al banco, y allí veía a los cajeros contando billetes.

—¿Esos hombres son los dueños de los billetes? —preguntó un día.

—No. Son empleados del banco. El banco es el dueño de los billetes.

—Quiero tener muchos billetes. Todos los billetes que hay en la bolita del mundo.

—¿Y cómo vas a conseguirlos?

—No lo sé.

—¿Trabajando?

—No. Esos hombres trabajan... pero no son los dueños de los billetes.

Los dueños de los billetes que finalmente llegó a conocer eran silenciosos, con unos ojos que nunca se encontraban con los suyos. Tenían la piel oscura y las cerdas de la cabeza rapadas, hablaban lo justo, preguntaban poco. Los descendientes de aquellas multitudes descalzas ahora cabalgaban, y quien marchaba atado era el bisnieto del mariscal Mendoza.

Una mañana los vio en el portal, pero esta vez hablaban como si cada uno supiese más que los demás sobre ciertos acontecimientos. Entre los siete, Candelaria reconoció al que se había orinado en la fuente mientras esperaba a Frank. Era un sujeto bajo y lampiño, la pequeña cartera que colgaba de su muñeca tenía una esvástica incrustada en el centro, una pulsera dorada, un reloj dorado, un anillo dorado con una esmeralda que le cubría buena parte del dedo. Cuando pasó frente a ella, le dijo en voz baja: «¿Cuánto?».

Candelaria no miró al resto. Santos sí. Les dio la mano y le pareció que ellos se la habían estrechado con el mismo entusiasmo. Los condujo hasta la sala de recibir y subió a la segunda planta.

Frank se reunió con ellos más tarde y alguien explicó que querían hablarle. Los miró uno a uno y le indicó a Santos que cerrara la puerta y permaneciera adentro.

—Ustedes tienen la palabra —dijo sin prisa.

Los hombres miraron al de la esvástica.

—Señor: comandos de Estados Unidos y la guardia se tomaron el laboratorio de coca que está en plena producción en la selva. Los yanquis andan enloquecidos con los mosquitos y la humedad del lugar, y lanzan granadas y ráfagas de ametralladora contra los árboles y por las noches bengalas iluminantes y más granadas y más balas. Llegaron en aviones y helicópteros y se han tomado la pista de aterrizaje.

—¿Cuánto estaba produciendo el laboratorio?

—Una tonelada de perica.

Frank no conocía esos lugares ni le interesaba conocerlos. Era parte de la distancia que lo separaba de aquéllos, por lo cual preguntó: «¿Qué puedo hacer por ustedes?».

—Hace seis meses apareció la guerrilla en el mismo laboratorio y se llevaron a la gente, un maletín con dólares y parte de la coca que estaba lista para embarcar. Nosotros, en lugar de darles dinero, decidimos invertirlo en una tropa bien armada, para hacernos respetar. Pero ahora resulta que aparecieron los Boinas Verdes de los Estados Unidos con la cara pintada de verde, y la guardia acompañándolos. Están en la pista y no se han movido de allí, le tienen miedo a la selva. Esperan una emboscada como las de Vietnam, y, ¿por qué no? Sería una buena idea.

—Estos señores tienen todo lo que necesitan para atacar —comenzó diciendo Santos, pero Frank lo miró y él comprendió que debía callar. Los demás continuaron machacando ideas, y cuando se acabó la bulla, habló Frank:

—¿Guerra contra el gobierno? Ustedes lo que deben hacer es rescatar a la gente que tienen allá. Si logran salvar algo, pues bueno. Pero eso no cuenta ahora. Lo importante es salvar a su gente. Y olvídense de lo demás. ¿Qué había allá en ese momento?

—Más o menos ochocientos kilos de coca y dos millones de dólares en efectivo para pagar la pasta que debían traer los aviones desde el Perú; una montaña de productos químicos que valen aún más, y maquinaria y...

—¿Cuánta pasta están trayendo de Perú y Bolivia?

—Un poco menos de la mitad de la que se procesa. Ahora la mayoría se produce en Colombia.

—Eso está mal —comentó Santos en voz baja y los hombres lo miraron desconcertados. Luego les dijo—: Sigo pensando que lo que cuenta es salvar a la gente. ¿Saben qué está sucediendo allá?

—Nuestra gente tiene dos equipos de radio funcionando con baterías. Adentro hay setenta hombres, entre trabajadores y gente armada, pero se separaron y andan en dos grupos escondidos en la selva. Tomaron comida de las despensas. Dicen que les alcanza para unos cuatro días.

—Lo primero que deben hacer —dijo Frank— es racionar las baterías. Díganles que se tranquilicen y que no usen las armas. O, ¿es que ustedes quieren suicidarse y hacer matar a esa gente y, de paso, acabar con este negocio?

Dos de ellos estaban de acuerdo, pero los demás creían que la solución pacífica no era más que un acto de cobardía: ellos eran tan poderosos como el Estado, de manera que se fajaron en un nuevo alboroto y finalmente resolvieron escuchar a Frank.

—Son las dos de la tarde. A las cinco podemos reunirnos nuevamente con dos o tres de ustedes. Tráiganme mapas de aeronavegación y mapas del lugar.

Una vez salieron, Frank miró a Santos y le dijo arrastrando las sílabas:

—Cuando estamos con extraños tenemos dos-orejas para escuchar y una-sola-boca para callar. ¿De acuerdo?

—De acuerdo.

Un poco antes de las cinco regresaron el de la esvástica y un mestizo de cara angosta. Frank preguntó por los mapas y abrieron el primero sobre una mesa.

—¿Dónde está la pista? —preguntó.

Señalaron un punto a quinientos kilómetros de donde se encontraban ellos, lejos de donde terminan las montañas y comienza un valle más grande que toda España, cubierto por la selva, y en la banda derecha de un río caudaloso, pintaron una pequeña cruz.

—¿Y el laboratorio?

—Aquí —dijo, marcando un punto al este del río y de la pista para aviones. Pero el de la esvástica explicó que entre el río y la fábrica de coca había más o menos un kilómetro en línea recta, cubierto por una barrera de selva virgen. Al norte y al sur de la pista, el río formaba cataratas.

Santos y Candelaria, que ingresó sin que advirtieran su presencia, escuchaban a los demás, y cuando Frank la vio allí con una mano sobre la mejilla, le preguntó qué quería saber.

—¿Es posible llevar un helicóptero a esa selva? —dijo pensativa, y Santos le pidió en voz baja que callara.

—No. Déjala hablar —dijo Frank.

Los narcos se miraron y sonrieron.

—Eso es muy difícil —dijo el mestizo dándole la espalda mientras miraba el mapa.

—¿Qué hay en los alrededores? —insistió Frank.

—Otro laboratorio clandestino abandonado a unos siete minutos de vuelo en avioneta. Lo llamaban El Tigre.

Candelaria miró a Frank y éste asintió con la cabeza.

—¿Tiene pista para aterrizar? —preguntó ella. Los narcos permanecieron en silencio y Frank repitió:

—¿Tiene pista para aterrizar?

El de la esvástica respondió, llevando los ojos al piso: «Sí, sí tiene pero está en malas condiciones».

—Hay que entrar allá. Se trata de tomar decisiones —comentó Candelaria.

Frank la miraba con atención y le preguntó una vez más:

—¿Tú te meterías allá?

Y ella respondió:

—Si se tratara de mi gente, ¿por qué no intentarlo? —Luego preguntó si querían café.

—Tú no te vayas de aquí —le dijo Frank—. Tú quédate a mi lado. —Y mirando a los demás, dijo sonriente—: ¿Están de acuerdo?

—El Tigre es una pista corta y allí se pueden meter un Séneca o un Centurión, pero en condiciones muy críticas —explicó el mestizo.

—Esos aviones aterrizan y despegan en distancias reducidas —dijo Frank dirigiéndose a Candelaria, y agregó—: ¿Tú para qué querías un helicóptero?

—Para trasladar a la gente desde el río hasta esa pista de El Tigre, donde podrían ser rescatados por los aviones.

—Eso es imposible —dijo el de la esvástica—. Los yanquis y la Fuerza Aérea tienen aviones y helicópteros a cinco o seis minutos de esa pista.

—No importa. Ellos no vuelan de noche sobre la selva. Nosotros sí. Por lo menos eso es lo que hizo una o dos veces el Barón Rojo. Se lo escuché a Frank —comentó Candelaria.

—¿Quién es el tal Barón Rojo? —preguntó el mestizo.

—Mi piloto de cabecera —explicó Frank—. Hoy está en las islas Bermudas.

—Nosotros también tenemos pilotos. Pero los aviones no cuentan con una autonomía tan grande para ir desde la ciudad hasta El Tigre y regresar. Desde nuestra base hasta allá hay, no lo sé, unas tres horas de vuelo, sin una sola escala, porque a partir de la primera hora, todo es selva. Y si ocupamos la cabina con garrafones rellenos de carburante para alimentar el avión, no pueden regresar con gente... ¡Y de noche! En esa zona uno puede volar hasta cinco horas sin ver una pista iluminada, o una radioayuda. Nada. ¿Quién dijo que la selva era la civilización?

—¿Cuál es la pista apropiada más cercana a ésa? —preguntó Frank.

Miraron el mapa y el de la esvástica señaló otro punto, aún más al este:

—Aquí. La de Farallón —dijo—. Fue construida sobre una montaña de basalto, pero se halla a unos cuarenta y cinco minutos de vuelo de El Tigre. O sea que continuamos con el problema del combustible. Para ir a cualquiera de las dos es necesario volar visual. Y visual es de día —dijo levantando levemente la voz y mirando a Candelaria.

—¿Y si colocamos carburante en la de Farallón y los aviones llegan allá, llenan sus tanques, salen para El Tigre, rescatan a la gente, regresan a Farallón, vuelven a aprovisionarse y se vienen? —preguntó ella.

—Esa es la única idea clara y concreta que he escuchado —dijo Frank.

—¿Y el helicóptero? Es lo más importante —repitió Candelaria.

—Vamos a intentarlo —dijo el mestizo de mala gana—. En esa zona hay uno y para ése no hay problema de combustible, ni de desplazamiento. El secreto está en conseguir a un piloto que quiera hacer los vuelos nocturnos, porque allá no acostumbran a elevarse a esas horas. O no es que no acostumbren. Es que no lo han hecho nunca.

La lluvia se mecía en el contraluz de las lámparas que iluminaban la fuente y la explanada frente a la casa. Los hombres corrieron hasta un coche y Frank miró a sus amigos en la sala. Santos permanecía apagado. Candelaria sonrió para cortar el silencio, y dijo: «Qué hombrecitos», y su marido irrumpió:

—¿Te parece que los hombres somos unos incapaces?

—Me refería a los que se marcharon —respondió ella.

—Aclaración oportuna —continuó Santos que había palidecido.

—¿Ustedes quieren comer algo? —preguntó Frank.

—No —dijo Santos.

—Yo, sí —dijo Candelaria.

—Entonces tú y yo nos vamos a tomar... ¿Qué tal un consomé con *croissants*, y todas esas cosas con que lo acompañan?

Ella sonrió. Esa noche Frank la había escuchado por primera vez. «Realmente es muy hermosa», pensó el narco. Le gustó su mirada. Le gustó su desparpajo. Cuando ella salió en busca de la cocina, Frank simuló que revisaba uno de los mapas, y sin levantar la vista, dijo: «Candelaria es una mujer capaz... Y sagaz. Nunca lo hubiera imaginado».

—¿Te parece? —respondió Santos.

—Claro que me parece.

—A mí no.

—No te enfades pero así es. Dime: ¿qué estudios ha hecho?

—No me acuerdo. Se le entiende lo que escribe.

—¿Sabe inglés?

—Sí. Estuvo varios años en Estados Unidos. Luego vino con su madre y después de la muerte de la vieja, nos conocimos y le dije que se casara conmigo.

Candelaria colocó sobre la mesa dos bandejas, y antes de sentarse le preguntó a Santos: «¿Quieres algo? ¿Compartimos este bocado?».

—Si quisiera algo te lo diría.

Comieron en silencio y un poco antes de la una, Frank dijo que se fueran a descansar.

La mañana siguiente, el maquillaje y los anteojos de sol no atenuaban la mancha oscura sobre el pómulo, ni la cortada en el labio inferior de Candelaria. Tampoco tres hilos rojos en el cuello de Santos. «Le tiró a la yugular... Anoche debieron igualar a dos tantos», pensó Frank.

Los de la factoría de coca regresaron un día después. Candelaria se hallaba con la mujer de Frank y éste le pidió a Santos que la llamara.

Cuando entraba ocasionalmente en el cuarto de baño, Colette pasaba horas intentando mejorar su figura y una vez salía de la tina se sentía molesta porque los espejos se hallaban empañados y le impedían mirarse el cuerpo. En esos casos hacía seguir a Candelaria para que la escuchara y a Candelaria le parecía molesto. Ella nunca había sentido deseos de mirarse su propio cuerpo. Sabía que era una mujer atractiva pero esa idea jamás dominó su mente. De lo contrario hubiese llegado más lejos que Gina Paola, la reina nacional de la belleza, o sencillamente andaría del brazo de algún ministro de Estado.

En esos días, Colette se había depilado el pubis a lo brasileño y se quejaba de los dolores. Cesadas las lamentaciones, le mostró a Candelaria el abanico de revistas de modas comprado la víspera, a través del cual se enteraba de las boutiques del momento y de las últimas tendencias, pero la verdad es que estudiaba tanto de la moda, que no sabía nada de modas.

«Tiene un olfato especial par llevar el vestido incorrecto en el momento inadecuado», pensaba Candelaria.

Colette tiró pronto el abanico y tomó una publicación francesa dedicada las *divas* de ayer. Contemplarlas desfiguradas como aparecían hoy con más de medio siglo agolpado en sus facciones, le permitían tolerar su propia figura.

—He trabajado tanto y le he entregado tanto de mi ser a los demás, que hoy no sé dónde he quedado yo —dijo, y Candelaria descubrió que Colette había sido capaz de transformar su egoísmo en una especie de virtud. Le preguntó por qué lo decía y ella respondió sin vacilar:

—Porque yo valgo *L´Oreal*. Tengo derecho a reclamar lo que realmente me pertenece y lo hago todos los días. Aprende este consejo: busca tu lugar en un mundo globalizado y serás feliz. Rechaza esa idea cristiana de negar tu propia felicidad, porque eso te conduce irremediablemente a reprimirte. No lo olvides.

Pero Candelaria no lo podría olvidar porque nunca lo escuchó. Mientras Colette hablaba, ella pensaba en su madre.

Realmente las relaciones con Juana, la vieja se llamaba Juana, no habían sido tan maravillosas como lo creyó hasta el día de su entierro. Entonces tenía la impresión de que se entendían. Hoy la recordaba como una mujer agresiva, pero con una agresividad disfrazada de afecto. Punzante, desde luego en sus actos, nunca en sus palabras. Es que le controlaba el tiempo, los espacios, los deseos. Luchaba por hacer de ella una muñeca de porcelana consciente de que era la última muñeca de porcelana: «No importa lo que tú quieras sino lo que debes ser», repetía, y eso llegó a cauterizarle parte de sus deseos. Cuando se casó con Santos creyó que por fin había comenzado a respirar, pero fue tarde. A los dieciocho tenía acartonada una porción de los pulmones.

En ese momento Santos llamó a la puerta y le dijo de mala manera que fuera a la planta baja.

Cuando Candelaria entró en la oficina, Frank miró con sarcasmo a los demás y les dijo que hablaran. Esa misma noche el helicóptero comenzaría a intentar el rescate de la gente cerca del río. Frank volteó la cara hacia donde estaba Candelaria y sonrió.

—El cálculo que hemos hecho es que si las noches son despejadas, podrían hacerse unos cuatro vuelos de ida y regreso. La gente se movió hasta las cataratas. Cuentan con algunas lámparas portátiles de destellos. El piloto nunca ha volado de noche sobre la selva, sin referencias visuales... Y sin buenas comunicaciones porque la carga de las baterías debe estar llegando al fondo. Lo va a intentar.

—Cuatro vuelos cada noche. ¿En cuánto tiempo calculan terminar esta parte de la operación? —preguntó Frank.

—Tres noches... Si hay suerte —explicó el mestizo.

—¿Qué hay de los aviones?

—Hemos hablado con dieciséis pilotos y sólo cuatro están dispuestos. Nos falta uno porque son cinco aviones: tres Centuriones y dos Sénecas. Con menos es imposible sacar a tanta gente.

—El Barón Rojo —dijo Candelaria.

—Está en las Bahamas —le explicó Frank.

—Tráelo.

—¿Y ese man sí conoce la selva? —preguntó el de la esvástica.

—Ese *man* se tragó toda la selva que pudo volando a Perú y Bolivia, durante, qué carajo: un año o un año y medio —dijo Frank—. No le gustaban los días despejados. Para que no lo vieran, prefería volar entre las nubes, que son las tormentas. Después de cada aventura, lo mejor es escucharle sus historias. Y nunca, óigame bien, mientras voló en la selva, nunca tuvo un percance que no pudiera solucionar. Ahora vuela a Bahamas y de ahí para adentro, adonde usted le señale en el mapa de los Estados Unidos. Candelaria: busca su número telefónico en una libreta que tengo entre ese portafolios —dijo.

—¿Cómo es su nombre?

—Tráemela, yo la busco.

Llamaron y escucharon una grabación. No se hallaba en casa. Cenaron. Sobre la medianoche Frank insistió por décima vez y finalmente escuchó su voz.

—¿Cuándo tienes previsto regresar?... No. Necesito que sea antes.

Cubrió la bocina con una mano y le comunicó a los demás que antes de cuatro días no podría estar de regreso.

—No importa —dijo el mestizo—. Si contamos con suerte, apenas entonces estará terminada la evacuación.

—Perfecto. Dentro de cuatro días... Óyeme: ¿conoces a Séneca?... ¿Sí? ¿Es muy buena gente? Ja, ja. Bien. Dentro de cuatro días.

Colgó el teléfono.

—El Barón Rojo vuela cualquier avión.

—¿Qué sucedió con el carburante para Farallón? —preguntó Candelaria.

—No lo hemos conseguido —comentó el de la esvástica—. Es posible que mañana sepamos algo.

Dos días después había sido evacuada la gente del río, pero aún no contaban con carburante para el resto del episodio.

—Eso no importa —dijo Candelaria—. Mándenlo desde aquí en un avión.

—Son más de dos horas de vuelo —señaló el mestizo.

—Como si fuera un minuto —replicó ella.

—Díganme dónde tienen sus aviones ahora —preguntó Frank.

—Aquí —dijeron señalando un mapa—. A tres horas de la gente.

—Candelaria tiene razón —dijo Frank—. El Séneca del Barón es capaz con ocho garrafones de plástico con carburante. Con ese peso y los tanques llenos, podría volar las tres horas. Creo que no hay otra solución. Santos: ¿tú que piensas?

—Que sí. No veo otro camino.

—¿Y tú, Candelaria?

Ella no respondió, porque no lo estaba escuchando. A partir de ese momento comenzaba a sentirse involucrada en el mundo de la coca, pero de la mano de aquel sentimiento iba tomando forma la necesidad de ocultar su nueva vida. Ahora la atemorizaba que en el futuro pudieran utilizar ese rastro contra ella. Posiblemente era la sombra de su madre y su carga de represión ordenándole que se cuidara de sacar a la luz un deseo que la hacía feliz, o a lo mejor era su imaginación excitada por las señales de Frank dándole un sitio de importancia en algo tan complejo para ella. Eso no le había ocurrido nunca.

De allí le nació una fobia incurable por los compromisos, y por primera vez pensó que el verdadero solitario es aquel que huye de los demás por temor a ser rechazado si llegan a conocer su verdadera actividad.

Esa noche Santos no deseaba hablarle y Candelaria tampoco, y cuando tomaron el coche para regresar a casa, ella silbaba *Let it be*. Los Beatles: «No te preocupes porque sólo tú tienes la respuesta a lo que te hace vivir plenamente».

El Barón Rojo llegó un jueves hacia el mediodía. Era un rubio sonriente, treinta y cinco años. «Vive sin pariente ni doliente. Por lo menos es lo que él dice», comentó Frank. El hombre escuchó las indicaciones, pidió detalles y como no discutió nada, entendieron que había tomado la operación como algo rutinario en su trabajo. Sobre las tres de la tarde un pequeño avión lo trasladó hasta una pista clandestina desde la cual debía despegar a la una y media de la mañana, ni un minuto más, y volar a Farallón en mitad de la selva. Del carburante dependía el regreso de la gente.

El Barón era un personaje reservado. Realmente nadie conocía mucho de su vida. «Una especie de neurótico», dijo Frank. «Cuando quiere ver a la gente, habla, sonríe. Pero se aburre pronto y busca estar solo».

Para cualquier capo ése era el perfil ideal del traficante. Candelaria estaba de acuerdo, pero la atraía el aire de misterio que él creaba, o que la gente creaba en torno de él.

—¿Cuánto hace que trabaja para ti? —le preguntó a Frank.

—Dos años.

—Pero, realmente, ¿quién es el personaje?

—No se le conoce mujer... ni muchacho tampoco. Al parecer estuvo casado a los veinte años. Al parecer sus padres murieron cuando era niño y fue criado por un pariente. Al parecer fue alcohólico. Se retiró. Al parecer fue fumador de marihuana. La dejó. Hoy tengo la impresión de que es medio brujo, o medio gurú. Una cosa de ésas. Un día me preguntó si yo realmente me conocía por dentro. Le dije que sí y se quedó mirándome. Dijo «No. La gente no sabe nada de ella misma. Cree que es una sola, pero, no. Somos una cantidad de defectos con siete cabezas: celosos, mentirosos, ladrones...» No sé cuantas cosas más. Duró un buen rato con ese cuento, pero me pareció pesado cuando empezó a decir algo de «las criaturas moleculares que habitan en nuestra quinta dimensión». Hasta allá no llego yo. A mí lo único que me importa es su lealtad. Y que es buen piloto.

—¿Por qué tratas con displicencia a los del laboratorio de cocaína? —le preguntó Candelaria

—¿Displicencia?

—Sí. Hacerlos esperar antes de hablar con ellos, es displicencia.

—Ellos son otra cosa. Están abajo.

—No lo entiendo.

—Mira: este negocio, clandestino, ilegal y como tú quieras, tiene unas reglas que uno debe entender. En primer lugar, se trata de una cadena. Delictiva, desde luego, pero una cadena. Abajo están los que siembran la hoja, los que extraen la pasta, los que la transforman en cocaína. ¿De acuerdo? Ésos son los que ganan menos. Ésos se quedan apenas con las migajas que nos llegan aquí.

—¿Migajas?

—Sí, muchos millones de dólares, pero en este negocio son migajas. Donde se gana una fortuna que nadie es capaz de imaginar, es en las últimas etapas de esa cadena internacional y ésas las controlan los estadounidenses. Los pasos finales del negocio son tener la coca en los grandes centros de consumo y luego, distribuirla al mayorista, blanquear el dinero, y después moverlo. Se dice, invertir los excedentes. Ser rey.

—Por lo que dijiste ayer, creí entender que es un error cultivar la hoja y hacer lo demás en Colombia. ¿Estoy equivocada? —dijo Candelaria.

—Entendiste bien. Es un error. No es bueno quedarse en las etapas de producción. Eso es conformarse con poco. Sembrar y transformar las hojas de coca en pasta y fabricar la cocaína y todas esas cosas, es lo pequeño del negocio. Mira: la diferencia entre producirla y distribuirla debe representar una relación, por lo menos, de uno a ochenta. Entonces lo que tú debes pensar es en buscar la porra de la culebra. Nunca la cola. La cola son migajas.

—¿Y el que la transporta?

—Está más abajo que arriba. Uno es mayorista sólo hasta cuando penetra el medio y se mueve en Estados Unidos. Una vez empieza a entregarla, pierde las riendas. Me gusta que me preguntes todas estas cosas, porque quiero que sepas que yo voy para arriba. Como mayorista, partiré la torta, de igual a igual, con mi gente de Chicago. Olvídate de los laboratorios clandestinos de coca en esas selvas. Eso no es lo grande. Yo una vez te dije que era príncipe, pero que quería ser rey, ¿te acuerdas? Pronto seré rey. Esto te lo voy a explicar luego con detalles porque quiero que lo aprendas. En adelante, estarás cerca de mí.

Tomó una copa y mientras bebía pensó que por fin había hallado a su segunda voz: «Candelaria acaba de demostrar que es más inteligente que todos juntos y que tiene más valor y mayor claridad que todos juntos. A partir de esta noche será mi mano derecha», se dijo y cambió el tema.

—Santos, ¿cómo va la campaña política?

—Bien, pero...

—¿Cuánto necesitas?

—Estamos a una semana de las elecciones. La recta final que es lo que define, y necesitamos disparar con todos los cañones.

—Comprendo —dijo Frank, y se dirigió a la caja fuerte.

A las once de la noche se despidieron y acordaron reunirse nuevamente por la mañana.

Ese viernes, un poco antes del atardecer, el mestizo regresó y les dijo: «¡Coronamos!». La operación había terminado con éxito.

El sábado, el Barón Rojo estaba de regreso, sonriente, al lado de la piscina cubierta aislada del frío exterior, con un vaso de limonada en la mano y un habano entre los dientes.

—Quiero el cuento completo —le dijo Frank, y como aquel no necesitaba reunir los recuerdos porque los traía colgando en la punta de la lengua, comenzó a hablar con tono débil. Su voz aguda parecía un murmullo y Candelaria fue la primera en acercarse a él. Frank abandonó su silla, tomó una botella de champaña y una copa y se acomodó en el piso, cerca de sus pies. Santos hizo lo mismo, hasta quedar todos casi tocándose los cuerpos.

—La pista desde donde opera esta gente —comenzó diciendo el Barón— está encañonada entre montañas. El lugar parece una olla: en el fondo y en el centro está la pista, corta, piso de arenilla.

»Cuando llegué allí me llevaron a una casa y comí algo. A esa hora el cielo estaba despejado: luna inmensa, cielo limpio. Le dije al hombre que me recibió que cargara el carburante a las once y me despertara a la una de la mañana. De acuerdo. Pero a la una el lugar se hallaba cubierto por una gelatina de niebla. Colocaron dos antorchas y la luz de una moto al final de la pista. Cuando llegué a la cabecera contraria, veía simplemente una claridad y en el centro un punto húmedo. Eso no definía el terreno, pero me daba una referencia. Hice mi carrera de despegue, comencé a elevarme y cuando el Séneca levantó la nariz quedé navegando por instrumentos. Vi la luminosidad de un poblado. Ascendía en círculos, pero de un momento a otro se cubrió todo. Sabía que estaba cerca de las montañas porque algunas veces veía las pequeñas luces de las casas, las tomaba como referencia y viraba. Cuando llegué a once mil pies, pensé: "Se acabaron las barreras".

»Aparte de los motores no escuchaba nada. Comunicaciones internas, cero. Los demás ya se encontraban en Farallón y los necesitaba porque no había ido allí nunca y sería una peripecia encontrar la pista en la oscuridad. No tenía las coordenadas del lugar, tampoco había radioayudas: las únicas son las de San José pero las suspenden cuando cae la tarde porque de noche allí no vuelan los aviones.

»Después de la olla, las montañas crecen más. Subí a doce mil pies y encontré una tormenta como las del Caribe. Miré el radar y estaba totalmente rojo. Resolví apagarlo. Intenté comunicarme por la radio, pero ellos no contestaban, y tracé un arco durante unos cuarenta y cinco minutos para huir de la tormenta. Volví a enfilar al oriente guiado por las señales de un aeropuerto, y con el resplandor de las luces de una ciudad cercana que iluminaban el cielo, vi troneras en las nubes y a partir de allí, buen tiempo. Adelante capté la señal de una emisora comercial que venía del este, y ésa me fue guiando. Cuando crucé sobre las últimas montañas, presentí una sensación de vacío debajo de los pies. Ahora volaba sobre la llanura. Traté de comunicarme nuevamente con Farallón. Los escuchaba, pero ellos no me oían y comencé mi descenso. Decían: "*Halcón Cinco,* el cielo está ilimitado". Era cierto, pero yo solamente veía las luces en el tablero de instrumentos del avión. Bajé a seis mil y continué descendiendo. Cuando llegué a dos mil pies, vi el horizonte azul, una noche profunda. Dijeron: "¿Divisa una fogata?". Debajo ardían cientos de hogueras porque en esta época del año la gente de la llanura incendia la paja que ha dejado el verano para que nazcan pastizales con las primeras lluvias. Conservé el rumbo que me marcaba la estación de radio y continué. Por tiempo de vuelo, debería estar sobre Farallón. Ahí los escuché: "Prenda sus luces", dijeron, y luego: "*Halcón Cinco,* lo tenemos encima de nosotros. Aterrice... ¿Nos puede ver?". No los veía. Dijeron: "Haga un viraje a la izquierda". Viré y me encontré frente a la pista iluminada con antorchas. Las tres de la mañana.

»Nos aprovisionamos de carburante y a las cuatro y media comenzamos a despegar. *Uno* y *Dos* llevaban lentes infrarrojos para localizar la pista de El Tigre, a unos cuarenta y cinco minutos de allí. Algunos conocían esa región porque la habían navegado de día, pero ninguno había cruzado por allí de noche. El líder no había ido nunca.

»Para guiarnos, prendíamos las luces cada cinco minutos. Un avión volaba a un minuto del otro. Al comienzo vi a *Halcón Cuatro* pero a la media hora lo perdí. El líder dijo que continuáramos con el mismo rumbo. Estimábamos llegar sobre las 5 y 15 de la madrugada.

»A los cuarenta minutos, *Halcón Uno* anunció que estaba sobre la pista. Abajo tenían un reflector rojo intermitente y algunas antorchas, y luego de dos giros cerrados los vi y luego empecé a deslizarme por una pista rizada, charcos y arena negra. Solamente se escuchaban voces por la radio. Entrábamos ciegos, sin noción del suelo.

»Cuando me detuve, las instrucciones eran no abrir la puerta hasta tanto no se escuchara una orden. Querían organizar primero la evacuación, pero lo que había allí era una gente desesperada, aislada por mucho tiempo en esas selvas, comiendo poco. La información era que la ley se hallaba a siete minutos de vuelo. Tenían seis helicópteros artillados y dos aviones rápidos. Estábamos dentro de su área.

»La orden fue abordar siete personas por avión, pero una vez abrimos las puertas, se vino una avalancha de gente que gritaba. La estampida fue tal que a *Halcón Tres* se le treparon once personas. Mi cupo eran seis. Exigiéndolo podía salir hasta con ocho. Se embutieron diez. Había gente arrodillada sobre mí, y yo encorvado tras el timón. Atrás vi un nudo de pies, iban unos sobre los otros, gritando "Sálvenme". Y olían mal. Era un atajo de lunáticos con la ropa despedazada.

»La operación fue rápida. Entre la subida de la gente y el despegue, siete minutos. La hora tope para partir eran las 5 y 30. En la selva amanece a las seis. Habíamos llegado a las 5 y 15... Y a la hora acordada, todavía en la oscuridad, el líder dio la orden y se elevó el primer avión. Por el sobrepeso salimos "en el límite de pérdida".

»Amaneció un poco antes de las seis. La primera luz me definió, al frente, las cornisas de una montaña de basalto dentro de las nubes. Luego los peñascos con escarcha, y en el fondo de los cirros, una explanada grande. Llegamos a Farallón con el sol nublado de la mañana. Un calor sucio. Nosotros mismos olíamos a humedad. Allí escuchamos por la radio que después de elevarnos cayeron tres helicópteros artillados. Debieron habernos escuchado porque cruzamos cerca de ellos.

»En Farallón la gente corría, algunos se escondían. Rellenamos los depósitos con carburante y volvimos a elevarnos sin un buche de agua en la jeta.

»Tú lo sabes: en ese momento yo llevaba cinco días volando de seis de la mañana a seis de la tarde. Esa misma noche había hecho no sé cuántas horas, y ya de regreso, cuando empezamos a enfrentar nuevamente las montañas, comencé a ver los instrumentos borrosos. No era efecto de la turbieza de la niebla. Es que estaba embotado. Volábamos a dieciséis mil pies sobre un techo de nubes alto y en ese avión no había un equipo con oxígeno: a los catorce mil se necesita oxígeno. Llevaba diez personas y le dije a *Halcón Uno* que no me sentía bien.

»—¿Qué sucede? —preguntó.

»—Veo los instrumentos borrosos. Voy a regresar.

»—¿Usted sabe dónde está?

»—No, no veo los instrumentos.

»—¿En qué radial está? ¿Qué altura lleva?

»—No lo sé.

»Mis recuerdos iban hasta cuando ascendí a dieciséis mil y vi las caras de angustia de esa gente. A mi lado iba un joven que tenía alguna idea de aviones. Trabajó en una pista o algo así, y yo le decía: "Dime qué rumbo llevo". ¿Rumbo? "Sí, en esa esfera. En la esfera debe haber una aguja. ¿Qué marca esa aguja?".

»Repetí: "Voy a regresar".

»*Halcón Uno,* dijo: "Tráguese un bocado de algo. No puede regresar". Me alcanzaron galletas. ¡Alguien tenía galletas! Luego un pan tieso. Creo que el joven contó que algunas veces le habían permitido tomar los mandos de un avión, y le dije: "Tómalos". A través de la radio, *Halcón Uno* le indicaba cuál era el altímetro, qué era esto y qué era lo otro, y él se agarró de aquello con lo poco que sabía. Le decía luego: "Manténgase así, haga esto, no mueva aquello...". En ese momento se me fue la onda.

»Imposible saber cuánto tiempo había corrido, pero debíamos haber descendido tres o cuatro mil pies porque reconocí la voz del joven y volví a distinguir el verde y azul de las montañas.

»Recuperé el gobierno del avión.»

Víspera del día de elecciones. Batalla en las urnas. Por los caminos cruzan caravanas de autobuses y camiones conduciendo a otra muchedumbre andrajosa, esta vez maniatada con botellas de licor. Mañana les darán los disfraces de la democracia, más ron y algo de comer. Pero primero deben pasar por las mesas de votación, guiados por alguien que les dirá cómo deben señalar en un cartón los nombres de quienes los llevarán a la victoria. Luego les pagará.

Don Santos, como le decían allí, llegó temprano a la sede del partido. Traje de lino, camisa negra, corbata blanca. Ahora tenía un reloj también dorado, y sobre cada número un pequeño diamante, para armonizar con la pulsera en la muñeca del brazo contrario. Mi Reina le dijo que la anciana lo esperaba. Necesitaban más dinero para comprar electores.

—¿Cómo? Ayer despachamos las últimas cajas, todo estaba calculado...

—Sí, pero las masas piden más, y los opositores quieren pagar mejor.

—Santos —dijo la anciana—. Nos quedamos cortos.

—Es sábado, no hay bancos.

—Santos, nos quedamos cortos.

Fue hasta su oficina y tomó un teléfono:

—Frank, nos quedamos cortos.

—¿Cuánto?

—Tanto.

—Son las doce. A las dos tendrás el dinero —respondió Frank.

Eran diez cajas de cartón, no tan grandes ni tan pequeñas, ni tan cuadradas ni tan rectangulares. Santos ordenó que las llevaran a su oficina. Mi Reina no había visto tanto dinero en su vida. Miró a Santos y éste le dijo: «Cuatro se quedan aquí. Guárdalas en esa alacena y lleven las demás a la oficina de la anciana». La señora pocas veces sonreía. Ese día lo hizo. «Que las lleven a la tesorería», le ordenó al embajador. El embajador pasó primero por su despacho y luego bajó, no con seis cajas sino con cinco, en medio del jaleo de teléfonos, gente que daba instrucciones, hombres que salían con fardos de murales, pasacalles, hojas volantes: *La hora de la Democracia...*

—Nuestro jefe político en Algeciras dice que no sabe adónde mandar a dormir a la gente esta noche —dijo alguien.

—¿No sabe? Allá está el padre Castaño. A él le dimos para que ampliara la casa cural y se comprometió a rezar unos maitines —dijo Santos.

—¿Qué es eso?

—Un oficio religioso a la madrugada para que la gente se quede dentro del templo hasta el amanecer. El resto, que duerma en la escuela; si la maestra no obedece, perderá su cargo. Ella lo sabe.

—¿Ron?

—Sí, que no falte ron; el gerente de la fábrica de licores del Estado se comprometió a mandar dos camiones mañana temprano. A él le conviene conservar su trabajo; los globos con el color del partido deben combinarse con globos blancos: la paz.

—De Málaga comunican que hay problemas para trasladar gente mañana.

—El dueño de la única empresa de autobuses de Málaga es nuestro. Él sabe que no puede transportar a los rivales... Diputado, buenas tardes; sí, ya llegó el dinero.

Ahora se hablaba de menos cajas.

—¿Cuánto?

—No lo sé, la tesorería tiene tres cajas. Mi Reina, cierra esa puerta y dame un whisky.

A las diez de la noche, el reflejo de la luz de un local con juegos electrónicos brilla en el piso de la calle, húmeda por la llovizna; el maullido de los gatos, la música del bar de Beatriz, Beatrizparranda le decían los muchachos; el ruido de los botes de basura por el asalto de los perros silenciosos, el resplandor de los ventanales de un restaurante de comidas rápidas, el sonido de la brisa que baja de las montañas y se lleva la llovizna de un costado a otro, son parte del ambiente de la calle. La vida del barrio antes de la medianoche. Frente a la floristería está la casa de Santos. Santos sale al balcón con la cara oscurecida por las sombras; está borracho y grita, dice algo sobre las clases populares. La gente escucha la bulla y se acerca. Él se inclina ante una caja no tan grande ni tan chica, ni tan cuadrada ni tan rectangular, la abre y empieza a lanzar dinero. El bar, el restaurante y el local de juegos quedan vacíos, la gente se arremolina, un tropel que cae, se desliza sobre el pavimento humedecido y vuelve a incorporarse en busca de un billete.

El domingo, al final de la tarde, la sede fue llenándose de gente a medida que terminaba la votación. En cada oficina se escuchaban al mismo tiempo una radio y un televisor. En la escalera y los pasillos, arrumes de serpentinas, una alfombra de confeti y papeles en el piso, y el rumor del enjambre que crecía a medida que aumentaba el gentío. En una buhardilla, al fondo de la tercera planta, Santos encontró a la anciana reunida con la gente más cercana a ella. Bebían, hacían cálculos, pronósticos. Aún no habían comenzado a contar los votos, pero todos estaban seguros de haber conseguido uno de los triunfos más significativos.

La anciana era una mujer de cabello negro, mal teñido, ojos cafés y dientes ennegrecidos; la ropa descuidada, una lengua pequeña y bailadora que desembuchaba con facilidad la verdad, desde luego la suya. Estaba acostumbrada a mandar, y a que la obedecieran. Y en qué forma la obedecían. Al fin y al cabo era blanca entre mestizos. Igual que su abuelo, un aventurero inglés que llegó a finales del siglo pasado como representante de una compañía de la Corona que extraía caucho y comerciaba con seres humanos en las selvas. Era un experto en marcarlos con hierros calientes y comprarlos y venderlos en los mercados. Cuando se fue a vivir a un puerto miserable en el Pacífico llevó consigo un par de pantallas hechas con piel humana, que la señora conservaba ahora en uno de los salones de su casa.

Poco tiempo después, *sir Rubber*, como se hacía llamar, apareció ocupando el cargo de cónsul británico en aquel puerto sobre el Pacífico, en un país cuya industria principal era guerrear por las tierras. Pero como tenía la piel colorada y los ojos azules, se enroló con la alta sociedad y disparó hacia donde era: la hija del general reinante en uno de los estados federales que formaban la República, y aunque ya era casado en Inglaterra, se casó con ella nuevamente. Una vez ubicado, el negocio lógico era importar de Inglaterra armas y pólvora para vendérselas a los ejércitos locales.

A partir de allí empezaron a suspenderse las guerras. «Se acabó la pólvora», decían. Pero la pólvora no se había acabado. Él la escondía para ponerle el precio que le viniera en gana. Así hizo la fortuna que vino a heredar más tarde esta anciana. Anciana y soltera porque nunca encontró al hombre que igualara su nivel y terminó cargando a cuestas con su virginidad y su intransigencia.

A las nueve de la noche de aquel domingo, veinte teléfonos confirmaban la victoria. A las once no cabía duda: Santos y cerca de dos centenares de sus camaradas acababan de ser elegidos para determinar los rumbos del país.

Cuando Santos arribó a la casa de la fuente, un poco después de las doce, lo sorprendió el silencio. Esperaba encontrar una reunión ruidosa, pero halló a Frank solitario, en medio de tazas de café vacías y ceniceros llenos.

—Tengo el candidato para Puertos. Aún no se cuál será el de la Secretaría de Aviación —le dijo el capo antes de saludarlo.

—¿Quiénes son? —preguntó Santos.

—Gente de la Academia de Policía. ¿Recuerdas a Rodríguez?

—Ahora trabaja con la ley.

—Hablé con él hace media hora y está dispuesto a retirarse.

—Que se retire. La anciana me prometió esos dos cargos. La victoria ha sido arrolladora.

—Una cosa es la promesa antes del triunfo y otra tener la sartén por el mango. ¿Confías en ella?

—Sí. No es persona que pierda la cabeza. No es una novata... Y, ¿para la Secretaría de Aviación?

—Estoy entre Ramírez y Macías ¿Los recuerdas?

—A Ramírez no. A Macías sí, pero no sé dónde anda.

—Es economista. Ramírez, ingeniero. Me gusta Ramírez. Es más corto de personalidad.

—Bueno, que sea Ramírez, pero debemos esperar mientras nos acomodamos en el Estado.

—No tengo prisa, pero escúchame: este triunfo y esta victoria son míos. Debe quedar muy claro. Son míos.

—De eso no cabe ninguna duda, Frank. Son tuyos.

Antes de lo calculado por Frank, Rodríguez fue nombrado «zar» de los puertos y Ramírez de la aviación.

—Mi Reina, ya no sé nada de ti, no te veo nunca. Y ahora, en esta cama con el cuerpo vendado desde hace tres semanas; sí, ya lo sé: la celulitis, la liposucción; pero antes fue la lipoescultura y después la silicona en las nalgas. ¿No te cansas de despedazarte el cuerpo? Cuando te conocí olías a mujer; ahora hueles a cloroformo.

Así comenzó a esfumarse la figura de Mi Reina. Una noche Santos conoció al lado de aquella cama a una amiga suya. Tendría unos treinta y cinco, minifalda, botas hasta las rodillas; «Una hembra, una señora hembra», pensó. Mujer desparpajada y segura de sí misma. ¿Gina? ¿Te llamas Gina?

Hablaba con firmeza, sabía lo que decía. Junto a ella, Mi Reina comenzó a parecerle lo que llaman, una gata; una verdadera gata, con sus cejas tatuadas y su silicona en los senos; y ese acento: «Tu cabello es diviiino, y aplícate el labiaaal», que de por sí lo mortificaba, se le hizo insoportable.

—Gina, ¿en qué trabajas?

Organizaba desfiles de modas en algunos colegios de chicas; imagínate: un semillero de modelos, todas quieren ser modelos y luego reinas de belleza o presentadoras de televisión, pero este negocio es de dinero: montar un local elegante, con una pasarela, toda la iluminación del mundo, toda la música del mundo, el mobiliario importado de Miami, una *boîte*, un gimnasio. No se pierde nada con soñar.

La mañana siguiente le envió flores y por la tarde le regaló una pulsera de oro. Y comenzó a organizar fiestas con Gina y cuatro o cinco modelos amigas suyas a las que concurrían Frank y su gente. Una noche Frank escuchó la historia de aquella mujer y sus sueños.

—Gina: si tienes tu propia organización de modelaje, con luces, y pasarela, y *boîte*, y todas esas cosas, podrás tener también chicas de colegio, ¿verdad?

—Sí, desde luego que sí.

—¿Dispuestas a todo?

—Sí, las hay con esos arrestos, quieren llegar a la televisión.

—Santos...

—¿Sí?

—¿Sabes desde dónde voy a manejar el mundo?

—No.

—Gina: tendrás tu casa de modas.

Una tarde Santos regresó adonde Mi Reina.

—Quiero que me devuelvas el piso y el coche.

—Son míos, tú me los diste, están escritos a mi nombre.

Colocó una pistola sobre la mesa, y repitió:

—Quiero el piso y el coche.

Se los regaló luego a Gina, pero a Frank le pereció que el piso era reducido. Las reuniones con políticos, ministros, guardias, y con amigos de Chicago y de Miami y con delegados de los amigos de Chicago y de Miami invitados por él, exigían otra cosa.

—Busca una casa campestre cerca de la ciudad —le ordenó a Candelaria.

Media ciudad estaba en venta y no resultó difícil la elección. Una mañana ella lo llevó a tres lugares y él dijo que no quería ver más. El último le pareció ideal.

—Los documentos se harán a nombre tuyo —dijo, y aunque ella no preguntó por qué, él le explicó—: será un sitio estratégico. —Le puso como nombre El Plató.

—Santos: que le instalen pisos de mármol, pista de baile, dos bares, y habitaciones de cinco estrellas. En cada punto debe haber espejos, y detrás de los espejos, cámaras de televisión que conduzcan a una central de grabación. La decoración déjala al gusto de Gina. A propósito: quiero hablar mañana con ella.

Habló con ella:

—Tus chicas deben ser calladas. Tumbas de cementerio, ¿me entiendes? Se les pagará en dólares por la información que puedan recoger en las fiestas. En adelante, tú serás la responsable de eso.

5

Por fin era suyo el piso de la calle Karalenka, y el siguiente también. En él vivía una familia con la cual Nadia Stepánovna acordó un cambio por su habitación lejos de allí. Ella ofrecía darle a aquella gente el sitio que había ocupado antes de la muerte del alcohólico, además de algunos rublos, un dinero absurdo, pero una noche la vecina se comunicó con ella y le dijo que luego de pensarlo, con su marido habían cambiado de opinión. No se marcharían, no querían esa miseria ¿Sus rublos? Eso valía una cueva de ratones y su piso no era una cueva de ratones. Imagínese: dos habitaciones y una tercera medio escondida cerca de la entrada que no había advertido Nadia, una terraza, pequeña, diminuta o como sea, frente a cada balcón para colocar plantas en primavera; el sol de la mañana, cuando había sol, entrando por los cristales...

La mujer pedía que Nadia le devolviera un folio firmado por su marido unos días antes. En el lugar vivía la pareja con dos hijos y una sobrina de la mujer, y según le dijo, ahora todos estaban de acuerdo con que el negocio era un trato insólito. Además, todavía no existía el concepto de barrios buenos o malos, y aparte de la cercanía con el centro, no entendían la ansiedad de Nadia Stepánovna por vivir en aquel punto. Nadia escuchó a la mujer, intentó en vano convencerla, pero como aquella repetía como en una grabación las palabras que le había metido el marido entre la cabeza, palideció, guardó silencio tiró el teléfono.

Tal vez tres semanas más tarde, alguien llamó a la policía, un olor extraño invadía la escalera. Forzaron la puerta y hallaron dentro del piso de aquella pareja cinco cadáveres en descomposición.

—Esto no tiene sentido —dijeron luego. El hombre, un pensionado, tal vez aburrido con la vida o simplemente fuera de sí, regó mercurio en el piso y murieron envenenados. Pero Nadia Stepánovna guardaba un documento firmado por él antes de morir, según el cual, el pensionado y su mujer aceptaban cambiar la ratonera por la habitación en Avtovo.

Nadia dejó que corriera el tiempo y alguien la vio una tarde en la policía y luego merodeando en unas oficinas donde funcionaba algo así como una comisión del gobierno encargada de estudiar y autorizar este tipo de cambios en casos especiales.

No es raro que Nadia Stepánovna hubiera utilizado su posición de cuadro, al parecer influyente en el Partido y al mes siguiente le comunicaron que podía ocupar el nuevo piso. Lo cierto es que una noche ella le dijo a Emilio que para allanar el camino, había utilizado tres billetes de cien dólares americanos, una suma que pocos podían mover, por inconcebible y, además, por peligrosa. Especular con monedas diferentes del rublo era un delito que terminaba en la cárcel.

Emilio continuaba estudiando y viajando los fines de semana a Helsinki. Allí conoció por esta época a un peruano conocedor de subastas de cosas usadas. Las subastas eran anunciadas en los diarios. En los diarios figuraban computadoras, muebles, aparatos eléctricos, todo cuanto no sólo significaba un sueño, sino algo imposible de conseguir entonces en Rusia. Era tal la profusión de cosas y los precios tan bajos, que Emilio pensó en llenar un camión, llevarlo y probar suerte en la aduana cuando regresara.

Se fue a Estocolmo y compró un camión en un mercado de autos viejos. «No está mal», pensó cuando lo vio. Tenía unos ocho años de trabajo, un contenedor para veinte toneladas y se veía en magnifico estado. Debió pagar unos tres mil dólares por él, lo encaramó en un buque y se vino a Helsinki, donde buscó al peruano, que había seleccionado varios remates. Todo era casi nuevo y empezaron a acomodar televisores, equipos de sonido, lavadoras industriales, muebles, y partió al azar. En la frontera declaró el camión como suyo porque aún los extranjeros podían ingresar con autos propios, y cuando estaba llenado algún papel, escuchó que el guardia le preguntaba por la carga.

—Muebles, aparatos eléctricos, pero todo es usado. Es viejo.

—No me importa, eso no puede ingresar —contestó el guardia.

Los fines de semana a su regreso, Emilio venía cargado de maletas grandes con ropa, licuadoras, piezas para computadoras y siempre cruzaba porque dejaba allí algo de lo que traía entre los bolsillos. Bueno: «algo» eran doscientos dólares por cada maleta. Eso lo sabía la gente que transitaba por allí una y otra vez: «Si quieres entrar, tienes que pagar», pero además, debían hacerles algún regalo a los guardias. Ellos lo pedían:

—Este pantalón es para mí. Este abrigo es para mí —decían de mala manera.

—Bueno, quédese usted con ellos.

No ocurrió así aquella tarde y Emilio dijo que regresaría a Finlandia.

—No. Olvídese de eso. Usted no puede moverse de aquí —le dijo el guardia, y con movimientos mecánicos le indicó que lo aparcara en una zona especial.

Él se acomodó dentro del camión sin pronunciar palabra, estiró las piernas y trató de dormir mientras cambiaba la guardia. Un poco después escuchó que el que se iba le informaba a su camarada acerca del camión.

—Es aquél —le dijo.

Se le acercó un hombre menos tosco, y antes que otra cosa, preguntó:

—¿Cuánto dinero traes?

A Emilio algo le palpitó y se dijo: «Esto está hecho».

—Tres mil dólares.

El guardia lo sabía porque eso era lo que aquel había anotado en su declaración.

—Dame mil —le dijo.

Con parte del cargamento amobló el piso de la suegra, colocó un televisor en cada habitación, una nevera y un congelador en la cocina, un horno eléctrico, y luego dejó algo en una habitación al fondo de un patio desdibujado en la calle Novoslobódskaya donde vivía ahora gracias a los oficios de su suegra.

Nadia Stepánovna vendió el resto en la ciudad y cuando acabó de cobrar hasta el último cópec, le preguntó entornando los ojos:

—¿Qué vas a hacer con ese camión?

—No lo sé.

—Vete a Nóvgorod, allá debes preguntar por Yuri Yurívich, el hombre de los metales, y le entregas las llaves del camión. Él te dará cuatro veces más de lo que te costó esa máquina.

Ella siempre tenía la razón.

Eran los últimos días de la época soviética y los sudamericanos lo sabían. Para ellos significaba, entre otras cosas, que una vez abiertas las barreras desaparecerían mil negocios y por tanto en esas vacaciones y durante los meses siguientes, se dedicaron a viajar a sus países cargados con cuanto lograran comprar. Emilio encendió su imaginación y realizó tres viajes en pocos meses.

El billete para ir a Sudamérica y luego regresar valía entonces lo mismo que una cena en un buen restaurante madrileño, pero tenía derecho a cincuenta kilos como equipaje acompañado y doscientos más como carga. Llevó cámaras fotográficas con una magnífica óptica y microscopios simples y microscopios sofisticados. Allí le encargaron una serie de elementos para medicina y regresó con gastroscopios, rectoscopios, aparatos de rayos x. En alguno de sus viajes llevó equipos para odontólogos.

Pensando en la ingeniería, cargó teodolitos, costosos pero de una precisión excelente, y los vendió por unas quince veces más de lo que había pagado en San Petersburgo. Los taquímetros eran un cuento especial: en Sudamérica el ingeniero civil que lograra hacerse dueño de uno, lo rentaba y podía quedarse durmiendo, pues con veinte horas de alquiler pagaba su costo.

En aquellos equipajes pantagruélicos iban artificios para médicos, para ingenieros... Ah, la música. Él, hombre culto, aparte de su educación creyó que también podría ganar con el arte y guardó dentro de las maletas, flautas, saxofones, violines. En el último viaje cargó con un piano y le pareció pequeño junto a los tractores que los africanos llevaban en barco a sus países.

Para el Barón Rojo también estaba terminando una vida, breve pero intensa en el mar Caribe, una zona no solamente restringida ahora por los estadounidenses, sino porque Frank sintió que el transporte aéreo de cocaína por aquella vía representaba demasiados riesgos, y tomó la decisión de hacer el camino a través de México.

Entonces el Barón volaba con frecuencia a Puerto Príncipe. Se alojaba en un estupendo hotel para turistas a orillas del mar, pero como andaba en plan de trabajo y tenía que ir y venir de un sitio a otro buscando gente, acordando citas, esperando mensajes, el contacto con la miseria de Haití le perforaba el hígado. Calles atestadas de caras trashumantes a cualquier hora del día o de la noche: la gente duerme por turnos en una misma cama. Cuando vuela el tiempo, aquellos que esperan se apresuran a despertar al padre o a la hermana para que abandonen el lecho y aquellos buscan la calle. Se van a caminar sin rumbo. Iglesias y leprosos tendidos frente al atrio esperando un pan. Colinas áridas. Valles tostados. La tierra es ocre. Allí, el único verde estaba en la temática recurrente de los cuadros que exhibían los pintores primitivistas. Óleos con bosques y manantiales y una fauna que desapareció cuando Francia dijo que los dejaba en libertad pero les exigió a cambio que entregaran la caoba que cubría la isla y se la llevó toda, convirtiendo a Haití en una geografía reseca.

Pero aparte de la ilusión virtual de los pintores haitianos, el espectáculo le arrugaba el ánimo y buscaba salir de allí en cuanto podía y se iba para su verdadera base, una de las últimas islas de Bahamas llamada Mayaguana.

Mayaguana fue escogida por Estados Unidos para el lanzamiento de cohetes pero después la abandonó dejando allí toda la infraestructura, de la cual él utilizaba una gran pista de aviación. La isla tenía entonces algo menos de doscientos habitantes a pesar de su gran extensión y por tanto la consideraban deshabitada, razón por la cual un día el Barón, buen conocedor de estos contornos, le aconsejó a Frank que operaran desde allí.

El lugar era tranquilo y no había muchas viviendas. Entre las palmeras podía verse una con ventanas amarillo cromo y un letrero herrumbroso que decía «Sheraton Mayaguana» y debajo de él una casita con cuatro habitaciones, una cocina y dos o tres espacios más. *Daddy* Newman, su dueño, era el padre del jefe de la policía, pero en la isla sólo había dos policías: aquél y un tal Stacy Bray.

Las calles del poblado eran de tierra parda, las casas de madera, techos de tabla o cinc corroído, un suelo salitroso, piedras carcomidas por el tiempo, un conjunto de colores sin energía que contrastaban con el azul del mar. Y producía poco o nada de comer. Cada mes cruzaba por allí un buque británico y les llevaba lo de consumir el mes siguiente. Y había también una cabaña de tablas con el letrero «Casino», una puerta, una ventana sin cristales y un par de mesas bajo un arbusto de hojas deshidratadas. La gentes jugaban dominó por las tardes, pero él poco iba por allí.

El día que aterrizó por primera vez, Stacy Bray percibió en qué andaba el Barón. Luego vio su bufanda de seda roja con un par de líneas blancas y supo que era hijo de Changó. El Barón sintió a la vez la fuerza de aquel hombre. Stacy era un *babalao* poderoso metido en la santería del Caribe, como él.

Hicieron amistad y en el segundo viaje el Barón se apareció con un caldero y entre el caldero un muerto desmembrado. Stacy había ordenado construir entonces una pequeña cabaña de tablas cerca del hotel y allí acomodaron el caldero y lo adornaron con huesos, tierra de cementerio, un Cristo, un machete, cruces, trozos de tela roja y tela blanca.

—¿Quieres el cadáver de un profesor? ¿El de un piloto? O el de un bandido. ¿Qué quieres? —le había preguntado dos años antes el «santo» que hacía las veces de padrino, y él Barón respondió:

—El de un bandido. Pero tiene que haber sido un bandido con ingenio que, desde luego, no haya caído bajo las balas de la ley.

El difunto se había llamado Arturo Trejos, un ladrón famoso porque nunca lograron meterlo en una cárcel de la que no escapara. Se fugó de muchas. Para conseguirlo, craneaba las tretas más inverosímiles y desde entonces fue uno de los ídolos del Barón. Pero una noche murió atrapado entre el fango y la suciedad de una red de cañerías. Un sepulturero le vendió el cadáver algo así como dos o tres meses después de su muerte.

En Mayaguana la pista de aterrizaje era estupenda. Piso de hormigón en magnífico estado a lo largo de sus seis kilómetros, también abandonada como el resto de las instalaciones, por lo cual no funcionaban ni la iluminación, ni las radioayudas; nadie vivía cerca, ni nadie se interesaba por el avión del Barón, en cuyo vientre podía cargar hasta diez toneladas de lo que fuera.

Grandes tanques para almacenar combustible, estructuras de acero calcinándose al sol, tuberías, maquinaria aparentemente nueva, le hicieron pensar que podría alzar con toneladas y toneladas de material en buen estado y venderlas en algún sitio como chatarra. Eso lo haría millonario, pensaba, pero para llegar a ese punto tendría que trabajar en algo que desconocía, y arriesgar mucho dinero con la posibilidad de perderlo todo, puesto que aquello no había sido trazado en las líneas de su vida.

El avión salía legalmente, con plan de vuelo para Jamaica, Curazao, Aruba, todos puntos en el Caribe, y desde luego, nunca cubrió esas rutas. Recibía carburante de un camión cisterna, y hacía cuatro vuelos al mes. Sin embargo, algunas veces Gary Dobson pedía lo suyo desde Miami, pero Skipp Coleman quería otro tanto en Chicago. Eso sumaba veinte mil kilos en una misma semana, y en esos casos recorría su camino dos veces en días seguidos.

Desde aquella isla volaba hasta un punto en el norte de Colombia, cerca del mar Caribe. Allí había una pista de dos kilómetros, mal iluminada, en un paraje verde atravesado por ríos caudalosos y lagos, también olvidado y más o menos solitario. La tripulación del Barón eran ocho personas: dos que volaban a su lado en la cabina de mando y seis bombarderos atrás, cerca de la puerta principal.

La zona era boscosa y la pista tenía malas aproximaciones para navegación nocturna por los árboles corpulentos y el terreno ondulado, un conjunto de factores que le habían dado fama de peligrosa, y muy pocos aparte de él se arriesgaban a aterrizar de noche.

Se trataba de entrar al sitio bordeando la puesta del sol, que en este punto de la tierra es sobre las seis de la tarde. Es decir, ni diez minutos antes de las seis, ni diez después, porque aviones militares de una base cercana patrullaban la zona hasta las cinco y media. A las seis y diez minutos la sombra es absoluta. Sin embargo, en octubre y noviembre oscurece quince minutos antes, y para calcular la llegada con exactitud, en esa temporada tenía que correr su límite de despegue el mismo cuarto de hora. Como desde Mayaguana, ese avión gastaba tres horas y veinticinco minutos, cada uno significaba algo así como una pieza con la que debía jugar siempre una partida de ajedrez casi perfecta.

Para navegar con precisión, oficio en el cual él era un maestro, quien se arriesgara sobre aquellos mares tenía que conocer muy bien los vientos que barren el Caribe. Entre principios de agosto y finales de septiembre, se desata la violencia de los huracanes. Éstos se inician en las islas de Cabo Verde frente al África, acribillan el Caribe y mueren en el Golfo de México, Florida, Carolina del Sur, Virginia, es decir, la costa este de los Estados Unidos.

Los huracanes pasaban por el centro de su trayectoria y en aquella temporada, parte del trabajo consistía en permanecer al frente de un par de televisores enterándose de los reportes meteorológicos.

Los remolinos de un huracán giran en sentido opuesto a las agujas del reloj y sus vientos golpeaban al avión por la cola y aumentaban su velocidad llevándolo a la costa colombiana más temprano de lo estimado. Sin embargo, él sabía que, dependiendo de la fuerza del viento y de la proximidad del huracán en su ruta, tenía que restarle aceleración a los cuatro motores para lograr un resultado ideal. Eso en la práctica no reducía la velocidad, es cierto, pero si agregaba otros cálculos y movía las piezas sobre el tablero tantos minutos antes, estaba llegando a su destino al filo del atardecer.

Si el huracán ya había cruzado por la ruta, ahora los vientos no eran a favor sino en contra. Ráfagas entre ochenta y cien nudos de fuerza. Algo así como 185 kilómetros por hora. Esos días debía partir antes de la hora habitual, para compensar la pérdida de velocidad, y eso lo lograba siempre, porque siempre aterrizaba a la hora prevista, protegido por la oscuridad.

—Para atinarle al horario con precisión, uno tiene que ser, ya no un experto, sino un as en navegación, combinando el rumbo con la velocidad y la altura, y también un as en meteorología porque se trata de jugar con vientos, tormentas y nubes cargadas de electricidad. Siempre. En cada vuelo —le explicaba a los copilotos.

Lo que nunca les dijo es que en estos casos hablaba mentalmente en papiamento, aquel lenguaje de algunas islas del Caribe, y mientras conjuraba, parecía irrumpir en el avión la presencia de alguien, una presencia extraña. En ese momento se apoderaba del Barón un frío penetrante y un erizamiento de la piel. Luego comenzaba a sudar. Tomaba una botella con alcohol y se friccionaba los brazos y parte del pecho. Hacía un esfuerzo por dominar aquel temblor imperceptible en las manos y destapaba un termo con café, pero no bebía; encendía un puro y fumaba mientras las ráfagas del huracán vapuleaban el avión.

Una y otra vez salieron de allí. Sin embargo, los copilotos y los ingenieros de vuelo se sentían incómodos y nunca volvían a sentarse a su lado. Pero una vez dejaban de verlo se olvidaban de él y nunca jamás recordaban haberlo conocido. Según su pensamiento mágico, él era un hombre sin sombra, gracias al espíritu de Arturo Trejos.

El avión partía de Mayaguana con los tanques rellenos de carburante, consumía algo más de una cuarta parte y al llegar a la pista en Colombia debían devolverle la misma cantidad. Hasta allí lo llevaban varios camiones en barriles y una vez se detenía, se acercaba una cuadrilla de ocho, nueve hombres, y comenzaban a vaciarlos con bombas de mano. Trabajo áspero pero «bien pago», decían los trabajadores, en un país muy rico poblado por gente empobrecida que vio cómo se marcharon sin dejar rastro, desde el oro hasta el petróleo. Todo. Lista interminable de recursos que fueron entregando con docilidad los mariscales, y con excepciones, los que vinieron luego. Una parte la cedían y algo quedaba, pero no lo invertían en escuelas sino en cuarteles y cárceles. Los campos, doce meses en primavera, ahora iban quedando solitarios. Alguien les dijo a los nietos de los mariscales que la posmodernidad era importar hasta el café, en un suelo sobre el que la gente deja caer una semilla y pronto ve nacer el grano más suave del mundo.

Para vaciar cada barril, aquella gente contaba unos doscientos palancazos. Ellos creían que el movimiento de la palanca les exigía un esfuerzo tan rudo como el que necesitaban para llevarse hasta los hombros un saco lleno de cemento. Pero al avión le cabía una barbaridad de combustible: treinta toneles, y no podían darse el lujo de dejar perder un solo minuto.

Una noche el Barón preguntó por qué no utilizaban bombas eléctricas.

—Claro que lo hemos hecho, pero alguna vez se produjo un incendio. ¿Y qué sucedió? Que las llamas se tragaron el avión y del avión pasaron al bosque y la costa del bosque también se incendió, y los que estaban cerca se incendiaron, y los camiones se incendiaron. Hubo varios muertos. Los enterramos aquí mismo —le dijo el capataz.

Allí la escala era de cuatro horas. El llenado de los tanques con carburante tomaba unas dos horas. Cargando el avión con la cocaína, treinta minutos, trabajo que se realizaba sólo media hora antes de despegar, por temor a la guardia. En tanto, los camiones con la coca que otra gente había sacado de depósitos bajo tierra permanecían escondidos en el bosque. Frank la enviaba con un delegado suyo que llegaba allí horas antes, escoltado por cuarenta o cincuenta hombres armados y equipados con radios y teléfonos móviles y cuantos medios de comunicación tuvieran al alcance.

En el camino y luego por los atajos que conducían de una carretera hasta la pista, en cada puente, en algunas curvas, en ranchos a la vera, había gente informando sobre movimientos extraños.

Si se acercaba la guardia, el Barón partía con el avión vacío y regresaban el día siguiente, aunque generalmente negociaba con ella en el mismo camino y en ese caso se retiraba de allí. Pero si no había negocio y algún oficial intentaba continuar por los atajos, la orden de Frank era quemar los aviones antes que enfrentarse con la ley.

Un mes de febrero enviaron desde Miami a Sean Burks, un veterano con todas los recuerdos de su misiones y todas las condecoraciones que daban en Vietnam y con toda la experiencia que eso suponía. Se fue con un copiloto joven llamado Andrew James, pero al llegar a la costa se extraviaron. Hicieron giros amplios unas dos horas y como volaban bajo buscando el lugar, alertaron a la ley y, claro, la guardia acudió una vez tocaron tierra. Pero antes de que aparecieran, un mecánico cuya misión era actuar en esos casos abrió los grifos de drenaje de carburante en las alas del avión, prendió la rama seca de un árbol y la lanzó. Las llamas consumieron otra sección del bosque.

Aquella pista era una maquinaria en la cual todo debía funcionar como mecanismo de alta precisión. De antemano la gente que trabajaba allí estaba enterada de los procedimientos a seguir en emergencias como ésta. Entre las prioridades estaba la evacuación de los pilotos, que partían en el primer vehículo.

En él se acomodaron el coronel Burks y su copiloto, atravesaron atajos y senderos con las luces del auto apagadas porque el chofer era un nativo que conocía metro a metro el lugar y llegaron a un pueblo de pescadores y abordaron un yate. Al final del paseo los esperaba una ciudad festiva y rumbera frente al mar. El encargado de estos asuntos hizo los arreglos acostumbrados con la guardia, gracias a lo cual, la mañana siguiente estamparon en sus pasaportes sellos de entrada al país con una fecha anterior a la emergencia y les dieron las garantías y toda la protección para que gozaran del carnaval, les pusieron todo el ron que quisieron beberse, polvo con qué llenarse las narices al comienzo de la noche y a la madrugada. Ellos decían que estaban en el *paradise*, y seis días más tarde abordaron un vuelo comercial que los llevó de regreso a su tierra.

Ahhh. Los veteranos. Nunca se supo si se trataba del aire del trópico o la ausencia del espíritu de Arturo Trejos, pero algunos la pasaban muy mal cuando iban a aquella pista.

Después del coronel Burks llegaron Bruce Kincaid, Andrew Jones, Matt, Luke, Thomas, Harry, Cameron, Patrick, un loco llamado Gregg que luego se mató en Haití. Fueron tantos.

Bruce Kincaid era hablador y aparatoso. Los mecánicos lo recordaban, porque luego de aterrizar dijo que uno de los motores venía fallando y cuando le preguntaron qué tipo de falla había advertido, respondió: «Búsquenla ustedes».

Escondidos en el bosque había camiones taller con llantas, elevadores, hélices, pero no lograron reparar pronto el motor y como un avión allí representaba peligro, nuevamente el encargado de aquellos asuntos debió viajar a la ciudad de los carnavales y hacer arreglos con el jefe de la guardia y luego en la base de los aviones de combate para que las patrullas no se acercaran al lugar.

Kincaid se metió entre una hamaca y empezó a vociferar, hasta cuando, ya desesperado con las blasfemias y las voces, uno de los mecánicos dijo en voz alta:

—¿Alguien sabe cómo callar a ese tío?

—Démosle coca, eso es lo que les gusta a ellos —respondieron.

El responsable de la carga extrajo un paquete y otro molió entre una licuadora varias tabletas de Aspirina y le entregaron toda aquella nieve para que él la mezclara a su gusto, pero dijo que no. Que quería base de coca. Abrieron el cargamento para los laboratorios clandestinos de uno de los carteles del sur de México destinado a un vuelo diferente y le dieron un kilo. Un kilo solamente para él. Una montaña de vicio.

Kincaid calló por fin. Fue hasta su avión, tomó dos bloques de cigarrillos y se sentó bajo un árbol no lejos de donde trabajaban los mecánicos y apoyándose sobre una piedra grande y llana en la superficie, se dedicó a abrir cajetilla por cajetilla, a desocupar los pitillos y a mezclar el tabaco con la base de coca.

—Es base pura —le dijeron—. Mézclala con Aspirina.

—Ése es mi problema —respondió, y puso a punto varios porros. Cuando se llevó a la boca el primero y aspiró una y otra vez sin dejar pausa a la respiración, sintió que lo invadía tanta euforia que quería salirse de su piel, y tras la euforia, lo fue abrasando un deseo sexual incontenible.

Se desnudó, estaba totalmente desinhibido. Intentó masturbarse pero no conseguía erección, de manera que luchó contra sí mismo algunos minutos. Deseaba a alguien a su lado y recordó la tempestad en las caderas de Sharon, las concavidades de Glenda, los sollozos de Mary Jo, la saliva cálida de Sandy, la fragilidad irrepetible de Karen, ella tenía doce años, y como el efecto de la droga cesó intempestivamente, sintió que cedía la intensidad, mas no la excitación, y experimentó una soledad absoluta.

En ese momento llamó a su copiloto. Le dijo que fumara. Él respondió que no y antes de que se alejara se abrazó de él. «Déjate violar, quiero estar contigo ¡Dámelo!», le dijo. El muchacho intentaba huir, pero no lograba que le quitara las manos de encima y resolvió dar voces. Gritó un par de veces. Los gritos tal vez lo sorprendieron y Bruce Kincaid separó los brazos. «Ahora tiene una fuerza sobrehumana», dijo el copiloto.

El efecto de cada porro no duraba más de un minuto y a medida que agotaba uno, encendía otro y otro y en cuanto más aspiraba, la excitación lo oprimía más y fumaba nuevamente. Pero a la vez comenzó a sentir que se escapaban sus fuerzas. Era un agotamiento angustioso, progresivo. No tenía deseos de comer ni de beber.

Dejó de fumar por algunos minutos. Frente a la realidad, quería más humo pero sabía que no debía hacerlo. En su dilema partió hacia la pista. La grava y la maleza le maltrataban los pies y se detuvo pocos metros adelante. Aún le quedaban alientos y regresó a la piedra. Estaba consciente, no veía alucinaciones, pero sentía pánico y buscó más cigarros. No halló ninguno. Miró el montón de pasta revuelta con tabaco y armó diez o doce más, y antes de regresar al cigarro, se alteró su percepción visual y vio entre brumas que los mecánicos trabajaban desnudos y se abalanzó sobre ellos. Al advertir que Bruce Kincaid se acercaba, cada uno tomó un martillo y se puso en guardia. Como los vio en actitud de defensa, retrocedió y antes de detenerse se agachó y desde allí les enseñó las nalgas. Pedía que lo penetraran.

En aquel momento desapareció nuevamente el efecto de la droga y una vez más se tornó agresivo. Los hombres se alejaron y él retornó al borde de la pista, luchó por sacar fuerzas y como no lo consiguió, tomó una piedra pequeña y la lanzó contra ellos.

A medida que la oleada de ansiedad crecía, luchaba más por mantenerse de pie y los músculos de las mejillas y la mandíbula parecían más pesadas. Tenía la cara arrugada y repetía una y otra vez que alguien debía poseerlo, pero ya sus palabras parecían un silbido.

Cuando pasó el trance, regresó lentamente hacia la piedra sollozando. La depresión suplantó a la euforia. No encontraba ni razón, ni lógica en aquel estado lamentable, porque a medida que transcurría el tiempo y cesaban las oleadas era más consciente de lo que estaba sucediendo y entonces trataba de desahogar la opresión hablando sin detenerse. Ahora pedía que le quitaran la vida: «Un balazo, yo merezco un balazo», repitió, hasta que el habla y los movimientos se convirtieron en convulsiones.

Alguien se acercó y vio sus ojos de vidrio. «Está agonizando», dijo.

Cuando lograron comunicarse con Frank, escucharon una orden seca:

—Báñenlo, quítenle la tierra que le cubre el cuerpo, vístanlo y sáquenlo de allí inmediatamente. Que el copiloto tome el avión y se lo lleve para su tierra.

—¿Y la coca?

—Cancelen el embarque. El avión debe regresar vacío.

El copiloto era un cubano exiliado en Miami que se enroló pronto con los mecánicos, identificó la falla y allí se quedó tratando de colaborar con la reparación. Hablaba poco, no era vicioso, no contaba nada de su vida ni de la manera como llegó a este negocio, y por lo que entendieron los demás, venía como «gancho ciego» de Kincaid: lo único que sabía era que habían partido de Miami con un plan de vuelo legal para ir a Puerto Rico, pero no tomaron ese camino. Él le había preguntado un par de veces adónde se dirigían y Kincaid se limitó a decirle que buscaban una pista en el Caribe.

—De regreso a los Estados Unidos bajaremos en un rancho en la Florida, dejaremos allí la carga y nuevamente en el aire entraremos al área de control de Miami. Le diremos a la torre que venimos de Puerto Rico, que es lo legal. Un asunto sencillo, no debes preocuparte —le había explicado.

Pero el cubano, ni sabía la ubicación de la pista clandestina de Kincaid, ni hablaba el inglés con tanta fluidez para comunicarse, de manera que entró en pánico y tuvieron que hacerle tragar unas tabletas y treparon a Kincaid a la cabina. Lo acomodaron en el asiento derecho y una vez atado con el cinturón de seguridad, tuvieron que colocarle el cañón de una pistola en la cabeza al cubano para que tomara los mandos.

—Pero es que al avión le falta carburante.

—No señor. No hay más carburante. Se va con el que lleva a bordo.

—Pero puedo necesitar más...

—Te vas, o te mueres aquí. ¿Qué prefieres? —le preguntó uno de los hombres de seguridad.

Tuvo que partir, pero al llegar a los Estados Unidos su acento y sus dificultades para explicar con palabras apropiadas la presencia de aquel avión en las pantallas de radar lo delataron y aterrizó finalmente en un aeropuerto controlado. Kincaid estaba muerto, él no tenía licencia para pilotear un avión, no venía de Puerto Rico. ¿De dónde venía? No lo sabía con exactitud porque la gente de la pista en Colombia no se lo explicó.

Lo juzgaron por tantos delitos que no podía contarlos con los dedos de sus manos, entre ellos el de homicidio de un ciudadano estadounidense, y fue condenado a cadena perpetua.

No mucho tiempo después apareció Carlton Meyer pero esta vez el daño era irreparable con los medios que tenían a la mano.

—¿Qué hacemos? —preguntó por radio el jefe de los mecánicos, y Frank respondió:

—Quemen el avión.

Picasso, el jefe de maquilladores cuyo trabajo era cambiar algunos colores y las matrículas cuando las naves tenían que operar de día, hizo lo suyo y luego le metieron fuego.

Volar de día dependía de historias tan simples como ausencias intempestivas de los controladores de radar arreglados previamente por Gary Dobson y su gente de Miami a lo largo del Caribe, o al relevo de ciertos comandantes de la ley. En ese caso las horas para volar eran determinadas por el tiempo que tomaran los nuevos arreglos.

—Espere a que sean las veinte. A esa hora se pone frente a la pantalla el hombre de Nassau, capital de las islas Bahamas, frente a Miami —anunciaban.

—¿Y Bímini? —aún más cerca de Miami.

—De acuerdo, falta Bímini. Dentro de dos horas le confirmo.

El avión no podía partir hasta tanto las cosas no estuviesen arregladas. Cuando había claridad, decían:

—Okey. Todo al ciento. Procedan.

En ese momento aparecían los camiones, cargaban la cocaína y... Arriba el avión.

Cuando Luke Stanton llegó por primera vez, también perdió su norte y en un momento determinado vio que lo emparejaban dos aviones cazas de combate. El oficial al mando había reconocido la matrícula estadounidense del avión de Stanton y, como es usual en estos casos, se comunicó con él y le dijo en un inglés fatal, *follow me, follow us*: que los siguiera. Su tono era amable y respetuoso. Y para que no continuara fuera de rumbo lo llevaron escoltado hasta aquella pista que ellos debían controlar porque era parte del territorio de los narcos.

¿Y Andrew Jones, otro estadounidense? Resultó, como le dicen en el Caribe a aquellos que son muy listos, «un avión».

Entonces Frank pensaba que no había nadie tan capaz en el aire como los estadounidenses y aceptaba a todo aquel que venía recomendado por Gary Dobson. En su primer vuelo, Andrew Jones partió con algo así como ocho toneladas de coca. La tripulación estaba compuesta de nativos pero el avión nunca llegó a su destino. Que se perdió; que cayó en el mar y se ahogaron todos; que si un incendio a bordo. Las leyendas estuvieron mucho tiempo en el aire.

La verdadera historia es que Jones se desvió de su ruta y en lugar de acercarse a las costas de Florida colocó la nariz del avión hacia el oeste y fue a aterrizar en una pista arreglada por él en México. Una vez se detuvieron, les dijo que descargaran el avión. Lo descargaron y cuando estuvo vacío los llevó detrás de una especie de cobertizo y allí mismo sus socios les dieron muerte al copiloto, al ingeniero de vuelo y a los bombarderos.

En otra ocasión llegaron dos aviones a cargar su cocaína con un intervalo de quince minutos, pero pronto tuvieron cerca a los cazas del gobierno que estuvieron ametrallándolos hasta cuando se les acabó la munición. A las siete de la noche voló un avión fantasma con bengalas para iluminar la pista en busca de alguien y como allí ya no había nada se marcharon.

Luego el Barón habló con el jefe de control aeronáutico en la ciudad de los carnavales.

—¿Qué sucedió anoche? —le preguntó.

—¡Sinvergüenzas! Éstos eran los vuelos cuarenta y dos y cuarenta y tres que entraban sin pagar y no podíamos tolerar más. Tuvimos que avisarles a los de la ley —respondió.

La verdad es que Frank había enviado el dinero para pagarle, a los hombres del radar y de los cazas de combate, pero el intermediario se lo robó.

Para el Barón Rojo este lugar penumbroso significaba una aventura pasajera. Allí permanecía unas pocas horas, pero ni el ambiente, ni las personas que lo rodeaban le permitían decantar sus emociones, separar la luz de la oscuridad, elevarse en un sentido diferente, pues se relacionaba mejor con sus fantasías que con imágenes reales. Cosa muy distinta al relámpago carnal y a los pasadizos de sueño que encontraba en el aire de Mayaguana.

Allí vivía en una cabaña que él mismo había ampliado con maderos y muebles llevados en cada vuelo. Era un espacio con ventanas reducidas que al disminuir el paso de la luz del Caribe, le procuraban sensación de lejanía.

El rojo de Changó en las cortinas, en las toallas, en su ropa de dormir, era fetiche de protección, y la Virgen María su compañera carnal. La Virgen María era Penélope Cruz. En su rostro creyó haber descubierto un aire angelical y una sensualidad dulce que le inyectaban seguridad en momentos decisivos. Él era un «barón beta».

Vio a Penélope por primera vez en una revista y desde entonces la buscó en cuanto sitio visitó, hasta que una noche en un cine la tuvo al frente. Una película italiana, *Por amor, sólo por amor.* Penélope era la Virgen. No parecía amenazadora como las que poblaban su cabeza. Era bondadosa. Se enamoró de ella y rompió con Candelaria, a quien poseía en sus sueños despiertos todas las mañanas y todas las noches. La Virgen lo volvió incestuoso.

Y el otro elemento de su mundo era el respeto por el agua, «que da la vida, pero también se la lleva». Antes de cada vuelo iba hasta la playa, unas veces solo, otras en compañía de Stacy Bray, el policía, y colocaba flores o frutas sobre el mismo mar que siempre desafiaba. Él sabía que su habilidad no era transportar cocaína sino sentirse un gran piloto.

Generalmente el viaje de regreso desde la pista colombiana tomaba unas siete horas hasta el punto acordado en el

Caribe, cerca de Bímini o en el norte de Nassau donde bombardeaba la coca a lanchas que lo esperaban.

Pero mucho antes, cuando estaba acercándose a Haití, hablaba en papiamento y después de decir el Padre Nuestro comenzaba a ascender. Duraba unas tres horas arañando el cielo hasta llegar a una cota violenta para el peso del avión, con el fin de cruzar por sobre las montañas en aquella isla y esquivar el radar en Guantánamo, la base militar estadounidense incrustada en Cuba. Una vez abandonaba Haití debía descender pronto y colocarse a unos sesenta metros sobre la superficie del mar, hasta donde no llegaban los ojos de los radares. El de Bímini lo captaba pero estaba arreglado.

Entonces la preocupación del Barón Rojo era no estrellarse contra algún barco en un mar por el que cruza el mayor tráfico del mundo. En esos casos le decía mentalmente a Arturo Trejos:

—En Gran Bahama existe el radar más peligroso de todos. Es un radar ubicado en un globo anclado con un cable al fondo del mar. Ese globo flota a unos tres kilómetros de altura. Debido a la curvatura de la Tierra, navegando en esta posición no nos registran los radares de superficie, pero el globo sí. A ése no se le escapa nada. Ahora tienes que ayudarme.

En Gran Bahama el avión cruzaba por el occidente del globo y aunque era registrado por otro radar en tierra, su operador también estaba arreglado. Ése era el que cobraba más. Se embolsillaba una fortuna cada noche, según se lo había contado Gary Dobson, quien sobornaba la gente de aquella zona de América. Él también establecía el punto sobre el cual bombardearían la coca, dándole las coordenadas y las frecuencias de comunicación con las lanchas, y le indicaba también la hora de entrega, según el negocio con los de la ley en Bahamas.

La noche del último vuelo del Barón al Caribe, el lugar de entrega se hallaba cerca de las playas de Florida, desde luego en pleno territorio del radar de Miami. Como era corriente, la gente de Dobson había despachado un avión que volaba a la misma velocidad del que comandaba el Barón Rojo o de quien viniera cargado y protegido por un plan de vuelo a Puerto Rico o Jamaica o cualquier otro punto en el Caribe. El piloto señalaba en el *transponder* de su nave cuatro cifras que lo identificaban y con ellas se presentaba en las pantallas del radar.

Esa noche el Barón se encontró con su gemelo en el aire y realizaron el mismo procedimiento de tantas noches durante muchos meses: el Barón colocó la nariz de su avión a diez metros de la cola del gemelo y se fueron en formación. El radar captó un solo punto: «Ése es el de Puerto Rico, partió con plan de vuelo tal, a tales horas», dijeron, y se olvidaron de él.

Cuando escaparon de aquel control, el Barón buscó el sitio acordado y se dispuso a bombardear con cocaína el mar de Florida.

—Chela, aquí Lucho. Chela de Lucho, Chela de Lucho —dijo por la radio.

—Lucho, lo oigo —respondió una voz de la flotilla de lanchas.

—Chela, ¿cómo está la fiesta?

—De locura. Estoy bebiendo ron y estrenando mozo.

(Todo se encontraba en orden.)

Vocabulario extraño pero único, porque si la voz decía cosas como «todo bien» o «todo en orden» significaba que tenía a un policía apuntándole a la nuca.

—Chela, dentro de doce minutos llego a la fiesta —dijo luego.

Las lanchas estaban alineadas en el mar con las luces apagadas. El avión tampoco tenía luces. Eran seis lanchas.

Unos minutos después el Barón escucho que lo tenían a la vista:

—Lucho, Lucho, escucho sus ronquidos a la izquierda... Ahora ronca menos, el ruido se está alejando. —Rectificó y volvió a escuchar:

—Se pasó, regrese...

Luego de tres giros siguiendo las indicaciones de Chela, escuchó que le decían:

—Okey, okey. Ahí es.

Como medida de seguridad trazó un giro más buscando que si los de abajo observaban otro avión detrás de él, le avisaran que estaba siendo seguido. Si lo seguían, buscaría aguas territoriales de Cuba, lo único que hasta ahora respetaban los estadounidenses en el Caribe, y mientras tanto se comunicaba con Frank y esperaba instrucciones. ¿Debía lanzar la cocaína al mar? ¿Qué hacía?

Esa noche todo estaba en calma y les pidió a las lanchas que encendieran sus luces.

Los mecánicos habían modificado las bisagras de una puerta pequeña del avión para que abriera hacia dentro y hacia arriba burlando la resistencia del viento y eso hicieron los bombarderos que formaron una fila entre el arrume de sacos y la puerta. En el borde se plantó uno de ellos y los demás lo ataron por el pecho y la cintura con un cable de acero.

El copiloto oprimió un botón en el tablero de mandos. Se encendió una luz sobre la puerta abierta para que los bombarderos tuvieran una referencia exacta del vacío que se extendía más allá, en un avión oscuro, girando continuamente, inclinándose hacia un lado, hacia el otro, y ellos fatigados, asustados como estaban siempre.

Luego sonó un timbre activado por el copiloto. Comenzaba la labor. Antes del bombardeo los hombres iban colocando en cada saco una bengala iluminada, de aquellas que utilizan los pescadores deportivos por las noches para alumbrarse, puesto que permanecen encendidas varias horas y no se apagan al contacto con el agua.

El barón trazó un giro y empezaron a caer los sacos. Luego otro y más tarde un tercero, después del cual dejó de escucharse el timbre y se apagó la luz. Interrumpieron los lanzamientos. El avión se habían alejado de las lanchas y el Barón trataba de colocarlo en la posición anterior.

Pronto volvió el avión a su posición, se encendió la luz, sonó el timbre y continuaron. El registro del Barón, que era registro mundial según los traficantes, estaba en diecinueve minutos para evacuar una tonelada: los demás empleaban media hora. Pero esa noche las cosas salieron tan bien que rompió su propia marca. Diecisiete minutos.

Última pasada. El jefe de bombarderos avanzó hasta la cabina de mando:

—Misión cumplida, capitán. Avión vacío.

6

Cuando Frank tomó la decisión de cruzar con sus cargamentos a través de México estaba seguro de que la persona capaz de atender sus relaciones con los carteles de narcos que controlaban el norte y el centro y el sur de aquel país era Candelaria. Al fin y al cabo le parecía una mujer intensa, y algo que lo había convencido desde cuando la trató por primera vez: tenía criterio y le gustaba pasar desapercibida. Ella era quien manejaba ahora parte de sus finanzas con éxito. «Donde ella pone el ojo, pone el sentido», decía Frank.

Santos era otra cosa. Una vez establecido el nuevo gobierno y con el control de los puertos y de las terminales aéreas en sus manos, resolvió enviarlo a Miami para que tratara algunos temas con Gary Dobson y su gente, pero, ante todo, con la misión de ponerse al frente de sus asuntos personales. Allí debía coordinar las entregas, manejar dineros, traer una parte aprovechando su condición de miembro de la Cámara de Diputados acompañado por una valija que nunca abrían los aduaneros locales, y por qué no: estudiar la forma de realizar algunas inversiones en los Estados Unidos.

Pero Santos no sabía inglés, no conocía la ciudad, y algo peor: no sabía escuchar.

—El éxito es que allí no te vea ni el sol —le dijo Candelaria antes de su partida.

Un tiempo después de llegar compró un coche rosa encendido que hablaba. El auto hablaba. Si se ponía en marcha y él no había ajustado su cinturón de seguridad, el coche se lo decía. Esa misma tarde se fue de paseo y escuchó una voz que lo alertaba. Santos estiró la cabeza una y dos veces, y resolvió aparcar el auto que continuaba emitiendo su voz metálica mientras él golpeaba cuanto tenía al alcance:

—¿Entonces qué? ¿Me muero? ¡Calla ya!

Cuando se le acabó el aire cerró la boca y se puso en movimiento. Pero unas millas adelante el auto estornudó y dejó de caminar. Se le había agotado el carburante. Vino la policía, lo llevaron a un juicio, pagó una multa y registraron su nombre y la matrícula del coche, y como utilizó una tarjeta de crédito, registraron también su número y tomaron nota de cuanta información le preguntaron y no le preguntaron, justamente después de que su mujer y el mismo Frank le habían aconsejado que, en cuanto fuera posible, tratara de cuidarse de no figurar en los registros de la ley.

Luego empezó a moverse por sí solo en algunas zonas de la ciudad. Por las tardes visitaba algunos centros comerciales y pronto se hizo conocido porque quería comprar cuanto veía. Una noche entró a una tienda y se quedó mirando un par de zapatos.

—Cuénteme —le dijo al vendedor—: ¿Cuántos pares tiene de este mismo estilo?

El hombre llamó a alguien que hablaba castellano y a través de él le explicó que, más o menos, cuarenta. De diferentes colores.

—Los quiero todos.

—¿Todos? ¿Usted los quiere todos?

—Sí. ¡Todos!

Sacó del bolsillo un rollo de billetes, pagó y le dio al hombre cien dólares como propina.

—¿Cien dólares? Es demasiado. ¿De dónde viene usted?

—De Colombia.

—¿A qué se dedica?

—Ahhh... Ahh. Bueno. A los negocios.

—(¡A los negocios!)

—Ahora vivo aquí —siguió diciendo—. Éste es el número de mi teléfono, mi nombre es Santos Mendoza.

La semana siguiente regresó a casa con una chica dominicana, la alojó, pero como Candelaria intentaba comunicarse con él casi todos los días, resolvió depositarla «en un lugar pacífico del que solamente sabremos nosotros y un esclavo que tengo allí».

El esclavo y la chica desaparecieron poco tiempo después llevándose un arrume de dólares. El lugar pacífico era una casa de seguridad, o «caleta» que, desde luego, debía permanecer en la clandestinidad. En esos sitios la primera regla era cuidarse de no llevar mujeres o personas ajenas, así fueran sus propios compañeros de andanzas.

Lógicamente se formó un lío porque también desapareció un cuaderno en el que había anotado en contra de las indicaciones más elementales, los nombres de algunos compradores, direcciones, teléfonos, «Porque todo tiene como punto de partida la organización y la disciplina en el trabajo», decía él.

Frank le dijo que regresara. Primera clase. Champaña, whisky, coñac. Él era un diputado. Descendió en Bogotá y repartió entre los guardias de aduanas saludos, voces, dólares y le ordenó al chofer que lo llevara a un balneario. Apareció una semana después en casa de Frank y Frank le aclaró:

—Escúchame bien: no estás muerto porque eres el marido de Candelaria. Pero, vete. No quiero volver a verte jamás.

Candelaria llegó a México con una valija, eludió a alguien que la esperaba en el aeropuerto «de parte del señor Francisco», cambió varias veces de taxi y se registró en dos hoteles diferentes. Allí no sabían que la persona enviada por Frank era una mujer y cuando se enteraron, porque ella se comunicó la mañana siguiente, escuchó que alguien le dijo al señor Francisco mientras le alcanzaba el teléfono:

—Una vieja. ¡Es una pinche vieja!

Al atardecer se reunió con él en su casa. Después de una conversación prolongada la invitó a cenar, pero ella no aceptó. Tenía el estómago revuelto, sentía un taco aprisionándole la garganta después de las escenas que presenció un par de horas antes y se fue a su hotel.

A pesar de la fatiga tomó un bloque de papel y resumió allí sus sensaciones tratando de memorizar con precisión fotográfica nombres, lugares, caminos, cifras, leyó cada párrafo lentamente y una vez almacenado todo en su memoria, quemó las hojas y lanzó las cenizas a un pequeño jardín bajo la ventana. Todas las noches hacía lo mismo.

A pesar de las tensiones sentía calma, aunque la atormentaba que en México le recordaran a cada paso su dependencia de Frank. Su habilidad no eran sólo la coca y los negocios. Ésa la había desarrollado en poco tiempo, no tanto por el narcotráfico como por sentirse fuerte, y su manera de actuar, guardando mucho en la cabeza y poco en el corazón le estaba enfriando el alma.

Los días que siguieron vio a mucha gente, escuchó, miró con detalles, se reunió con una serie de contactos que Frank había establecido antes de su viaje, y ellos la fueron introduciendo no propiamente al México que había visto en el cine. Cuando finalizaba esa semana, en su cabeza había mujeres con fardos atados en la frente traspasando montañas, desiertos trasparentes que reverberaban en las sombras, un obispo ensangrentado, cuervos, un mar blanco y quieto. ¿Por dónde comenzar? Trazó sobre un papel algunas líneas y lanzó una moneda. La moneda cayó sobre Ciudad Juárez. «No, allí no. Ésa será al final», pensó, y repitió el juego. Esta vez cayó en Guerrero. El mar. Un estado cercano. «Comenzaré por allí», se dijo.

Horas después en el autobús, repetía mentalmente cada palabra escrita e incinerada por las noches: *Guerrero, uno de los estados más violentos: secuestros, asesinatos por narcos, vendetas familiares, caminos inseguros... Acapulco, la capital, centro de blanqueo de dinero.*

«No puede ser. ¿Los de la capital quieren aterrorizarme?», pensó, y tomó una guía: «Acapulco, zona de gran importancia, visitada cada año por millones de turistas nacionales y extranjeros. Paraíso económico gracias a su inmensa capacidad turística...». En su cabeza continuaban aleteando las líneas de la agenda que llevaba en el cerebro:

Guerrero, distribución mayorista de la producción local. Ésa se lleva al norte por una autopista. La autopista va a la capital. Cruza por Chipancingo. Cruza por el aeropuerto local. Allí, embarques grandes.

En ese momento creyó que, para el caso, más que los sitios, realmente le importaban los hechos, las historias, la gente con que iba a conversar, y por supuesto, los términos de una negociación favorable.

Allí sabían de Frank Martínez y eso le allanó el camino, no solamente con los «duros» del lugar sino, a través de ellos, con algunas autoridades. Una noche, el gobernador, hombre digno, le confesó:

—Sí. Hay violencia, hay secuestro, pero no tanto como en Colombia. Allá son los campeones.

—¿Y el negocio?

—¿El qué?

—La droga.

—Aquí la lucha es muy dura. Guerrero produce una cuarta parte del opio y la marihuana de toda la República. Inclusive, ha sobrepasado a Michoacán.

—¿Compiten con los sudamericanos?

—Que yo sepa, no, porque de aquí eso va directamente a Europa. Los sudamericanos mandan heroína a Estados Unidos, creo que entre los envíos de coca. Bueno. Yo no sé mucho de esas cosas. Como autoridad tengo que...

En casa del «duro» no se podía hablar de otra cosa.

—Guerrero es tierra de mujeres mulas que llevan la heroína refinada hasta la frontera con los vecinos del norte. Como Michoacán, ¿verdad? —preguntó ella.

—Guerrero es tierra de mujeres mulas y también de mulas de verdad porque esto es pura sierra. Lo que vio desde el autobús era apenas una muestra de lo que son estas montañas. Pero no. Ése es un cuento viejo. Hoy todo va por los aeropuertos, todo está aprobado, todo está permitido. Tú cargas un avión y lo reportas y sale con su plan de vuelo legal. Abiertamente. En el norte no te revisan el avión. Hoy no es como ayer. Mulas mujeres...

A pesar de su actividad, Candelaria pasaba horas enteras en una habitación de hotel sin hablar con nadie. Más allá de su oficio, detestaba la obsesión de los narcos y hacer cosas que implicaran relacionarse con ellos. Pero a la vez era incapaz de buscar a alguien que se moviera fuera de aquel ambiente.

Una mañana despertó en Mexicali. Quería transitar por «el corredor de la cocaína» y lo hizo. Viaje caluroso a través de una pequeña fracción de la frontera con Estados Unidos, deteniéndose en ranchos y pequeños poblados que no figuraban en su mapa. Hacia el final de la tarde, el camino le pareció tan fatigante como la tierra parda; paisaje rudo en el que emergían sauces con cortezas rugosas y oscuras sobre manchas de yerba verde que tomaban la luz. Pero el efecto desaparecía tan rápido como el atardecer. Más adelante vio en el horizonte una línea roja que contrastaba con el tono del cielo y poco después llegó a San Luis del Río Colorado, no muy lejos de allí.

—¿Corredor? ¿Que éste es el único corredor? —se preguntaron entre sí sus acompañantes, y uno de ellos dijo:

—Todo lo que está viendo es apenas una parte de lo que usted llama «el corredor». Es que corredor es toda la frontera que, no sé si usted lo sepa, tiene tres mil millas de extensión.

Luego fue a Oaxaca, en el sur. Se la presentaron como una de las plataformas del cartel de Tijuana, que fue el que la introdujo ante esta gente, pero pronto supo que el lugar también era plataforma de otros carteles del norte.

—Es que aquí para ser un gran señor, o una gran señora como sé que tú lo eres ya, tienes que tener territorio en el sur y territorio en el norte. Si no es así, estás perdida porque te quedas de mula. Aquí al sur es donde te llega más perica, estamos más cerca de Sudamérica y por eso ingresan volúmenes mayores. Pero así como recibes las toneladas, tienes que llevarlas al norte, a Tijuana en la frontera con los que viven para consumirla y trabajan para consumirla y enloquecen; si no la tienen, enloquecen.

—¿El volumen que sale hacia Tijuana es muy grande? —preguntó.

—Sí. Una noche *el señor* dijo que estábamos saturados con coca y marihuana. Usted sabe por qué hay mucha. Pues bien. Mi señor comenzó a trabajar en otras líneas y hoy yo le podría decir que Tijuana, y Tijuana es el señor, gana más dinero con heroína y metanfetamina, que con la coca. Es que hoy en día los gringos están metidos de cabeza en estas cosas nuevas. Quieren cambiar. Y están cambiando. Lentamente, pero están cambiando. A la heroína aquí le decimos «chiva». No es de la mejor calidad pero de todas formas la vendemos. Ahora que vas para el norte, visita Durango. De allá sí sale una heroína de buena calidad. Yo creo que mejor que la de Guerrero. Pero ahora la onda padre es metanfetamina ¿Sabes qué es? La hija de la efedrina. Ésa viene de allá para acá. Llega de los Estados Unidos y se regresa transformada en, ¿sabes qué? En la gloria, dicen los rubios del norte. ¡Cómo les gusta a ellos la metanfetamina!

—Pero, ¿la heroína mexicana es tan importante? ¿Más que la asiática? Eso no me lo diga porque no se lo voy a creer —dijo Candelaria.

—Bueno —respondió uno de ellos—. Hoy lo que más dólares le deja al señor de Tijuana es importar heroína de Hong Kong y Pakistán y luego meterla a los Estados Unidos. Ésa viene en barcos. Ahora una parte entra por un puerto en Baja California y el resto por donde usted quiera. Aquí no hay problemas para nada.

—¿Después de Oaxaca para dónde vas? —le preguntó otro.

—Hacia Sinaloa —dijo Candelaria.

—No vayas allá, te lo aconsejo.

—Pero...

—No. No vayas allá. Allá no hay ninguna organización. Allá no vas a encontrar nada importante. Lo que sucede es que aquí dicen que todos los meros meros, no te rías, hablo de los señores que mandan en el negocio en México, son de Sinaloa. Yo no estoy tan seguro de eso. Lo que sucede es que allá casi todo el mundo «trabaja», pero nada más. Y encima de todos, hay señores de afuera que controlan las cosas para que el pueblo no atraiga las miradas de los policías, o «no se caliente», como dicen los colombianos. Pero allá no existe lo que llaman Cartel.

A ella no le importaba mucho cómo fueran a salir las cosas, porque en el fondo no se sentía la madre de nadie, ni la responsable de lo que hicieran los demás. Y aunque creía tener una personalidad sin máscaras, aquel temor de ser descubierta fuera del medio en que se movía, la hacía vulnerable.

Esto la llevaba a rechazar el asedio de los mexicanos y algunas noches pensaba que tal vez sí; que posiblemente se pasaba de punto tratando de alejarlos, estableciendo límites entre ella y los demás. En ese sentido se parecía al puerco espín: puedo hacerte daño porque poseo lanzas. O al cangrejo, perfectamente blindado por fuera. Pero lo que no aceptaba era que el puerco espín y el cangrejo fuesen tan tiernos por dentro como una jaiba gratinada.

«Al fin y al cabo», pensaba, «no me acostaré jamás, ni con un narco ni tampoco con alguien de fuera de este ambiente. No deseo poner mi vida al descubierto. Lo que quiero es hablar». Tenía miedo de amar y a cambio se sentaba a negociar.

Por fin partió hacia Tijuana, *la ciudad del cruce fronterizo más activo de la tierra*, línea divisoria de por medio, frente a San Diego en Estados Unidos. Una vez allí y de camino hacia un hotel, cruzó por una calle y le dijeron: «Aquí murió un obispo, lo llenaron de balazos».

—¿Por qué?

—Estaba en contra del negocio y todo el que diga «No», se muere.

A partir de allí comenzó un recorrido trágico:

—Aquí cayó uno de los jefes de la policía municipal. Lo llenaron de plomo. Ya van cuatro.

El hombre que la acompañaba habló de cada uno, sabía el número de balazos que hallaron alojado en cada cuerpo, recreaba las circunstancias de la muerte, los antecedentes, el rictus de los rostros antes de que alguien les cerrara los ojos y el nombre de quien lo hizo.

A partir de allí, Candelaria sintió que Tijuana la intimidaba.

—Ésa es la embajada de Estados Unidos. Como dice *el señor*, desde allí están hiriendo nuestro orgullo nacional —continuó diciendo el hombre.

Nuevamente ella le preguntó:

—¿Por qué?

—El que manda ahí dijo que nosotros somos los mayores traficantes del mundo. ¿Entonces dónde quedan los sicilianos? ¿Y los rusos? ¿Y los de Holanda? ¿Y ustedes? ¿Y los gringos?

El sol que había alumbrado durante la tarde comenzaba a apagarse y las nubes tomaban su reflejo. Antes de que desaparecieran los últimos rayos, abrió las ventanas de la habitación del hotel y se acomodó en una silla. En el fondo empañado no veía la silueta de la ciudad, tampoco escuchaba nada. Atardecer silencioso como un submarino que vio descender y se devoró la oscuridad del mar. El ardor de la luz le permitía distinguir las paredes de un acantilado. En el Caribe el agua no es turbia como la de los mares que bañan a Europa, ni cambia del hielo del invierno al fuego del verano, y por tanto, todo el año tiene la tibieza de mayo.

El submarino navegaba por aguas abrasadas por más cantidad de sol que en cualquier otro punto de la Tierra. El arrecife afloraba arriba en forma de roca con su melena de algas verdes, y bandadas de pájaros en lo más alto de la rompiente. Luego vio plantas: corales, asociados con algas, con rojo, con amarillo, con azul, con toda la sinfonía de la luz descompuesta por el agua, que era la misma sinfonía de la vida. La vida eran peces que parecían papagayos o cardenales. Los más pequeños tenían puntos fosforescentes pero a medida que crecían adoptaban colores distintos.

Avanzaron y el hombre que guiaba el submarino le mostró bancos de peces similares a los loros. «Nada es tan espectacular como verlos cruzar por los jardines de un arrecife del Caribe». Después de los loros vio seres de gelatina. «Son anémonas». «¿Y el resto?» «Lombrices de fuego, corales planos, camarones de cristal que purifican a los corales. A su lado está el pez esponja moviéndose con cadencia. Pulpos y calamares, discos con cientos de patas, erizos con masas de cavernícola y espinas en su contorno».

Había plantas que parecían animales y animales que parecían plantas. Otros semejaban flores con tentáculos, bailando al compás de las esponjas.

A medida que bajaban iba desapareciendo la variedad de las formas. Después de los cuerpos con volúmenes verticales la vida se aplanaba más.

Se apartaron del arrecife y a mayor profundidad hallaron un valle y en él una barracuda tan grande como un tiburón pero con cuatro filas de dientes, el cuerpo oscuro, las aletas plateadas, las escamas azules como los ojos, y su voz igual a la resonancia de un trombón. No escupía fuego, ni tenía cabeza de dragón como Zuratán. No. Aquella barracuda era un pez tan largo como el submarino, y el hombre le dijo: «En las profundidades, la barracuda es apacible, pero cuando sube a la superficie causa huracanes y vuela con las tormentas. Es el Neptuno de estos mares».

El submarino se apartó del valle y buscó nuevamente las crestas del acantilado. Encima de ellas había un copón de plata del que partió un pelícano ensangrentado. «Se desgarró el pecho porque la madre mató a sus propios hijos mientras los acariciaba», le explicó, y luego agregó: «El pelícano bebió y se encumbró en un cielo brillante, y desde allá dejó caer el agua, anegó la cima del acantilado y ahuyentó a tres sirenas, mitad mujeres y mitad aves marinas que los miraban desde allí.

»Las sirenas viven en una isla del poniente y se convierten en rocas cuando alguien canta con más dulzura que ellas, porque su ley es morir cuando alguien no siente su hechizo. A eso apeló Orfeo».

Cuando terminó de hablar empezó a escucharse un chillido ensordecedor. Candelaria había estirado el brazo para alcanzar un manojo de algas que emergían del acantilado, para taponarse con ellas los oídos, pero la estridencia con que respondieron al desprenderse fue tal que creyó enloquecer. En ese momento lo intentó pero no pudo hablar porque el olor de las algas la había enmudecido y sólo hasta cuando el hombre se las quitó de la mano y las devolvió al agua, ella pudo volver a mover la lengua. El navegante cerró la escotilla, hizo descender al submarino algunas brazas y le dijo: «Mire usted».

En las cuevas que formaba la roca vio millares de peces inmóviles con la boca abierta. Por las bocas y por las branquias y las aletas afloraban raíces y a partir de allí se formaban las algas que crecían buscando la luz de la superficie.

«¿Y ésos? ¿Ésos quienes son?», le preguntó, y el hombre retiró las manos de los mandos del submarino y empezó a contar:

«Son grifos. Los grifos de Herodoto en su guerra con los arimaspos y los crocotas que son lobos perros, y con las catoblepas, ballenas tan grandes como un búfalo negro con cabeza de cerdo que cae hasta el suelo porque es pesada». Continuaron descendiendo. «¿Hacia dónde vamos ahora?» «En busca del Proceloso, un mar de barro y agua. La doctrina élfica dice que al principio hubo agua y lodo, y de ellos salió una barracuda con alas; algo parecido al cronos. Con ella nació la necesidad, que luego invadió el universo en forma de arpía. Ya lo sé. Me preguntarás qué es una arpía. Es un ave con la cabellera larga y suelta, más veloz que los pájaros y los vientos. Ella te permite conocer el porvenir, ¿no es lo que deseas ahora? Pero no lo intentes porque una vez te haya dado el don de conocerlo, ella te sacará los ojos».

El hombre la miró detenidamente. Como la vio sudando, tomó nuevamente los mandos y ascendió hasta alcanzar la superficie. En los espejos del agua se reflejaban los astros.

«Es el mar de las estrellas caídas», le dijo. «Ese manto que palpita de estribor a babor y de popa a proa es la Vía Láctea». Miró detenidamente sus brazos y su cara cetrina y le pidió que contara alguna leyenda indígena como el color de su piel.

Ella contó:

«Encima de la Tierra están las estrellas que son los collares de la gente de antigua, pero también son sus espíritus. Sobre las estrellas hay cuatro cielos y sobre todos ellos, Dios. En el río cósmico que circunda, navegan el Sol en su embarcación de piedra y metal, y la Luna en su barca de madera. La Vía Láctea, el Arco Iris, las aureolas de Sol y Luna, y el trueno y los meteoritos son espíritus de los abuelos que median en favor nuestro, pues ellos «tocan» la Tierra cuando el ser humano los llama. Todo el universo está sostenido por la Boa de Fuego del Árbol Viga del Mundo. La Vía Láctea es el camino del sol: ayer había gente que civilizaba. En su tiempo, una enorme serpiente llamada Boa ocupaba todo el universo. Aquellos hombres ataron a la Boa. Dos águilas la colocaron en el firmamento. Ésa es la Vía Láctea».

Cuando despertó vio el reflejo de una lámpara sobre las paredes blancas. La almohada en que apoyaba su cabeza estaba húmeda.

Candelaria era tripulante de sueños que huía de su soledad.

La mañana siguiente, un sábado, le dijeron que debería esperar a que transcurriera el fin de semana para poder hablar con *el señor*, pero en cambio un pequeño avión esperaba para llevarla a Rosarito, una localidad a orillas del mar.

—No vine a hacer turismo —dijo ella.

—Bueno, tómalo como un viaje especial.

Partieron. La mañana era brillante pero no buscaron el mar como ella lo esperaba, sino que se desviaron al este y sobrevolaron una tierra de siena, que según su guía, era sólo una parte del mundo que controlaba *el señor.* Él quería que supiera cómo y de qué manera funcionaban las pistas de aterrizaje que operaban allí con cargamentos provenientes de Sudamérica. Inicialmente desde aquella altura no podía distinguirlas por los tonos del suelo. Era un paisaje monótono, y el hombre le dijo al piloto que descendiera un poco. Volaron entonces a menor altura y a medida que se acercaban a alguna de ellas, el avión se inclinaba hacia los lados en pequeños círculos y en la luz neutra, él le señalaba franjas cenicientas en medio de la vegetación cubierta de polvo. Pronto una especie de bruma empañó la visibilidad y descendieron aún más para repetir aquella operación tantas veces, que al final estaba convencida de no haber visto un lugar en el mundo con tantas pistas clandestinas. Se lo comentó y el hombre sonrió, y sin que terminara de hablar, gritó para que lo escucharan los pilotos:

—Así es como estamos recuperando lo que fue nuestro, porque esto no es sólo negocio, es...

—¿Un sentimiento?

—Sí. Eso. Un sentimiento nacional. Ese medio país que hay de la frontera para allá, nuevamente está siendo nuestro. Todas esas pistas y todo lo que usted ve allá abajo las controla el *señor*. Tú debes negociar con él —repitió. El hombre era joven y tenía además de dos estrellas doradas incrustadas en los dientes, una mata de pelo, arisco como las cerdas de un cepillo. Y era hablador. La ronquera esbelta de Candelaria desbocaba una ola de lujuria en su vientre. Lo mismo sucedía con quienes la habían tratado antes. Candelaria sonrió cuando al subir al avión descifró en él la actitud que adoptaban los hombres una vez se convencían de que no iban a conseguir con ella lo que imaginaron en el momento de conocerla. El muchacho se llamaba Gabriel y lo habían enviado para que, a su manera, le diera a entender qué tan poderoso era el capo.

Escuchándolo recordó a Santos y su talante, sus voces, esa postura prepotente y desde luego torpe, que ahora no sólo la molestaba sino que, francamente la hería, por lo cual estaba dispuesta a dar lo que fuese por no volver a su lado. Total, no los unía esa admiración mutua con que ella soñó cuando lo conoció y, por otro lado, había llegado por fin a convencerse de que veían la vida desde esquinas diferentes. A ella le gustaban las cosas sencillas, el silencio, esos atardeceres de Van Gogh que le resumían los sentimientos y a la vez estimulaban sus ilusiones. Ahora que se creía independiente en su trabajo, la ostentación de Santos había llegado a incomodarla. Ella, por el contrario, pensaba que la elegancia estaba en la sencillez. Era sencilla y a la vez bella. Eso lo sabía muy bien. Pero como lo tenía presente, la belleza era aleatoria. En cambio, lo suyo era conseguir todo lo que estaba deseando, para retirarse algún día de la coca y olvidarse de la manada de rufianes con la que debía tratar. ¿Qué haría entonces? Irse a vivir donde nadie supiera de su pasado, y cuando le preguntaran por la fortuna que llevaba, inventar algún cuento. ¿Cuál? El que siempre había imaginado: «Mi padre fue petrolero en Sudamérica y heredé su capital». Así de fácil.

Pensaba en estas cosas cuando Cepillo volvió a hablar:

—Allá está Rosarito y está el mar ¿Vamos a un hotel? —dijo en voz alta para que lo escucharan los pilotos.

—No —le respondió ella con el mismo aire.

—Bueno. Aterrizaremos. Por lo menos comerás frijoles y langosta fresca. O, ¿tampoco viniste a comer?

—¿Qué más cruza por aquí además de coca y de heroína y de marihuana...?

—Marihuana, pero líquida. Ahora la que se va para arriba es líquida. Patente de mi señor.

—¿Cómo es eso?

—Aceite de marihuana. ¿No lo conoces? Se envía en cantidades pequeñas; ya se acabó ese volumen de flores y algunas yerbas y todo ese lío. Ahora no. Ahora van cantidades pequeñas, un recipiente pequeño. Tú lo recibes, lo abres, metes adentro una aguja, la humedeces entre el aceite y le haces al cigarro dos o tres líneas, depende de lo que quieras chupar, y con eso tienes. Una traba rechula. Olvídate de la «sinsemilla» que cultivan los gringos. Esto es mejor... ¿Preguntabas qué mas sale de aquí? ¿No lo sabes? Sale efedrina para Hawai. La efedrina está poniendo fuera de combate a la *yacuza* de los japoneses que manda en la isla. Cuando hables con mi señor pregúntale por esa onda.

—No se mucho de la yacuza.

—Son los mafioso del Japón. Trafican con heroína del Asia y con coca, y con drogas sintéticas y con marihuana; las meten por Hawai. ¿Sabes una cosa? Ellos son peores que el resto de los mafiosos del mundo. Son peores que nosotros porque trafican con mujeres de los países arruinados. Gente con hambre. Hay que verlos: pequeños, callados, muy sonrientes haciendo venias, pero son más crueles que cualquiera.

—¿Por qué habla usted de mafia? Mafia es la de Italia.

—Los italianos también trafican con mujeres, y con coca y heroína, claro.

Generalmente los fines de semana prefería alejarse de los restaurantes ocupados por familias con niños, porque le hacían pensar en los hijos que nunca tuvo, y se deprimía. Otra de sus máscaras. Pero el hambre la hizo entrar en uno cerca del mar. Cuando salieron estaba encerrada en el silencio y no logró escuchar lo que explicaban sus acompañantes.

Luego volaron en el sentido de la costa. Un mar gris pizarra, otras veces azul descolorido, y cuando flotaban sobre un puerto, el hombre señaló las escolleras y algunos buques fondeados frente a ellas, y le explicó:

—Esto es Ensenada, por allí entra parte de la heroína que viene de Hong Kong y de Pakistán. Esa heroína entra a Estados Unidos y pronto vuelve a salir de allí, la mandan para otros países y regresa nuevamente a Estados Unidos. No me preguntes por qué, pero es así. La heroína del Asia y de todos eso lugares lejanos, entra, sale y vuelve a entrar. Son secretos del mercado.

Avanzaron un poco más y ya con la luz del atardecer iniciaron el regreso.

Esa noche cuando estuvo sola buscó un teléfono callejero y se comunicó con una amiga en Nueva York. Le contó que quería saber cuanto pudiera sobre submarinos. No, no estaba enloqueciendo, se trataba de un pasatiempo, de algo especial. Nunca había soñado con el mar, pero ahora que lo hacía, deseaba saber muchas cosas de él. No, lo de Julio Verne fue hace muchos años. Quería lo de hoy. ¿Conocía alguna librería especializada, algún sitio en el cual vendieran revistas con estos temas?

—Desde luego que sí. Hay muchas, pero, además, tengo muy buena amistad con un ingeniero naval que trabajó toda su vida con la armada de este país. No es un viejo gelatinoso que hable solamente de recuerdos heroicos, qué va. Todo lo contrario. Debes hablar con él. Permanece algunas veces en Los Ángeles y otras en San Francisco. ¿Quieres conocerlo?

—Sí, desde luego que sí ¿Cómo llego a él ahora?—preguntó Candelaria.

—¿Ahora mismo? Espera un momento.

Le dictó algunos números telefónicos y dijo que ella lo llamaría primero para explicarle de quién se trataba.

Un poco después hablaron nuevamente:

—Brad Clarke espera tu llamada en San Francisco. Comunícate ahora con él. Dice que se encuentra solo y la voz de una mujer lo hará feliz.

Le dio a su amiga una dirección a la cual le podría enviar las revistas.

Candelaria era compulsiva. Una mujer sicorrígida, decían algunas veces de ella, porque hasta tanto no agotara lo que estaba pensando se sentía incapaz de pasar a otra cosa. En ese sentido era el Ulises, un personaje que pensaba y pensaba y le daba vueltas a un tema y quería más y más información, pero a la vez, algunas veces tenía ciertas preocupaciones infantiles por cosas prohibidas. Una de ellas era poseer un submarino.

Esa tarde le anunciaron que Cepillo andaba buscándola. Él le comunicó luego que solo la semana siguiente podría ver a *su* señor. Sin embargo, a través de algún amigo que no andaba en ese baile, le habían conseguido una cita con el gobernador del Estado, y como un reflejo del rechazo que sentía por los convencionalismos sociales, ella preguntó:

—¿Qué tengo que hacer allá?

—Muy poco. Simplemente conocerlo y escucharlo para que te convenzas de que tienes qué arreglar tus negocios aquí. Esta es la mejor plaza de México, comentó Cepillo.

El anuncio no la inquietó porque su vida estaba programada. Era una mujer mental aunque inculta, pero aún así, intentaba leer, trataba de averiguar acerca del arte y tenía una preocupación exagerada por el orden. Todo debía permanecer en el sitio que determinaba, todo tenía que estar organizado, es decir, controlado por ella. Por ese motivo, en cuanto podía, ocupaba pisos amoblados; en los hoteles la ofuscaba encontrar que alguien había trastornado el orden dado por ella a las cosas y si llegaban a tocar un simple lápiz, lo advertía inmediatamente. Por las noches se deslizaba cuidadosamente bajo las sábanas temiendo desordenar la cama. Sin embargo, al lado de aquella rigidez, siempre había un punto en el cual almacenaba su desorden mental.

No habían pasado más de dos días cuando recibió de Nueva York un paquete con la literatura que esperaba y se dedicó a leer sin descanso. Una tarde suspendió su oficio y volvió a salir a la calle para cumplir con aquella cita incómoda para ella. ¿Qué creen que le voy a decir a ese hombre? Es un enemigo de estos narcos, pensaba por el camino.

El gobernador era un hombre locuaz. Durante los escasos minutos que lo vio, dijo muchas cosas pero a ella le quedó grabado algo que repitió varias veces y que según entendía, era parte del tinglado que habían montado para que mirara desde diferentes ángulos, al final de lo cual estaba presente el poder del mafioso.

Desde luego, el gobernador se cuidó de hacerla esperar algo así como una hora antes de recibirla y ella lo tomó también como algo corriente en alguien que necesita demostrar su poder.

—No confío en las autoridades que manejan en esta Nación aquello del combate contra las drogas. A mi me preocupa que si coordinamos acciones contra todos estos narcos, ellos lo sepan antes que nosotros. De hecho, hasta hoy eso es lo que ha sucedido.

—¿Me ha impresionado lo de la muerte del obispo, dijo ella, y el gobernador sonrió:

—Es una historia confusa.

Mientras hablaron, aquel hombre levantó pocas veces la vista para mirarla a la cara. Los pequeños ojos giraban alrededor de su caderas, del pubis, del pecho. Ella sabía qué iba a ocurrir allí y se había vestido con una falda corta y ajustada.

—No lleva usted joyas, le dijo el gobernador eludiendo el tema del obispo y de los jefes de la policía municipal y de las guerras entre bandas de traficantes de drogas de las que hablaba la presa esos días.

Ella guardó silencio.

—Me impresionan su autenticidad y su don de la casualidad, dijo el gobernador. Hay una cena esta noche a la que estoy invitándola. Me imagino que muchos le han dicho que desean bailar con usted, pero yo cuento con el privilegio de que acepte salir conmigo después de la cena.

Candelaria sonrió y se puso de pie.

—Ha sido interesante hablar con usted.

¿Dónde tienen sus ojos los submarinos? Se orientan en las profundidades, ven a través de las sombras y sobreviven aislados de cualquier forma de vida, pero hallan lo que buscan y llegan a donde deben, deslizándose a través de desfiladeros que se tuercen entre las montañas.

Para lograr la inmersión, llenan con agua sus tanques de lastre y el peso del agua los lleva al fondo... ¿Qué es proa? ¿Qué es popa? ¡Ah! Y para regresar a la superficie reemplazan el agua por aire. Los tanques están conectados al mar. Lógico, es apenas lógico. Aquí dice: *compensar tanto longitudinal como transversal...* Que se mantengan horizontales, y además de horizontales, que no se inclinen hacia los lados. A eso le dicen «maniobra».

Candelaria sabía hora qué era una eco sonda, un sonar, un lorán, una derrota, un rumbo, el viento que según la época del año determina la fuerza de las corrientes allá abajo, el papel que juega la densidad cambiante del agua del mar. El submarino no es más que un avión: en lugar de navegar en el aire lo hace en la masa de agua, que para el caso es lo mismo. Se mueve allí como lo hacen las barracudas, a pesar de no tener la agilidad de las barracudas... O la de los delfines. El submarino es como una barracuda. Anoche soñé con barracudas grises y aletas blancas. Eran cilindros largos y veloces.

Soñaba con submarinos durante el día y por las noches. No salía de los hoteles, leía y empleaba horas subrayando y repitiendo, imaginado aquel mundo a través de la turbidez del agua, desde luego no con la mente de un marino, ni la de un científico. Su cabeza apuntaba hacia otro lado. Cuando se encaramó todas esas cosas en el cerebro, quemó las revistas y salió a caminar. Estaba atardeciendo y el crepúsculo emborronado por un manto de humo la destempló. Cenó mientras avanzaba la noche en un lugar cercano al hotel y a la vez que comía pensaba que había empleado bien el tiempo repasando las revistas especializadas enviadas por su amiga y se sentía feliz. Bueno, feliz no debería ser la palabra, se dijo, porque ahora la asaltaba una mezcla de sensaciones, en el fondo de las cuales estaba Santos. Él había llegado a incomodarla, es cierto, pero a la vez lo amaba. Habían caminado juntos tantos años... Seguramente él también la quería. O tal vez no. Sin embargo, aquella sensación de libertad que le había traído el recorrer lo desconocido y comprobar una vez más que, definitivamente, era capaz de valerse por sí misma en situaciones más o menos tensas, la estimulaba plenamente. Cuando salió en busca de un teléfono para comunicarse con Brad Clarke, el ingeniero naval, sentía deseos de llorar, pero se contuvo. Pensaba que su decisión era correcta. Se alejaría de Santos. Al fin y al cabo, en la historia amorosa de su vida siempre había triunfado la soledad.

—¿Brad?

—Sí.

¿Podrían reunirse? Ella iría a San Francisco... Bueno, entonces a Los Ángeles. En ese momento no sabía la fecha exacta, pero se la daría dos días antes de viajar. De acuerdo.

Tal como se lo había dicho su amiga, la voz de Brad Clarke parecía la de alguien receptivo y dispuesto a contar sin restricción algo de su experiencia. Sí. Cumpliría la última cita en aquel lugar y se marcharía a Los Ángeles.

Un par de días después viajó a un rancho en Ciudad Juárez, también en la frontera con Estados Unidos, y al llegar descubrió que había olvidado en el último hotel la libreta con jeroglíficos que solo ella comprendía, basada en la cual pensaba organizar sus ideas. La libreta se había quedado en la mesita de noche. Ese era el punto donde almacenaba su desorden mental.

Allí la esperaba un hombre corpulento, la mirada gris, astuto como pocos. Le contó que había nacido en Sinaloa y a ella le pareció normal. Sabía que esa era la cuna de los «duros» del narcotráfico mexicano.

—Tengo la piel clara, pero vengo de una familia que fue pobre, le dijo él, y aunque ella hubiese preferido expresarle lo que estaba pensando en ese momento, resolvió hablarle de su ayer, pero él parecía no querer desviarse del tema de la droga. Aunque trató de eludir la mirada de Candelaria ella lo presionó con la expresión de su cara y por fin aceptó que tal vez no era el momento de hacer un recuento preciso de cuantos hermanos ni cuántos hijos lo rodeaban.

—¿Hijos? Ah. Son muchos. Más de veinte. Tengo tantos hijos como mujeres... Y como compadres. Cuente usted cuántos comandantes de la policía antinarcóticos hay en este país. Pues más de la mitad son mis compadres. Desde el más alto. Y siga subiendo. Los de arriba también son compadres míos, dijo sonriendo.

Era su idiosincrasia. En eso se crió, pensó ella, y por lo que le contó luego, Candelaria supo que tenía varias mujeres y a todas ellas y a todos sus hijos los trataba «como a sultanes», a todas les había dado mansiones, ranchos, autos, choferes, rentas fijas. Lo que tenía una, lo tenían todas. Decía que a todas les daba el mismo amor.

Cuando Candelaria llegó a aquel rancho vio a una multitud de hombres de pelo lacio y piel chocolate y ahora no podía distinguir sus caras y sus ademanes de los de este hombre. Ellos llevaban toda clase de armas y gozaban exhibiéndolas. En el aparcadero contó tantos autos que perdió la cuenta. Era una flotilla, pero una verdadera flotilla de coches blindados y pensó que allí había una reunión numerosa. Pero cuando entró en la casa notó que, pese al enjambre de guardaespaldas, el hombre se encontraba solo.

Unos años más tarde supo que quienes lo conocían calculaban su fortuna en treinta mil millones de dólares. Pero por lo pronto, estaba enfrentado al Cartel de Tijuana.

—Vivimos así porque estamos en una guerra con incalculable número de cadáveres. Hasta ahora son centenares, anotó sonriente el hombre.

En cuanto a los negocios, le pereció bien trabajar con Frank, a quien conocía suficiente, porque tenía a su lado a cuatro o cinco colombianos que trabajaban como sus comisionistas.

Esos comisionistas eran personas que conocían el medio del narcotráfico en aquel país y su oficio era buscar a los más grandes y armar los negocios.

—Usted lo debe saber porque está al lado de Frank Martínez: por cada kilo que nos entregue, debe dejarnos otro. Mitad para nosotros, mitad para ustedes. O sea: el cincuenta por ciento para mí y el cincuenta para Frank. Luego usted me dirá en qué ciudad de Estados Unidos le colocamos la mercancía —dijo.

—¿Y los riesgos?

—Bueno, riesgos hay pocos. Usted ya sabe cómo trabajamos. Pero sí los hay, desde luego que tiene qué haberlos en un negocio tan grande. Esos son suyos.

Salió de allí y la mañana siguiente tomó un avión para Estados Unidos.

En Los Ángeles se entrevistó con Brad y cuando lo saludó confirmó la imagen que tenía de él. Era amable, casi bondadoso. Le preguntó qué tan difícil sería fabricar un sumergible ¿Para qué? Para conocer mejor el mar, para ver la fauna. ¿Una experiencia oceanográfica? Sí. Eso es precisamente lo que busco.

—Ah, respondió él. Eso es fácil si hay dinero. Con dinero tú puedes conseguir cosas como ésta. Conozco a los expertos, se dónde buscar cada máquina, cada motor, los materiales, quién realice los diseños. Pero, dime: ¿es un capricho? ¿Una aventura? O un negocio. Has hecho un viaje tan costoso...

—Es todo lo que estás imaginando, respondió Candelaria.

Clarke la llevó a unos talleres y allí le mostró parte del mundo que ella buscaba y a medida que él iba desentrañando sus pensamientos sonreía y la miraba con incredulidad, pero finalmente aceptó tomar en serio su proyecto.

—Aquí es imposible hacer lo que quieres, le explicó, pero en Sudamérica sí. Allá podremos realizarlo. Consigue el capital y yo llevo la técnica, le dijo, y ella confió en sus palabras. Candelaria prometió que regresaría y hablarían nuevamente con argumentos reales. Por ahora aquello era un sueño. Pero, como todo el mundo, ella había vivido de sueños. La diferencia era que habitualmente los realizaba.

Antes de partir cruzó por una tienda y se quedó mirando una corbata de colores. Era una mujer llena de pequeños detalles y pensó en llevársela a Santos, pero se detuvo: le va a parecer muy poca cosa. «¿Una corbata? Podrías haberme traído veinte y, además, una pulsera de oro», le diría, y, pensando en no buscarse un nuevo sinsabor, se olvidó de la corbata.

La conversación con El Señor de los Cielos no era diferente a la que había sostenido con el gordo de la capital y con las bandas del Norte y con los del Sur. Desde luego le parecía que los dos primeros tenían más poder, pero, ¿cuál de ellos le ofrecía mayor credibilidad? Una decisión difícil de tomar en aquellos momentos. Sin embargo, luego de casi tres meses de haberse sumergido en aquel medio, creyó contar con tanta información sobre los carteles mexicanos que cuando regresó y tuvo a Frank frente a ella, le dijo:

— El problema nunca ha sido meter la cocaína dentro de los Estados Unidos. Lo difícil es transitar con ella por México.

—¿Ah, sí? Entonces... ¿Qué sugieres? ¿Qué debemos hacer?

—Volver al Caribe. Si la operación por el aire ahora es más complicada y más peligrosa, y más... Lo que sea, existen otros medios; es asunto de imaginación y de sentido común. Los mexicanos ahora son poderosos, pero han hecho su fortuna gracias a nosotros... Y, desde luego, a que tienen al lado el mercado más grande del mundo y, claro, hacen respetar su territorio. Eso está bien. Pero se han trepado en esto sin invertir un solo centavo: «La mitad es para mi y la otra mitad para Frank Martínez» ¡Ja!

—Mira —continuó—Si tienes en Miami a Gary Dobson y su gente y su organización, y en Chicago a Skipp Coleman y su grupo, ¿para qué depender del señor de las cien mujeres y los doscientos compadres en México?

—¿Quieres regresar a la ruta del Caribe? ¡Por favor! ¿Tú crees que no conozco esto? —le preguntó Frank.

—Sí, desde luego que lo conoces, respondió ella. Entonces piensa en lanchas que vayan muy rápido; piensa en buques, piensa en submarinos. Desde cuando empecé a escuchar a los mexicanos comencé a soñar todas las noches con submarinos, y algo leo sobre ellos ¿Crees que es muy difícil y muy costoso fabricar un sumergible? Traigamos italianos que son los mejores para eso, traigamos gringos que estarían dispuestos a hacerlo. Hay un submarinista en California...

—Te estás volviendo loca.

—No, no estoy loca. Las cosas tienen qué evolucionar en la medida en que van oscureciéndose. Eso me apasiona.

—Todo está bien, pero hablemos de México.

—Hablé con todos los que puedas imaginar; ya te lo diré en detalle, pero finalmente me concentré en el gordo y en el hombre de las cien mujeres. Según mi manera de ver son los menos ácidos. El gordo es una ficha importante de verdad. La noche que lo conocí fue increíble.

—¿Por lo amable?

—No. Por otra cosa. El Fulano se codea con la cúpula del país, es amigo íntimo de éste y de aquel, los maneja a todos sin problemas aparentes. Esa noche yo estaba en su casa y empezó a llegar gente y gente, y luego me di cuenta de que se trataba de personas realmente importantes. Cómo deseaba haber estado en ese momento en El Plató grabando cada payasada y cada cosa... Mira: el tipo estaba sentado en una poltrona baja; a su derecha tenía un maletín abierto del que sacaba dólares y dólares. Fajos de a diez mil, unidos por una goma, y el gobernador o el comandante o quien fuera, se sentaba al frente. Hablaban corto y me imagino que le pintaban los problemas más grandes de lo que debían de ser y este hombre, con un desparpajo y una grosería, estiraba el brazo, sacaba un fajo y se lo lanzaba con fuerza a aquel que estaba agachando la cabeza. Pero se lo lanzaba a la cara, así: con un aire de perdonavidas, que no veas... Y lo golpeaba con los billetes en la mejilla, en la boca; donde cayera. Y el hombre se inclinaba y recogía el dinero que había rodado hasta el piso, se lo metía en el bolsillo, daba las gracias, se despedía. Entraba otro: igual. Y otro: lo mismo. Y eran personas importantes. Tú las veías, uno o dos días después en los diarios o en la televisión con un aire diferente, pero muy diferente al que tenían en aquella casa. Esa noche salí de allí con pena. Verdad, con pena, y esa frase tan vieja que dicen por ahí, empezó a zumbarme en la cabeza y dije: es así. Ese hombre es así: «Tan pobre que sólo tiene dinero».

—¿Qué impresión te dejó el Señor de los Cielos?

Ella miró al techo tratando de seleccionar una de tantas historias y luego respondió:

—Desenvuelto, poderoso como el otro, clave en estas elecciones presidenciales, como el otro. Pero, digamos, difícil. Bastante difícil, como todos ellos. Cuando lo vi tenía almacenados no menos de cuarenta mil kilos de perica. Estaban allí, en las bodegas donde reúne lo que le llega de aquí, que es tanto como lo que le envían este y aquel y aquel otro gracias al oficio de los comisionistas colombianos que trabajan para él. ¿Qué hizo? Llamó a uno de los comandantes de la policía, es decir, a uno de sus compadres, un hombre grandote que nunca lo miró a la cara; miraba al piso, miraba hacia donde tú quieras menos a la cara, y le dijo:

»—Compadre, tenemos que montar unos "positivos" porque de lo contrario van a tumbarte de tu cargo. Como anda por ahí el chisme de que se descargaron todos los aviones que han entrado estos días, tenemos qué trabajar.

»—Sí señor. Sí compadre.

»—Habla con tu correspondiente gringo en Estados Unidos y le entregas la información que te voy a dar.

»—Sí compadre.

»El comandante, desde luego, tiene sus vínculos con la policía estadounidense porque intercambian información y luchan contra el narcotráfico y no se qué.

»—Necesitamos que tú agarres mucha fuerza con ellos, compadre, le dice luego.

»—Si compadre. Me parece bien, respondió el comandante.

»El de las cien mujeres...»

—¿Quién?

—Pues El señor de los Cielos. Ese hombre había organizado una pequeña bodega en San Diego y otra en Los Ángeles, una con tres y otra con dos mil kilos. En ese momento tenía guardados treinta y cinco mil. Total, que el comandante pasó la información al otro lado de la frontera, y el gringo de Los Angeles, ¡tras! Un positivo: capturó no sé cuantos kilos de coca. Y el de San Diego: ¡tras! Más coca colombiana. La prensa, la televisión, el ruido, y tal. ¿Y a los gringos? Pues hay que ascenderlos: grandes policías, grandes luchadores. ¿Y el comandante mexicano? Imagínate: el rey de los reyes. El mejor de la tierra.

»¿Qué hace luego el de las cien mujeres? Llama a los colombianos que eran dueños de la coca, habla con cada uno por separado y a todos les recita lo mismo:

»—¿Viste? Agarraron lo tuyo.

»Y para congraciarse, les dice luego:

»—Mira: yo voy a mandarte un dinero para que compremos otro viaje.

»¿Pero cuánto dinero le representó a ese hombre haberse quedado con los treinta mil kilos? De esa plata le manda a los narcos colombianos cualquier cosa, y ellos:

»—Ahh. Qué narco tan legal, fíjense que lo perdimos todo, pero con el dinero que nos mandó podremos continuar.

»¿Y qué más hace el *señor*? Le manda tres millones de dólares al que se mueve arriba del comandante y otros tres a otro de más arriba, y también adquiere nuevos compadres... O sea, la fiesta de los millones, y él, muerto de la risa. Frank, volvamos al Caribe.»

—Me sorprende que de un momento a otro comiences a verlo todo tan oscuro. No. No es así. Nos iremos por México.

—¿Con el rebaño de borregos?

—Sí. Con el rebaño de borregos. Ahora dime: ¿cómo es realmente el paso de la coca? He oído decir muchas cosas pero no conozco detalles.

—Para ellos, muy fácil. Es que son tres mil millas de frontera con Estados Unidos ¿Sabes cuánto es eso? Cuatro veces la distancia que separa a Madrid de París. Debajo del conquistador de las cien mujeres, o del gordo, o del capo de Laredo o del de Matamoros, son tantos carteles gobernados por familias que pasan de generación en generación... Digo, debajo de cada uno de ellos hay cincuenta, cien bandas que cruzan. Pueblos de bandidos que han vivido toda la vida de la *fayuca* de aquí para allá y de la fayuca de allá para acá, como le dicen al contrabando. Y esos fayuqueros saben perfectamente la manera de cruzar a través de la línea fronteriza, conocen el desierto, el rancho; conocen esa zona mejor que las palmas de su manos. Tres mil millas ¿Cuántos huecos hay en ese hueco? Entonces el asunto es muy fácil. Colócale un hueco a cada milla: tres mil huecos. Calcula unas mil bandas cruzando. Entre ellas hay la que pasa con cien kilos, la que pasa con quinientos, con cuarenta, con sesenta. Y son gente establecida: tienen allí sus propias bodegas, de manera que de pronto uno de los capos, dice: «Llámeme a Fulano». Lo comunican con él:

»—¿Cómo se encuentra ahora?

»—Necesito más coca, mi patrón.

»—Bien. Esta tarde te mando trescientos kilos. Anda pasando, cabrón.

»La pasan al día siguiente.

»Los huecos son, hombre, tubos con entrada y salida. Las mismas mil bandas que pasan aquí tienen a otras tantas que reciben en Estados Unidos y hacen recolección de coca. Cargan tres mil kilos en un camión cisterna, le cambian el furgón y parte para Nueva York. En Nueva York hay alguien esperándola.

»Pero las mil bandas también venden. ¿Qué hace el mexicano? Un narco conoce a todos los grupos, un secuestrador a todos los secuestradores, un policía a todos los policías, entonces buscan a los que ellos necesitan. Allá también hacen centros de distribución y toman contacto con los mayoristas y con los minoristas, según el volumen. Ahora, eso tú lo sabes mejor que nadie: una vez al otro lado de la frontera, el negocio está en manos de los estadounidenses. Ya el dinero comienza a irrigar su economía porque, el que movió un saco y se ganó cuatro mil dólares, ese no se va a ningún otro lugar a gastárselos porque vive allá. Sea cual fuere su apellido o su color, él es ciudadano estadounidense. Es gringo. Entonces con esos dólares compra la comida y los aparatos eléctricos y el auto, o consigna en un banco... O lo que sea. El gordo, el Señor de los Cielos, El Rápido, todos con los que hablé, dicen lo mismo: "En estados Unidos se quedan noventa y seis de cada cien dólares que mueve la perica"».

—Bueno, no me has dicho cosas que no supiera..

—¿Sabes por qué llaman «El Rápido» al hombre con que hablé después de visitar al gordo? Porque emplea unas tres horas, óyeme bien: tres horas en pasar la coca a los Estados Unidos. Él cruza por un túnel bajo la frontera. Y como ese existen cuantos puedas imaginar. Muchos. Muchísimos. Supe que descubrieron uno de esos subterráneos en un lugar llamado Aguaprieta, por el que pasaban una tonelada cada día. Pero no lo localizaron por la tecnología moderna ni por las pesquisas inteligentes de la guardia, no. Lo agarraron porque alguien delató a quienes lo construyeron. Asunto de rivalidad y de competencia entre ellos, me imagino.

»Los narcos compran una propiedad del lado mexicano y otra en los Estados Unidos. En el de Aguaprieta había una fábrica de pañales para bebés en el norte, y en el lado mexicano una casa pequeña, sencilla, normal. Al entrar uno llegaba a un salón con una mesa de billar, nada más. Pero por allí había un botón que solamente lo podía encontrar aquel que sabía en qué lugar lo habían escondido. El sujeto tocaba ese botón y mediante gatos hidráulicos se elevaba la mesa de billar. El hueco que dejaba la mesa era el comienzo del túnel. O sea: el hombre entraba a un cobertizo y del cobertizo seguía la sala de billar, descargaba la coca y la metía al túnel. Así de fácil. Dentro del túnel hay góndolas que se mueven sobre rieles como las de las minas. Allí colocan la coca y las empujan. No eran más de trescientos metros de camino. Pero esos túneles tiene un secreto. ¿Por qué los gringos no han podido descubrirlos? Porque los rieles no son metálicos sino de una pasta muy resistente y las góndolas están hechas con algo parecido, de manera que son silenciosas. Y quienes las empujan también son silenciosos, caminan como gatos, llevan botas de goma, no hablan, no producen ningún sonido. Silencio total, de manera que los estadounidenses pueden tener todos los detectores de ruido que quieran, pero no los encuentran. Y encima de los túneles hay un recubrimiento espeso de hormigón o algo parecido, que los aísla, y desde luego, también burlan la presencia de detectores de vacío.

»¿Sabes cuánto puede valer un túnel de trescientos metros bajo tierra? El asunto puede parecer muy sofisticado, pero no. Eso no vale nada, pensando en este negocio, y menos si a ellos les cae del cielo la mitad. Hacer un túnel de trescientos metros a través de la línea fronteriza vale... Yo hablé con gente que lo hace por setecientos mil dólares. Ponle un millón de dólares. ¿Cuánto se demoran en recuperarlo? Una hora. Con la primera góndola que cruce. La casa en el lado mejicano también es poca cosa, cuesta ahora cien mil dólares. No puede ser una edificación ostentosa pues a ese lado de la frontera todo es humilde. Al otro lado compran una bodega o la construyen para hacer una fábrica de algo, una estación de carburante, un garaje, un taller, lo que sea. ¿Cuánto vale eso pensando en lo que se mueve por debajo? Nada. Y lo que dicen ellos: "Si cruzamos por abajo no le pagamos a nadie, no le damos un solo centavo a la ley. Ese es un cruce privado".

»Pero si transitan por el *check point*, que es por donde van los camiones, los autos, los autobuses, la gente, allí sí hay que pagar. Allí el hombre de turno cobra y cierra los ojos. Por decir algo, los del *check point* que reciben dinero, y de esos hay muchos, cobran quinientos dólares por kilo.»

Frank la escuchaba con las mejillas apoyadas en las yemas de los dedos y luego de una pausa, intervino:

—Cuando el mexicano está pasándola al otro lado pierde un veinte o un treinta por ciento; una parte porque se la quita la guardia y otra porque ellos mismos se la entregan a los policías de Estados Unidos para que hagan sus «positivos». Tú misma lo dijiste. Eso que se pierde se lo descuentan a uno. Siempre que se haga un negocio con un mexicano hay pérdidas extras, o sea que a uno le están entregando todavía menos de la mitad de lo que le debería corresponder. Pero, aún así, éste sigue siendo un buen negocio y siempre lo será mientras aquí haya pobres y arriba estén los ricos con sus costumbres y sus vicios.

El Barón Rojo hizo sus primeros vuelos al norte de México. Le dijeron que se trataba de un lugar desértico cerca de Ciudad Juárez, ocupado por lago de salitre endurecidos durante las temporadas de sequía. Eran pistas naturales en las que podía aterrizar un avión a reacción. «Allí vas encontrar diez mil metros hacia un lado, diez mil hacia el otro. Son realmente pistas espectaculares», le dijeron. Él hizo sus cálculos y le anunció a Frank que inicialmente partiría de Colombia sobre el atardecer, seis y media, siete de la noche. Buscaba llegar a México con el amanecer, porque iba a una geografía desconocida.

Al lugar le decían Los Lagos Secos. Eran tierras planas en las cuales encontró lo que estaba acostumbrado a ver: cuadrillas que descargaban el avión y se llevaban el cargamento, mecánicos en sus camiones, hombres que le suministraban carburante. Le parecía que allí la gente cantaba las palabras: «Órale, güerito, ¿traes más perica para mi señor?» Y que el tiempo era lento. La gente se movía con despreocupación, eran calmados, tranquilos. «¿Descargar? Luego luego», es decir, ahora, pero pasaba una eternidad y los sacos continuaban en el avión. «¿Combustible? Ah. Espera un momento». Y el momento no llegaba nunca. Parecía no haber preocupación por nada.

—¿Y la ley? ¿No puede llegar la ley y tomarnos por sorpresa?, preguntaba el Barón.

—¿Estas nervioso? Ten paciencia güero. Cálmate, respondían.

Voló sin contratiempos todo un verano, pero una mañana divisó abajo nueve aviones detenidos. Descendió un tanto y sintió que el brillo de la inmensidad le hería los ojos. Le señalaron un punto. Allí el piso era menos pardo que en los amaneceres anteriores. Cuando colocó las ruedas del avión en tierra sintió que se deslizaba hacia un lado, luego un bandazo, continuó patinando y se detuvo finalmente con violencia. Estaba enterrado entre el salitre. Había llovido esa madrugada, se ablandó la sal y se convirtió en fango. Un fango espeso.

—Debes aguardar a que seque esto. Está comenzando la temporada de lluvias, le dijeron.

—¿Cuánto tiempo tendré qué esperar para salir de aquí?

—No lo sabemos. Un día o diez días. Cuando seque la tierra.

—¿Y la ley?

—Nos encontramos bien, muchas gracias.

El hombre con quien hablaba pertenecía al cuerpo de policía encargado de luchar contra la droga y su trabajo era quedarse allí y comprobar cuanta cantidad descargaban varios compañeros suyos.

—¿Por qué?

—Hombre, el comandante necesita saber cuánta coca llega, para después hacer cuentas con el señor. El señor es su compadre. Aquí se paga por cada kilo que bajen de un avión, le explicó.

El Barón permaneció siete días en una ciudad cercana en la cual tuvo contacto con gente de una banda que traficaba con armas, porque Frank le había pedido que en los viajes siguientes, en lugar de regresar con el avión vacío, debía traer algunos fusiles, pistolas, granadas y municiones. Como era su costumbre, él no preguntó nada, pero lo asaltó una gran preocupación. «Traficar con armas es un asunto muy peligroso», pensó, pero como creía que se trataba de pequeñas cantidades, buscó a los hombres y supo que el primer embarque pesaría alrededor de una tonelada y media.

—¿Es el único?, preguntó.

—No. Hay otros diez esperando, respondieron.

Cuando escuchó aquello llamó a Frank. Le explicaron que no estaba en su casa. Tampoco en su oficina. «Se halla en El Plató atendiendo a unos visitantes y no podemos interrumpirlo», le dijeron. Buscó hablar con Candelaria pero tampoco se hallaba allí. Ella se comunicó más tarde y, palabra más, palabra menos, le dijo:

— Son compromisos adquiridos por Frank. Vente con las guitarras que están listas y aquí hablaremos.

—Pero es que no son guitarras. Se trata de guitarrones y no puedo llevar a toda esa orquesta. Hay que dejar aquí una parte. Asunto de capacidad.

—Trae lo que puedas. Aquí te espero.

Cuando brilló el sol y el barro volvió a convertirse en salitre endurecido, partió con una tonelada de «cuernos de chivo», como le decían los traficantes mexicanos a unos fusiles armados con proveedores de balas largos y encorvados, cajas con granadas y el resto de lo que le habían anunciado, y al final del vuelo halló en el hangar gente desconocida que lo esperaba. Ellos se llevaron el cargamento.

—¿Qué está sucediendo? —le preguntó luego a Candelaria.

—Que Frank resolvió armar a todo el mundo. O sea, ayudar a la guerra sin meterse en la guerra para defender su negocio. Por eso ha comenzado a darle armas a todos: a la guerrilla verde y a la guerrilla negra y a la guerrilla roja; a los del otro lado y a éstos y a los de más allá. A quien pegue un grito y se ponga botas de pescador le va a dar armas, porque piensa que si todos se arman y todos saben que todos están armados, todos van a respetarse entre sí. La idea le vino a la cabeza una noche que hablaban de la guerra en este país y alguien dijo: «es más efectivo el miedo al garrote que el garrotazo mismo».

—En cuanto a mi trabajo, yo sé que andar transportando armamento es peligroso, dijo el Barón.

—Mira: yo simplemente te transmito lo que dice Frank. Y en cuanto al peligro, yo no sé si estoy equivocada, pero tú y yo sabemos que ese es un cuento viejo en este continente. ¿Alguien que tenía que ver con la ley en los Estados Unidos no llevaba coca colombiana y la vendía o hacía lo que fuera con ella, y de regreso traía armas para entregárselas a los enemigos del gobierno de Nicaragua? ¿Y parte de esa coca no la empleaban allá mismo para hacer crack y dárselo a los negros para minarlos? En ese momento nadie dijo que era peligroso que los estadounidenses trajeran a Centroamérica hierros adquiridos en la casa de sus propios enemigos en el Asia, te repito, a cambio de nieve colombiana. ¿Y qué? Con el dinero de esa coca armaron a la «contra» nicaragüense y todo el mundo se calló. Es que aquí venían pilotos norteamericanos y se llevaban los cargamentos de coca, hacían escalas en Costa Rica o por ahí, y seguían su camino. Luego se supo que gente de la ley en Washington era la que movía la batuta; y que si Irán y que si los «contras» ¿Qué sucedió finalmente? Bueno, un alboroto en el Congreso y luego se callaron todas las voces y los que estaban en la rumba siguieron tan tranquilos. Así que Frank no es quien ha inventado este juego. Por eso te digo que es un asunto viejo.

—No entiendo eso de armarlos a todos ¿Tú qué piensas?

Candelaria le dijo algo así como «tómalo o déjalo» y cambió el tema de su conversación con una frialdad que no le había conocido antes.

Ella no solamente no lo entendía sino que estaba en desacuerdo. Aquello le parecía un terrible error de Frank, como la misma decisión de transitar a través de México y como lo que estaba sucediendo en El Plató, donde ahora almacenaban cintas de video seleccionadas y clasificadas en las que aparecían funcionarios y hombres de empresa y gente de la ley, desnuda correteando a las modelos y a chicos que llevaba Gina para que los confesaran frente a las cámaras y a los micrófonos escondidos detrás de tantos espejos.

El Barón Rojo sacrificó un caballo que amaba y como ofrenda a Changó depositó su sangre entre el caldero, junto con la de cuatro gallos, invocó luego al espíritu de Arturo Trejos, y algo sintió o algo soñó aquella noche, pero la mañana siguiente se dijo: «lo tomo».

Realizó varios vuelos cargados con coca y regresó con armamento. Él solo sabía que cada vez lo esperaban hombres diferentes, siempre desconocidos, con los que nunca quiso hablar, como lo hacía con quienes embarcaban las armas.

Luego vino una época en México, en la que después de aterrizar y descargar, aparecían grupos de hombres que enterraban los aviones allí mismo. Dijeron que había comenzado a actuar un grupo especial de fuerzas policiales mucho más drástico, es decir, más caro, y el comandante fijaba un tiempo límite para sacar de allí la coca. Pero había qué destruir el avión y borrar rastros. Una vez vacío, alguien le metía candela y cuando se ahogaban las llamas se acercaba un bulldozer y sepultaba los escombros. Allí se quedaron cantidades de aviones nuevos. Entonces estaban de moda unas naves de gran calidad, de las cuales el fabricante produjo algo a así como mil quinientas.

—Yo te garantizo, dijo una tarde el Barón hablando con Frank, que de esas no debe haber hoy menos de quinientas destruidas y enterradas en México y en Colombia.

Allí sucedía algo parecido. Con frecuencia los aviones se salían de las pistas anegadas por las lluvias de la selva y se les rompía un brazo, la cola, un plano. Daños que exigían un enorme esfuerzo técnico para su reparación en aquellas soledades, y ellos preferían «borrar los rastros» con candela.

—Como medio de transporte, hasta ahora el avión me parece irremplazable. Es la manera más rápida de llegar allá. Tú sales con un cargamento y doce horas después la nieve está a dos mil quinientas millas de aquí, respondió Frank.

A su vez, Candelaria voló a México, se reunió con sus contactos y les dijo que no pondría un avión más sobre aquel fango. Tomó un vuelo regular, vino, habló con el Barón y le indicó que debía volar a otra pista que ella bautizó «La Rechula». («Esa pista está chulísima. Rechula, mana».)

—Allí debes tener cuidado, porque hay tráfico pesado de aviones llevando coca, le dijo Candelaria.

Cuando aterrizó allí el Barón se encontró con un hombre armado de una pequeña radio de comunicaciones que no tenía la menor idea de cómo dirigir a diez o doce aviones simultáneamente. Ese día tuvo que describir giros en el aire mientras esperaba a que los tres que se hallaban abajo descargaran y recibieran carburante antes de partir. Estando allí escuchó que había naves haciendo lo mismo a diferentes alturas y fue comunicándose con ellas para buscar orden y evitar un accidente. Abajo vio una pista en buen estado y tan ancha que podían aterrizar dos aviones a un tiempo, y cuando creía que estaba acercándose, se comunicaba con otras naves para pedirles información y encontraba una flota de aviones en el aire volando rumbo a México.

—Quisiera cambiar de pista, le dijo a Candelaria. El tráfico ilegal en esa zona es violento. Hay que pensar en lo que significa una bandada de aviones sobre un aeropuerto sin torre de control. Desde luego, la pista tiene iluminación para aeropuerto internacional. Esas luces las instalaron a propósito, pero uno llega de noche sin reportes de tráfico, ni del estado del tiempo, ni de nada. Silencio. Sálvese quien pueda.

—Todas presentan los mismos problemas. Tienes que enfrentarlas, le respondió ella.

7

Comenzaba el otoño pero aún la isla de Yelaguín conservaba su temperamento estival. El agua de los canales permanecía verde como los árboles y Emilio rehuía encontrarse con Valentina Nicoláievna más temprano. Al mediodía, entre las dos y las tres, le parecía que los bosques perdían parte de su personalidad. En cambio, a partir de las siete encontraba claridad en las sombras de la arboleda y podía sacar de adentro cuanto había tenido que guardarse al lado de su suegra.

Ambos habían terminado los estudios de geología. Emilio y Evgenia Alexándrovna, su mujer, tenían ahora una hija y Valentina continuaba viviendo sola. Pero para él, más allá de su suegra y de su mujer, y ella de su soledad, aquella amistad significaba un complemento. No guardaban secretos entre sí y venían a caminar por los bosques o a navegar en los canales, porque, aunque la era soviética había terminado, prevalecía la costumbre de decir lo que ellos se decían en lugares abiertos.

Aquellas no eran citas de amor. Ambos necesitaban contarse sus conflictos, hablar del mundo cambiante que los rodeaba y, es cierto, algunas veces crecía la pimienta y se amaban.

—¿Qué sabes de la droga? —le preguntó esa tarde Valentina Nicoláievna y a él no le extrañó.

Ella, como el resto de su generación, estaba viviendo un período de violenta transición entre el socialismo en el que había nacido y el capitalismo que irrumpía en Rusia, y afrontar la tecnología del momento, las costumbres nuevas y tratar de asimilarlas la angustiaban.

—¿De droga? No sé nada —respondió Emilio—. ¿Por qué?

—Porque es lo que uno escucha en cualquier lado. La gente no habla de otra cosa. Hoy tenemos libertad de elegir, es cierto, pero a su vez, eso me provoca intranquilidad y hay ansiedades que me ayudan, como la de saber en qué piso estoy plantada. Por eso te pregunto por droga, y por eso quiero hablar mucho de droga. No sé si me estoy dejando arrastrar por esos pánicos, pero quiero saber qué está sucediendo aquí.

—Bueno, no sé muchas cosas.

—Tú mismo me contaste que habías llevado algo a Finlandia cuando estábamos en la universidad. Eso nos está llegando con la apertura. Y no lo digo porque tenga una posición política, tú lo sabes. No soy socialista. No estuve nunca de acuerdo con muchas cosas del régimen, pero sólo ahora empiezo a darme cuenta de que también tenía cosas buenas. Es que se abrió esto y en la medida en que desaparecieron algunas pestes, nos llegaron otras peores. La droga, por ejemplo.

La angustia de Valentina no era más que la lucha entre su formación tradicional y su criterio ampliándose en forma permanente, y eso le generaba un sentimiento de culpa tenaz.

«Anda como las madres modernas de Occidente: no entienden lo que está sucediendo y se dan garrote todo el tiempo. La entiendo. Está en un mundo de deseos nuevos», pensó Emilio, y empezó a contarle cosas.

—De droga sólo «supe» dos veces. Una fue cuando llevé marihuana a Finlandia. Una sola vez. Luego me ofrecieron cargar con heroína y dije que no. Eso te lo conté en ese momento y eso fue lo que hice.

—¿Y la segunda? Cuéntame, no lo sé, entrañable mío.

—La segunda es todo lo que uno aprende desde cuando llega aquí: la droga como parte de las costumbres de los pueblos del Asia Central donde la gente no puede consumir alcohol y entonces mete hachís y marihuana. Ellos usaban el opio porque se lo recetaban los médicos en dosis pequeñas, pero después de la Segunda Guerra Mundial, aquí hubo millones de heridos, lo debe saber mejor tu padre, y a esos heridos les daban morfina traída de allá para calmarles el dolor. Imagínate la mezcla: morfina y excombatientes que sólo sabían matar, gente inválida que regresaba a un país destruido ¿Qué sucedía? Que el Estado no podía darles una solución a todos sus problemas como ocurrió en el resto del mundo, y se dedicaron al bandidaje. Ésos fueron los primeros delincuentes drogadictos que hubo aquí, pero otros criminales los rechazaban porque eran indisciplinados y, además, soplones. Cuando sintieron que sus camaradas les volvían las espaldas, se rodearon de jóvenes que encontraban en ellos la figura de sus padres. Eran pocos y creo que hasta ahí llegó la cosa, porque, además, la prensa no hablaba de droga con el fin de no interesar a la juventud, ni la radio hablaba de droga, ni llegaban videos de Occidente pregonando: «Mete droga, es el camino hacia la felicidad verdadera», ni llegaba cine vendiéndote la idea imperante de parecerte al resto del mundo y ser moderno pinchándote las venas o castigándote las narices. Esa cultura nos llegó de allá con sus artistas cantándole al vicio y confesando que son drogadictos, lo que quiere decir que sus Estados no los controlan.

—¿Y tu suegra? ¿Qué dice de esto? Te lo pregunto porque ella es mafiosa, trafica quitándole la vivienda a la gente para entregársela a los que tienen dinero. Quien se dedica a una cosa, no ve inconveniente en hacer otra.

Valentina asociaba a la suegra de Emilio con un regreso a la lucha primitiva por la tierra. Eso de «Te mido por el tamaño de mi piso» no estaba en la colección rusa. Allí de un momento a otro había comenzado a ser más importante lo que se tenía que la calidad del ser humano, y aunque ella hacía un esfuerzo, no lograba entenderlo.

—¡Nadia Stepánovna! —dijo Emilio—. A ella logré alejarla por un tiempo de esas cosas cuando se dedicó a vender lo que yo traía de Suecia y Finlandia, pero ahora se acabó el negocio. Como ya la gente puede salir del país, tú ves rusos por todos lados llevando cuanto hay, pero lo venden regalado y traen de lo mismo que uno traía. A mí me pagaban tanto por las hormonas esteroides. Pues ahora van diez, veinte, treinta personas ofreciéndolas y cobran menos de la mitad de lo que yo recibía. Se dañó el negocio.

—No. Se dañó la gente. Es que la gente está pobre. La gente lo está pasando muy mal. Que venga el sistema capitalista, muy bien. De acuerdo. Pero es que derribaron el edificio en que vivíamos sin haber construido primero otro al que pudiéramos mudarnos... ¿Y tu suegra?

—Ah. A mí me atormenta ver cómo la gente, que está pobre, es cierto, tiene que aceptar que le quiten sus viviendas por unos cuantos rublos para comprar pan o ropa o pagar por lo que antes no tenían que pagar. Es que antes el Estado te daba todo, menos la ropa, que era muy barata. ¿Fea? Sí. Era fea, pero todo el mundo tenía con qué vestirse, y la comida no era barata, era regalada, y hoy vale mucho dinero. Trabajas, si es que tienes la suerte de encontrar trabajo, y te pagan lo mismo que te pagaban ayer, pero ahora debes comprarlo todo.

—Regresemos a tu suegra mafiosa.

—Yo no quisiera ver más gente sin techo. He pensado viajar a Suecia y traerme lo necesario para montar una industria y que Nadia Stepánovna se meta allí y se olvide de negociar con los techos de los demás. Esta mujer quería una dacha en el campo, vio una con un par de habitaciones, una huerta bien cultivada en primavera y le gustó. Le dijeron que no se la vendían. Unas semanas después el fuego consumió la dacha y ella compró el terreno por cualquier precio. Así va mi suegra.

—¿Una industria? Si tú no eres industrial, tú eres geólogo.

—Lo que quieras, pero uno viene de un país que siempre ha vivido al lado del capitalismo y se cree capitalista, entonces olfatea los negocios mucho más fácil que los rusos. Ahora hay muchos autos en San Petersburgo y no he visto que usen forros para los asientos. Una fábrica de forros para los coches será un negocio magnífico. Voy a hacerlo... ¿Y tu padre?

—Él le gana a tu suegra. Continúa en Georgia, dice que combatiendo contra el Ejército de Liberación, pero en lugar de combatir se ha dedicado a venderles armas a los guerrilleros para ganar «mucho» dinero, como dice él...

—¿Guerrilleros? Pareces latinoamericana.

—Bueno, *partisanos* o como se llamen. Es que oyéndote a ti...

No hay una imagen más presente que la del ausente. Es el espíritu del tercer brindis ruso. Aunque Valentina parecía rechazar a su padre, en el fondo era la gran figura de su vida. Él se alejó cuando era pequeña por aquello de su profesión y poco se veían y casi nunca hablaban. Ella no tenía recuerdos profundos de la infancia a su lado. Después de un breve silencio, Emilio le preguntó:

—¿Me amas?

—Tú sabes. Te quiero. Te quiero, pero lejos, ja, ja... La historia de mi padre me atormenta, como te atormenta a ti lo que hace tu suegra. Yo a Nicolai Andréievich, bueno, a mi padre, lo veo poco pero te digo: quisiera no volverlo a ver. Algunos militares, y entre ésos tenía que estar él, me duele decirlo pero sé con quien lo hago, cobran dinero o cambian el armamento por heroína. Por Georgia entra toda la que se produce en Irán y en Turquía. Pero, además, un grupo de los *Mjedrioni* o sea *Los Centuriones*, esa fuerza paramilitar poderosísima que igualmente combate a la guerrilla, también está traficando con droga, y ya no solamente traen la que intercambian con los guerrilleros sino que controlan buena parte de la que entra por el Caspio desde Afganistán, Turkmenistán, Uzbekistán, Azerbaiyán, Daghestán, Chechenia, Kazajistán, todo esos lugares. Los narcos la transportan por el Volga y sus afluentes. Una parte se viene a San Petersburgo. Otra sale por el Rin y por el Danubio buscando los Estados Unidos, que son los mayores consumidores del mundo.

»Mi padre ha hecho amistad y anda también en negocios con un tal Dato Ajlediani, comandante de *Los Centuriones*, que además de ser el jefe de esa fuerza, políticamente vuela muy alto en Rusia. Allá, la gente empobrecida —la mayoría— no encuentra trabajo diferente del cultivo de la amapola. El aumento de esa basura ha sido impresionante en esas regiones, como tiene que ser donde los salarios son de hambre, pero de física hambre por falta de empleo. Sé que, por ejemplo, hoy en Turkmenia, un pensionado gana dos dólares al mes. Dos dólares. Hace unos años, ellos producían droga tal vez en menores cantidades, pero el Estado soviético no dejaba escapar nada de su control. Hoy Rusia no controla nada».

—Cuando me preguntaste por la droga pensé que querías saber si yo estaba metido en eso. Si estuviera metido te lo hubiese dicho...

—Y nunca habrías vuelto a verme, entrañable mío. Nunca.

—Bueno, tranquilidad. Te decía que, desde luego, conozco mucho de ese asunto, porque no he perdido el contacto con la universidad y porque tengo amigos del sur y, hombre, porque hablo con la gente que conocí cuando viajaba con vodka. Hoy muchos de ellos están en eso. Los caminos del vodka y de los chips para computadoras y de instrumentos musicales y de tantas cosas que sacábamos de aquí, ahora están ocupados por opio y heroína y droga sintética hecha en laboratorios que antes producían medicamentos.

—Yo sabía que tú sabías de eso.

—Pues claro que sé mucho. Sé lo que tú quieras sobre estas cosas porque todo pasa por la universidad. Allí te la ofrecen, dices «no» y ahí empieza la conversación. Tantos extranjeros que hay allá. Mira: la universidad es el mayor banco de datos que puedas encontrar en Rusia... ¿Me quieres?

—Sí, pero lejos de mí, estalinista.

Ella parecía haberse acostumbrado a estas cosas de Emilio, pues desde cuando lo conoció, encontró que como muchos sudamericanos era capaz con el cerebro, pero algunas veces limitado para decir con palabras lo que sentía, y en esos casos buscaba las vecindades del cuerpo.

Pero lo cierto era que Emilio había cambiado tanto después de haberse separado de ella, que ahora se sentía cómodo frente a las mujeres inteligentes y con personalidad. Inteligentes eran aquellas que marcaban su vida con criterio independiente y parecían decir «Yo soy mi propio destino», en un lenguaje libre de la colección de frases del momento, y renunciando a la necesidad de llenarse la boca con unas cuantas palabras extranjeras.

El «sí» infranqueable de Evgenia Alexándrovna, la esposa, le había hecho mudar sus preferencias.

Y aquello de «estalinista», aún dicho en broma, lo comprendía bien. Ella era de San Petersburgo y Stalin detestó a esta ciudad, porque nunca pudo someterla. San Petersburgo siempre levantó la cabeza cuando sintió que intentaba doblegarla, y a partir de allí se creó un desafecto formidable en ambos sentidos.

—Continúa con tu historia. Me interesa —dijo Valentina para sacarlo de los terrenos de la sensualidad.

—Bueno, para comenzar, tienes la ruta de los Balcanes, un chorro de heroína que se mueve a través de Albania. Occidente apoya a los albaneses. Pero termina con la historia de *Los Centuriones* primero. Luego contaré yo.

—Pues Dato Ajlediani —dijo ella—, este comandante de quien te estoy hablando, se reparte ahora el tráfico con el jefe de los guerrilleros y con el líder de los independentistas que es el gobernador de esos territorios. Tal vez no me estoy haciendo entender: digo que los guerrilleros son «la expresión armada» del movimiento independentista que se mueve dentro de lo que significa para ellos «legalidad». ¿Bien? Pues esa República tiene su propia mafia de contrabandistas moviéndose en la frontera con Turquía y estos tres hombres han dividido a Georgia en territorios. Cada uno controla el suyo y allí trafican con la droga, extorsionan, especulan con productos del petróleo, con alcoholes, con muchas cosas. Y además, manejan un tráfico de armas que salen de los depósitos de las divisiones soviéticas que quedaron en el Cáucaso. Yo sé que te costará trabajo comprender que Dato Ajlediani, asociado con Coca-Cola, lanzó al mercado un vodka llamado *Stalin* y lo venden como pan... Por las fronteras abiertas con el Cáucaso viene un tornado de heroína.

Emilio se alejó para mirar un nido de pájaros frente a ellos y regresó en silencio. Valentina lo miraba pero al parecer su cabeza estaba en otro lugar. Él se lo preguntó y ella dijo que no. Simplemente se hallaba sorprendida. Ésa debía ser la causa de su insomnio los últimos días.

—¿Cuánto hace que desapareció el sueño en mi habitación? Vivo tan cansada que podría morir... Pero si muero no seré geóloga. Tú sabes que te busco porque necesito momentos como el de ahora. Mi mejor terapia es hablar de estas cosas contigo; nunca he pensado ni en tomar medicamentos ni mucho menos en el suicidio, otra llaga de nuestra generación.

—Bueno, ésas son palabras mayores. El suicidio me aterra. Prefiero volver al tema anterior. Valentina: háblame de algo diferente.

—¿Cuánta droga viene a San Petersburgo? Es que nosotros estamos en un punto estratégico en el norte y me imagino que por aquí el camino es más corto para llegar a la costa Éste de los Estados Unidos.

—No sé cuánta pasa por aquí, pero debe ser mucha. Imagínate: el mercado de los Estados Unidos a la mano. Ahora dime, tortuguita: ¿cuál es el desenlace de tu cuento? —preguntó Emilio.

—Pues que a mi padre lo mandarán a Tayikistán en la frontera con Afganistán y China y allá el tráfico y el mercado son más grandes. Yo digo que cada pez llega a las aguas que lo favorecen... Desde allá la droga parte en aviones militares de carga y va hasta el aeropuerto de Bomborí en Georgia, donde se la entregan al jefe del Frente de Liberación Nacional. ¿Qué hacen los guerrilleros? Tienen laboratorios clandestinos y transforman la amapola en heroína y esa heroína parte para Rusia y Rumania. Y de ahí, para el mercado más próspero del mundo. Espera, todavía no he concluido —le dijo ella cuando Emilio trató de abrir la boca—. Hay bandas de sudamericanos en Finlandia y en los países Bálticos, terrenos que tú conoces, traficando también con armas y metales estratégicos y obras de arte. ¿Lo sabías?

—Sí, ya te lo había dicho, pero no sabía que estaban conectados con los amigos de tu papá.

—Con él y su mafia... Y hay otra red de italianos y de sudamericanos y de rusos, por supuesto, sirviendo en los barcos de una gente de Moscú que trabaja con las mafias georgianas. Esos barcos salen de un puerto georgiano...

—¿Cuál?

—Poti, pero no me interrumpas. Decía que salen de allí con heroína, hacen una primera escala en Rumania y luego parten para América Central.

—Ya lo he escuchado: navegan hasta Costa Rica y Guatemala y vuelven con bananas, café y cacao, y desde luego, cocaína. Ésa la distribuyen los georgianos en Europa occidental.

—¿Y aquí?

—No conozco las dimensiones del mercado. Aquí la gente todavía no se ha metido en lo de la coca... Pero es que el tejido que comenzaste, todavía es más denso: los de Georgia que cuentan con el apoyo de los chechenos, han entrado a competir en las mismas rutas y utilizan algunas veces los mismos barcos. Ellos también llevan heroína. Pero, además, están los *Lobos Grises* compitiendo para llevarse otro trozo de la tortilla, y detrás de toda esa jauría vienen un poco más silenciosos los *chelnaki*, con opio del Asia y paja de amapola de Ucrania y heroína de Turquía... Y sé que comenzaron a traficar con metadona. ¿Sabes qué es eso?

—Supongo que sí.

—Una especie de opio hecho en laboratorio: tabletas, droga dura. Por ésa me estabas preguntando antes.

—¿Ése no es el temgesic?

—No. El temgesic es otra cosa. Temgesic es la heroína sintética. ¿Sabes quién la trae a la universidad? Los estudiantes hindúes.

—Nada qué hacer, como dices tú, entrañable mío. Nicolai Andréievich, mi padre, me contó que en Georgia uno de los ministros le dijo que allí los mafiosos son considerados como héroes y se enteran de todo lo que va a hacer la policía para controlarlos: una parte de las autoridades anda en el negocio. Mira a quién se lo dijo... ¿Tú sabes cuánto gana allí un policía? Casi igual que un pensionado. Y un profesor, lo mismo; y un empleado del Estado, igual. Ésos consiguen apenas para un pan, pero ya no se comen el pan: meten heroína.

Comenzó a soplar la brisa y los cabellos cayeron sobre la cara de Valentina Nicoláievna. Emilio se inclinó y los fue retirando mientras le besaba la frente. Ella lo abrazó y permanecieron unos minutos en silencio hasta cuando ella propuso que dejaran la pequeña embarcación y caminaran por el bosque.

El piso marrón, por el efecto de las sombras de los árboles, tenía una enorme fuerza en el contraste con las hojas vencidas que comenzaban a cubrirlo. La combinación de verde, escarlata y amarillo y las hojas arrastradas por el viento en sus últimos relámpagos de vida despertaban en él sensaciones que iban desde la tristeza hasta una completa felicidad como la que sentía ahora caminado de la mano de Valentina Nicoláevna. «Es la llegada del *otoño dorado* de Rusia», dijo ella, y se detuvieron bajo un álamo.

Arriba del tronco y por entre las ramas, algunas veces veían el cielo descolorido.

Cuando volvió el silencio, Emilio trató de incorporarse. Ella dormía sobre la hierba y él recorrió con los ojos una vez más su cuerpo largo y delgado, la piel lisa, el vientre sólido, la cabeza hacia delante, las rodillas tensas, y un par de callos gruesos en los talones. Cuando estaba de pie, en ellos descansaba su cuerpo.

Valentina entreabrió los párpados y lo miró:

—Sí, te amo, pero es cierto: con distancia de por medio —dijo—. Separarnos fue una decisión sensata porque no perdí nunca la imagen que tuve de ti desde la primera vez. Entre otras cosas, la distancia sirve para conservar los sentimientos. Algunas veces para magnificarlos. Cuando pienso en ti, creo que te veo más humano de lo que eres. Otras veces digo, no. Es así. Es como lo conocí y como quiero seguirlo viendo. Acababas de llegar de Kalinin, estabas sentado en uno de los jardines a la entrada de la universidad con la cara entre las manos y los ojos distantes. Era verano. Era también un atardecer y cuando te acercaste, hablaste de la luz, de la perspectiva de los troncos de los tilos en las sombras. Eras sencillo como hoy, y creo que menos sensible que ahora. Ahora vibras en silencio.

Se levantaron después de la caída de la tarde y caminaron en busca de la ciudad.

—Cambiemos el tema ahora —dijo ella.

—De acuerdo: no más droga.

—No. Lo que quiero decir es que cambiemos de droga. Me ibas a contar algo del África. Me interesa saber qué está sucediendo en esta Nueva Rusia porque soy una víctima de la maldición china.

—¿Cuál de tantas?

—*Te condeno a vivir en una época interesante.*

—Aquel muchacho de Ghana con quien estudiamos... ¿Lo recuerdas?

—Sí, pero no lo conocí. Hablé pocas veces con él de lo que habla uno en la universidad, pero nada más. Nunca me pareció el más accesible.

—Yo lo traté bastante —comentó Emilio—. Era buena gente, silencioso más que otra cosa, pero buen estudiante y buen trabajador. Continúa viviendo aquí y algunas veces conversamos. Creo que anda metido con una gente de Ucrania que va y viene llevando y trayendo de aquello. Yo le pregunto cómo están las cosas y me dice, «bien, muy bien», se mira la ropa italiana y me invita a una cerveza y no sabe cómo halagarme porque fuimos realmente buenos compañeros, pero ahora no lo veo tan bien. Me parece que vive angustiado. Estás con él y mientras conversa desparrama la vista hacia todos lados, se fija en cosas que a uno no le llamarían la atención. Una vez en la entrada al metro en Gostini dvor, que, tú sabes, es estrecha y uno no tiene tiempo para fijarse en quién entra o en quién sale porque todos llevan prisa, me tomó por un brazo y sacándome hacia la avenida, me dijo: «Ese tío es de la policía, caminemos». ¿Por qué? ¿Pero por qué si no estamos haciendo nada malo? «Por si acaso», respondió... El hombre trabaja con gente que lleva heroína y trae coca de Sudamérica.

—De Colombia, claro.

—No, del Brasil. Allá la están produciendo y la mandan directo al África donde la pasan de país en país hasta que llegan a Rusia y de ahí logran saltar a los Estados Unidos. ¿Recuerdas a Paulinho?

—Sí, estudió electrónica. ¿Qué hace ahora?

—Búscalo en el puerto. Anda metido en esos ambientes. Te lo digo porque me ayudó alguna vez a conseguir transporte en barco a Suecia y Holanda, pensando que el mar era un camino más fácil para venir con ropa usada. Le pregunté qué estaba haciendo allí, y me dijo abiertamente:

»—Dinero. Con la electrónica no consigo para vivir.

»—¿Y por qué no te vas para tu tierra? —le pregunté.

»—Por lo mismo que tú.

»Creía que yo andaba en el tráfico de droga y pensé: "Si le digo que no, no me lo va a creer". Nos tomamos unas cervezas porque yo andaba orientándome en esos ambientes del puerto y al final me propuso que trabajara como "mula". Lo mismo me dijo el de Ghana. A ver si esta historia me sale bien ligada, porque reúne lo que hablé con ellos en dos ocasiones diferentes, pero me parece que concuerdan:

»—¿Cómo es el asunto? —le pregunté a Paulinho para seguirle la onda, y me habló de su vida. Él había nacido y creció en una favela. ¿Sabes qué son las favelas? Esos barrios de gentes muy pobres, muy pobres, en las grandes ciudades del Brasil. La droga llega hasta allá, y allá van las gentes ricas a comprarla. Siendo niño, él comenzó a vender cantidades pequeñas, luego un poco más a medida que se relacionaba mejor con la gente de la *quadrilha*, o sea la banda que dominaba la favela donde él vivía. Me contó que era una banda bien organizada, armada con fusiles de asalto, bazucas y granadas para defenderse de las demás. Las cambian por droga y arman a los jóvenes y algunas veces a los niños.

»Un día lo llamó uno de los mayores y le dijo que cuando cumpliera la edad, no recuerdo bien cuánto me dijo, tal vez dieciocho años o algo así, debía irse a la milicia si quería continuar viviendo allí. "¿Para qué?", le preguntó él, y el otro respondió: "Para que conozcas las armas. Vamos a volverte un hombre". Volverse hombre era asesinar policías. Cada policía tenía un precio, cada cadáver era un sueldo. Él le preguntó a uno más grande si había asesinado policías, y aquél respondió: "Aún no conozco ese placer". Paulinho tendría entonces unos diecisiete y medio y mientras crecía debía sumarse a "los de la cuerda". El trabajo era cortar los cables telefónicos cuando alguien estuviese llamando a la policía, y también cortar los de la energía en el momento de llegar los cargamentos de coca o marihuana. Parte de lo que ganaba tenía que entregarlo a un fondo de los mafiosos, y con ese dinero y el que aportaban aquéllos, financiaban a la escuela de samba de su favela en los carnavales de Rio de Janeiro.

»No sé cómo ni en qué circunstancias él había conocido a un hombre del gobierno y se hizo a su confianza, y ese hombre le preguntó un día por qué no estudiaba. "Yo sí estudio", le dijo Paulinho, "pero para estudiar debo pagar, y para pagar, bueno, vendo esta cosa y vendo marihuana del noreste".

»El hombre vio que era inteligente, como realmente lo es, y le consiguió una beca aquí. Pero fíjate cómo es el destino: en San Petersburgo conoció a unos nigerianos que comenzaban a traficar con coca hacia Estados Unidos. Ésa la mandan a través del sur de África otros nigerianos que viven en Brasil.»

Hizo una pausa y Valentina Nicoláievna le preguntó qué tramaba.

—Nada, simplemente tu boca me saca de cualquier tema. Eres un ser oral, eminentemente oral. Pienso que la fuerza y el instinto de tu vida están alrededor de tu boca. Lo sabes mejor que nadie.

—Y ahora después de todo, ¿qué más piensas de mí?

—Pienso en muchas cosas. Por ejemplo, que pasas continuamente del júbilo a la tristeza, que te gusta más huir que hacer frente y atacar.

—No es así. Yo ataco antes de que lo hagan conmigo.

—¿Por eso me pusiste en la calle cuando vivíamos?

—Es posible. Sí.

—Pero de todo —continuó Emilio—, el sentimiento que capto mejor en ti es que crees que la vida te debe algo.

—Eso es así. ¿Y qué más?

—Que generalmente no pides lo que necesitas porque temes ser rechazada. Me parece que es parte de lo que te sucede con tu padre.

Ella calló un instante y luego le pidió que regresara al cuento de los nigerianos.

—Ése es un cuento complicado —comentó él. Se llevó la mano a la mandíbula y ella lo interrumpió.

—Yo creo que tu mandíbula dura debe gustarles a las mujeres.

—Ya no es hora de decirlo. Estábamos hablando de los nigerianos. El asunto es que cuando se acabó la Unión Soviética, los nigerianos empezaron a mandar a gente blanca y pobre de Inglaterra y a algunos franceses a que fueran a tomar el sol en las playas de Río de Janeiro y de paso trajeran las maletas que allá les obsequiaban. Menudo ofrecimiento, porque, además de regalarles los pasajes, les daban algo para que pagaran el hotel y todo eso. Por su parte, los que estaban allá mandaban jóvenes de Uruguay y Argentina a conocer Europa con maletas cargadas de droga. Difícil decir que no a esa edad.

—Los nigerianos son muy unidos —dijo Valentina—. Uno los ve en la universidad, no digo lejos de los demás porque se integran bien con el resto, pero de todas maneras cerrados en clanes, reuniendo dinero. No sabía qué hacían con él y Boris, el que se retiró antes de terminar por un accidente deportivo, Boris, el ciclista, ¿lo recuerdas?, me dijo que eran traficantes. ¿Traficantes? Fue una de las primeras noticias que tuve de aquello y, definitivamente, tan ingenua, o tan desentendida de esos asuntos, me quedé de una sola pieza. Bueno, el asunto es que Boris me contó esa vez que los nigerianos tenían una tesorería común, entre otras cosas para defenderse de la extorsión que les hacían otras bandas de extranjeros que ya se habían organizado en San Petersburgo. Italianos y polacos y gente de Pakistán. Eran tantas...

—Los nigerianos —interrumpió Emilio—, necesitan de los rusos porque generalmente prefieren no conducir sus autos y los contratan como choferes y ahora andan ligados con mafias de brasileños, italianos y polacos. ¿Sabes? Se mueven por los clubes nocturnos que han abierto los estadounidenses en esta ciudad. De allí parte una porción de droga hacia Norteamérica. Ésos mandan a mujeres blancas, de Hungría, de Bielorrusia, de Ucrania, para Nueva York.

—A mí hoy no se me hace raro que los nigerianos estén tan metidos en eso —dijo Valentina Nicoláeievna—. Recuerdo que uno hablaba con ellos y siempre terminaban en el tema de la pobreza de su país, aunque aquí lo tenían todo. Pero ese era un tema recurrente en ellos... Bueno. Ahora dime, ¿cuál es el cuento tan «complicado» que decías hace un rato?

—Ah. El de la traída de la coca por África.

—Yo no conozco el África, pero tampoco me parece «complicado» escuchar y entender estas cosas, entrañable mío.

—En Brasil producen marihuana y cocaína en laboratorios escondidos en la selva amazónica, que es un continente, y la sacan por los caminos más extraños y más largos que yo haya escuchado. Lo que sucede es que los brasileños son tan silenciosos como los *chelnaki* y no se ven. Pero la están produciendo. Parte de esa coca cae finalmente en Ghana llevada en avión por la mafia de los nigerianos desde Brasil. Los cargamentos llegan a Lagos, en Nigeria, y desde allí se van por tierra a Abidján en Costa de Marfil, cruzan ese país y llegan a Accra la capital de Ghana.

»Paulinho me dijo que de Ghana la sacan las mulas locales. Te voy a decir los caminos que me enseñaron, para que veas las vueltas que dan por el mundo para meterse en los Estados Unidos. No trates de memorizar tantos nombres porque te confundes, pero te voy a mencionar algunos y tú haces composición de lugar.

»La heroína de Birmania llega a Accra y de ahí parte junto con la cocaína brasileña por muchos caminos hacia Europa, y de Europa pasa a Estados Unidos».

»Esa heroína la compran los nigerianos en Bangkok y en Hong-Kong, donde ellos son muy fuertes. De allá viajan hasta Acra a través de Singapur en Malasia, que es lo más al sur que encuentras en Asia y allí lo recolectan todo. De ese punto, una parte sale para Yakarta en Indonesia y de ese lugar la llevan a Moscú. El resto del camino es fácil de imaginar: Moscú y San Petersburgo. Aquí la meten entre un barco, ése es parte del trabajo de Paulinho, un barco que cruza por el norte de Europa, deja parte en Amsterdam, una de las capitales del vicio en el mundo "civilizado", otro tanto se queda en Alemania, en Francia y España, y de allí sí se abren a buscar México o Jamaica en el Caribe. El asunto es que el destino del cargamento son los Estados Unidos.»

—¿Y el resto de la heroína?

—Ésa la llevan de Birmania al sur del Asia y de allí al norte de África, o sea Trípoli, en Libia. Se devuelven con ella hasta El Cairo en Egipto y de ahí regresan al África occidental, a un punto llamado Lomé en la república de Togo, ya muy cerca de Ghana, adonde arriba por tierra a través de Abiyán, en Costa de Marfil. De ahí en adelante, imagínate lo que tendrán qué hacer para terminar en América del Norte. Se me ha olvidado una cantidad de sitios que me señaló este hombre... De todas maneras se trata de llegar a Estados Unidos, el mayor consumidor de vicios en el mundo. Ahora no recuerdo mucho porque era una historia, caray, yo digo que barroca por la cantidad de detalles que contaba Paulinho hablando de las rutas.

—Fíjate: el asunto no era tan «complicado».

—Yo creo que sí, pero tú tienes la inteligencia clara.

—Y el ego pequeño. Sin embargo, ahora deseo saber cómo me ves —preguntó Valentina

—No quiero pisar tus terrenos. Los dos sabemos que eres irritable pero te tragas la ira y una vez te atragantas con ella, te castigas tú misma. No quiero llevarte hasta allá.

—No es así. Dime algo más.

—Bueno. Pienso que en este momento no sabes cuáles de tus preocupaciones salen de tu imaginación y cuáles son reales, y cada día te veo más atractiva pero en el tipo de mujer que invita a ser cuidada. Eres de aquellas personas que uno admira por su inteligencia y a la vez telegrafía algo como «cuídame, quiéreme». Hablas siempre de independencia, pero buscas el abrazo. Algo así como «te necesito pero no me atrapes, pero por favor abrázame». Mira: yo no soy psicólogo ni nada parecido. No me hagas decir cosas. Temo herirte.

—No. Tú no me hieres. Para nada...

—Entonces te diré lo último: tienes una mirada que suplica amor. Hasta ahí. Se me agotó la inspiración. Regresemos atrás.

—Bueno, entonces quédate con el geólogo de Ghana.

—Recuerdo que un día estaba más o menos tranquilo y le puse el tema de Brasil y tal, y comenzamos a hablar de estas cosas y él tomó un lápiz y sobre la servilleta que nos pusieron con la cerveza y el plato con *shaslik*, trazó mapas y puntos señalando continentes y aeropuertos y cuando terminó, me dijo:

»—Quémala ya.

»—¿Quemarla? ¿Dónde? No soy fumador, no tengo fuego.

»—Entonces vete hasta los servicios y la tiras a la taza.

»Tenía una cara de pánico que te hubiese asustado a ti también. Estaba paranoico y no quería cargar con aquel trozo de papel. Para tranquilizarlo, le dije:

»—Hombre, cálmate. Yo la llevo conmigo y la destruyo en casa.

»—No. Dámela entonces, dámela —me dijo y estiró la mano, la agarró, se la metió entre la boca y se la comió. Óyeme bien: se comió la servilleta allí mismo.»

—Ahora hablabas de Amsterdam —continuó Valentina—. Cualquiera que haya pasado por Holanda te cuenta cada historia... Hace un mes Liena y Aleksandr preparaban un viaje por el norte de Europa. Tomaron un plan en buque y cuando empezaron a contármelo, les pregunté si visitarían Holanda, y Liena dijo:

»—¿Cómo crees que vayamos a pasar de largo por "el supermercado de las drogas"? »Tú me dijiste que habías estado allá cuando vendías ropa vieja y cacharros eléctricos, pero no te pregunté nada, porque entonces no me había interesado por estas cosas. Anda. Habla que tú no eres mudo.»

—Ésa fue la vez que me ayudó Paulinho. Como a él le había dicho que no quería saber nada de su ofrecimiento como «mula», me preguntó qué deseaba, y yo le dije: «Viajar por mi cuenta, hacer mis propios negocios, pero no tengo dinero de sobra», y él me consiguió sitio en un buque que salía de San Petersburgo para Portugal, y en el camino hacía un par de escalas que me venían bien. Recuerdo que la primera era en Suecia. Luego se quedaba uno o dos días en Holanda, y yo dije: «Voy a probar suerte allá». La verdad es que no me fue muy bien y regresé a los pocos días en otro que también me recomendó él mismo. Lo de Holanda, como tú dices, es para contar. Amsterdam, y que me perdonen los holandeses, me pareció la ciudad más aburridora y más tediosa del mundo, pero tiene un turismo espectacular de jóvenes *amerikantsi*. «¿A qué vienen? ¿Qué le ven esos muchachos a esta ciudad?», pregunté, y me dijeron que los atraía la facilidad de conseguir toda clase de vicios, porque en eso Holanda es campeón mundial. Los que venían decían que eran consumidores de marihuana pero con el cuento de la yerba, andaban realmente en busca de éxtasis y de cuanto producen los holandeses.

»Hace no sé cuántos años, cuando los *amerikantsi* se volvieron los reyes de la marihuana, decidieron ampliar sus fronteras y no sé cómo lograron meterse a Holanda y empezar con el cultivo. Ellos habían llegado a la "sinsemilla", una marihuana fuerte, y llevaron sus técnicas y comenzaron a producirla asociados con holandeses y apareció la famosa *dutchweed* que, según me dijeron, es más potente que la «sinsemilla». Eso no te lo puedo asegurar porque no la fumé, tú sabes que mi onda es el alcohol, pero el caso es que los holandeses que venían hablando ya de su política abierta frente a las drogas «suaves», la lograron imponer y ese país se volvió lo que es: el paraíso de los viciosos. Los holandeses debieron decir un día como el camarada: "Viciosos del mundo, ¡uníos!". Y los unieron.

»Las guías turísticas que les venden a esos jóvenes en Estados Unidos, te lo digo porque las he visto, traen mapas de Amsterdam en los que figuran, uno a uno los *coffee-shops*, como les dicen ellos, en los que pueden conseguir comida a base de marihuana, con las cartas y los precios en cada lugar. Y los sitios donde les suministran el hachís, y resúmenes de la legislación holandesa como garantía de que si se portan bien metiendo su vicio «blando», no van a parar en una cárcel. El Estado protege allí la producción de marihuana que, hoy por hoy, es uno de los cultivos «alternativos» más rentables de Holanda.

»Como te decía, ése es el telón. Pero uno va allá y al poco tiempo se da cuenta de que, sin quererlo, lo ha descorrido y encuentra en el escenario que el verdadero mercado no es el de la yerba sino el del éxtasis y el resto de las drogas de síntesis, que es muy, pero muy grande, sumado a lo que fabrican en Alemania y en Polonia.

»Cuando yo fui las autoridades habían empezado a perseguir a los fabricantes y sus laboratorios clandestinos en el sur, pero luego se dispersaron por todo el país. ¿Sabes qué hacen ahora? Como venden millones de tabletas, han montado laboratorios clandestinos por tiempo corto y luego tiran las máquinas fabricadas para producir ciertas cantidades, compran otras y se mudan. Es que allí sí se ve el dinero sucio corriendo por todo lado. Y ahí tienes a los holandeses con sus fábricas de droga y su turismo desbordante de jóvenes de los Estados Unidos. Al diablo los tulipanes.»

—O sea que los sudamericanos... ¿Qué?

—No. Si yo no estoy diciendo que Sudamérica sea un territorio libre de estas cosas. Yo no estoy tratando de excusar a nadie, porque hoy no hay país que se escape de este asunto. Por el contrario: estoy contándote algo por lo que tú tienes interés y todo el mundo lo sabe allá afuera, pero lo calla.

—¿Sabes qué pienso de ti ahora? —irrumpió Valentina—. Que eres un hombre sin riquezas ni propiedades, pero que tu patrimonio es la dignidad. Sin embargo, en un lugar muy escondido, tu cara me muestra algo de humillación.

—Lo sé. Debe ser parte del lastre que me dejó la infancia.

—Y le tienes pánico al fracaso.

—Eso se llama responsabilidad.

—¿Cuando te viniste a la Unión Soviética había mafias en Colombia?

—No. Yo viajé justo antes de la época de los narcos. Es que en ese momento mi desesperanza no tuvo el significado de ambición material que le dio justificación a la sicología de los jóvenes que crecieron unos años después. Te lo voy a explicar: en las montañas donde yo nací, las profesiones que escogía la gente eran un monopolio cultural: abogacía, medicina, la curia, uno que otro bohemio como yo, y algo muy importante: economía. Esas profesiones son una forma de personalidad instituida en la estructura sicológica popular. Luego llegaron los narcos que eran una forma de continuar con la voluntad de enriquecimiento de mi raza: si no puedes ser comerciante, es decir economista, eres narcotraficante. Dentro de la lógica del espíritu empresarial o del espíritu económico, al comienzo parecía natural pasar de comerciante a narco y la transición ocurrió sin mayor dificultad. Pero un poco más tarde, las cosas cambiaron. Y cambiaron en una forma radical y violenta.

Cuando terminó de hablar, se quedó mirándola algunos instantes y asintió con la cabeza. Luego dijo:

—Hoy sigo siendo radical en cuanto a la necesidad de crecer en un medio estrecho, porque luego, cuando llegas a conseguir algo por tus propios medios, lo saboreas y lo gozas de verdad. No me gustaría que mi hija tuviese abundancia en la niñez porque eso le quita la capacidad de asombro.

—Eso está en tus manos... Si tienes el valor de arrebatarle a tu suegra... —dijo Valentina y se hizo un silencio que ella rompió más tarde—. Estabas en Sudamérica. La droga.

—Sí. Sudamérica... Habla con los argentinos que viven aquí y escúchalos. Argentina también es productor de coca y ellos no lo niegan. Allá hay laboratorios donde procesan la base de Bolivia que está a su lado y han montado un negocio en el que participan bolivianos y argentinos por igual. Unos llevan la materia prima y los otros la convierten en «salchichas blancas», como le dicen a la coca en Buenos Aires.

»Mira: el asunto es tan abierto allí que hace poco descubrieron ventas a pocos metros del palacio del presidente de la República, la Casa Rosada. Y la venden en los bares que ellos llaman "whiskerias", en las salas de baile, en lugares dónde hacen deportes, y te la suministran los vendedores de emparedados y de flores y de helados, y quien tenga un teléfono móvil la puede pedir y se la llevan hasta su casa, y según lo dicen ellos mismos y allá lo sabe todo el mundo, la policía cobra un porcentaje por dejarlos trabajar. Hace poco, el presidente de la república se enfrentó con el gobernador de un estado y el gobernador pidió públicamente que un médico explorara las narices del presidente. Y la justicia de España pidió que le mandaran a la cuñada del mismo presidente para preguntarle de dónde había salido la riqueza que guardaba en los bancos españoles. No. Si no estoy tratando de inclinarme hacia ningún lado.»

—Cálmate entrañable mío. Cuéntame más. Cuéntame otra historia —dijo Valentina, y a él le pareció que esa noche por primera vez había visto en su cara la de una chiquilla y la besó una vez más. Anochecía.

—*Cerca del lago en bosque perdido...* —dijo él, y ella exclamó:

—¡Pushkin! —Y remató el poema:

...ligera, sombra nocturna,
blanca como la nieve temprana,
una mujer aparece desnuda
y sentada en silencio lo mira lejana.

Se detuvieron bajo otro árbol.

—Estoy fatigado, tortuguita. Me gustaría llegar pronto a la cama —dijo él mucho después.

—A la mía —respondió ella—. Quédate esta noche conmigo.

El piso que ocupaba Valentina Nicoláievna quedaba a unos pocos pasos de la ribera del Neva. Pasaron bajo el arco que conducía a uno de aquellos patios sin interés, porque allí, como decía ella refiriéndose a las zonas comunes de los edificios, «todos somos dueños de todo, pero nadie se ocupa de nada», y subieron a la tercera planta. El piso era amplio, una cocina y una sala, un par de habitaciones más y macetas de hojas verdes en cada rincón. Ella había reformado algunas cosas con el consejo de un pintor amigo suyo que compartía con trabajadores las estancias imperiales del palacio Petergof.

La cocina con estufa nueva estaba separada del salón por tres vigas de pino, anchas y pesadas, y frente a ella, en el salón, sobre el suelo había colocado la parte superior de una mesa redonda sin patas y en torno a ella varios cojines de lana de diferentes colores.

—Alguien la tiró a la basura y me la traje. Debe tener cerca de un siglo —le explicó, y luego señaló la cara sonriente de un gato pintado sobre una lámina de metal que no ocultaba el óxido brotando por entre el barniz.

—Era el letrero de un restaurante muy antiguo, pero también lo tiraron. Lo saqué de la basura. ¿No es muy bello?

—Cambiaste todo esto: salón, cocina integrada al ambiente... Un piso muy occidental —dijo él y ella sonrió.

—Eres alto y tienes pies de elefante. A ver cuál de estas pantuflas te vienen mejor —comentó ella mientras Emilio se despojaba de la chaqueta y la camisa. Escogió uno entre los cinco o seis pares de pantuflas que había al lado de la puerta, pero cuando se disponía a decirle que introdujera los pies, él la abrazó.

A las dos de la madrugada despertaron y vieron el reflejo de la luna detrás de la ventana, y ella la abrió como lo hacía siempre al entrar en algún lugar.

—Tengo hambre, son las tres —dijo él.

—Yo también. ¿Qué quieres comer?

—Solianka bien caliente con carne.

—No me gusta la sopa a estas horas. ¿Quieres mejor unos blinis de caviar y después salmón o un trozo de carne?

—Eres una persona rica. ¿De cuál caviar?

—Me lo envió Nicolai Andréievich, mi padre. Hay *Beluga* y *Sevruga*.

—Me gusta el sabor de las nueces.

—Bueno, *Beluga*, y luego carne y ensalada, me imagino.

—Tú me conoces. Sí.

—Hay una botella de vino de Rkatsiteli de Georgia. ¿La destapamos?

—Tortuguita, tengo la garganta como la suela de una bota y un licor afrutado me anima a estas horas. Sí.

Antes de acercarse a la estufa, Valentina colocó un disco en el pequeño aparato de sonido.

—Ese Preludio... ¡Bach! —dijo Emilio, y la abrazó nuevamente. Colocó la cara sobre su hombro, le aprisionó la cintura con los brazos y ella se quedó también inmóvil. La noche que compartieron almohada por primera vez se escuchaba lo mismo.

A las cuatro encendieron por fin la llama de la estufa. A las cinco ella pidió que se quedara un poco más. Él dijo que sí.

—Pero cuéntame más historias.

—¿De droga? ¿Más historias de droga?

—Me has dicho que conoces muchas. Otra más y dormiremos luego.

—Es que aquí no me gusta hablar de estas cosas.

—No importa, yo puedo calmar esos temores —dijo, y acercó cuanto pudo el aparato con la música a la almohada.

—Este verano fuimos a Israel —dijo él—. País ordenado, disciplinado. «Una maravilla», pensé cuando bajaba del avión, pero luego, en los pasajes de Shaanan Street por donde cruzamos en busca de un autobús para salir de Tel Aviv, nos ofrecían heroína y otras drogas, aun siendo víspera del sábado.

—¿Otras? Dímelo.

—Drogas sintéticas. Allí los que mandan son los judíos que regresaron del *Yiddishland* del Cáucaso, ya legendario, desde luego, y del Asia Central, pero volvieron cargados de droga. Es que ese ambiente de casinos siempre llenos es el mejor anzuelo para cualquier mafioso. Estuvimos en Jerusalén, y allá también las calles llenas de gente ofreciéndote droga. En Haifa, calles invadidas de «rusos», como les dicen allí, vendiendo droga. Todos son pobres, todos están jodidos, todos se quejan de que la pasan muy mal porque son *karaítas* y los persiguen los rabinos, y me imagino, cuanto más los persiga el rabino, ellos tendrán mayores argumentos para justificar su comercio. Ésa es una cara del negocio. La otra es la fortuna que manejan los mafiosos que los controlan. De otra manera no puedo explicarme por qué en pocos años, Israel, un paraíso como Chipre para el blanqueo de dinero sucio, haya duplicado sus reservas de divisas.

—Bueno, no te extrañes. La droga está presente en todo el mundo. Un día, Nicolai Andréievich, mi padre, hablaba con el general Vikov, y le contaba que los chinos contaminaron a los rusos en el extremo oriente de Rusia. Él explicaba que en Javarovsk ha muerto una cantidad de jóvenes rusos por sobredosis.

—¿Te acuerdas con qué droga?

—Sí, claro. Con metanfetamina y efedrina y algo que los chinos llaman «bala de plata», y pervitina, y efedrona... Es una lista larga y una parte se me quedó en la cabeza. Soy buena en química.

—Cuando hablé de drogas sintéticas te quedaste callada.

—Me gusta dejarte hablar... El cuento es que los rusos prohibieron la entrada de esas sustancias, pero los chinos cerraron los oídos. Es que ellos, a pesar de su disciplina y de su rigor, han permitido siempre que la gente trague metanfetaminas. ¿Por qué? No lo sé. Es que después de los enfrentamientos con China hace algunos años, quedaron abiertos muchos pasos en esa frontera y por ahí nos está entrando el veneno.

—La inundación viene por todos los lados —agregó Emilio—, porque en Letonia, donde la Unión Soviética tenía los grandes centros para producción farmacéutica, muchos profesores de química desempleados cuando se separaron de Rusia, se dedicaron a producir droga dura. El éxtasis fue la primera. Y después los imitó Lituania. ¿Sabes una cosa? Los *amerikantsi* que han logrado vendernos la idea de mártires de la humanidad, fueron quienes lanzaron al mundo el éxtasis, a través de su música y de su cine, y son también grandes productores. ¿Sabes cómo le dicen al éxtasis? «La droga recreativa». Cuando el vicio viene de allá, se llama «recreación». No lo olvides.

La noche había desaparecido. Emilio miró a Valentina y después de un silencio, preguntó:

—Dime: ¿por qué siempre que nombras a Nicolai Andréievich, agregas, «mi padre»?

Ella guardó silencio y luego de una pausa larga, respondió:

—No había querido pensar en eso antes, pero ahora que lo dices, sí: es algo que llevo con cerrojo en la mente. Es un sentimiento de siempre.

—¿De qué?

—De abandono.

Emilio le secó las lágrimas con sus labios.

8

Cuando Candelaria abrió los diarios en México estaba lejos de imaginar la mezcla de intrigas e intereses que habían determinado la muerte del Gran Inspector.

La historia era sencilla.

El sargento Lee Moore fue enviado a Colombia a agitar la lucha contra los narcos locales y como el más conocido de ellos era Frank, dijo: «Asunto sencillo. Se trata de un país que produce bananas». Hizo un alto en su trabajo y en lugar de maldecir sonrió para contrarrestar el acecho de sus compañeros que se quedaron mirándolo cuando escucharon la noticia. Aquello era un trampolín en su carrera desde el cual podría exorcizar el lastre que parecía encorvarlo después de años de equivocaciones. Al fin y al cabo, donde se encontraba ahora le parecía inalcanzable congelar la fama de policía burócrata y lograr un ascenso.

Antes de viajar, los compañeros le dijeron que no tendría sobresaltos en su nuevo trabajo. Lo esperaba un medio sometido.

—Hace una semana estuvo allá el jefe Dalton y le colgaron en el pecho la condecoración más importante del país —le explicó alguien.

—¿Por qué?

—Porque sí —respondió, y soltó una carcajada.

Una semana más tarde, Moore se hallaba en un mundo donde la realidad le parecía maravillosa. Llegaba acompañado por otro hombre que nunca hablaba, ni se movía, ni decía su nombre, y en las oficinas del gobierno se abrían las puertas sin que él lo solicitara. Los empleados se ponían de pie y guardaban silencio y los gobernantes se inclinaban respetuosos, y tras una venia, le preguntaban qué podían hacer por él.

Así ocurrió en el despacho del Gran Inspector, o «zar» de las investigaciones como le decían en Colombia, un país en el cual, quien hable en idioma prestado, es importante. Y moderno. El «zar» era de aquellos, pero como Lee Moore ya conocía las letanías que le esperaban, se adelantó:

—Usted puede hacer mucho, no por mí, sino por la humanidad, Inspector.

—¿Qué desea usted míster Moore?

—No me diga míster. Mi nombre es Lee Moore.

—Míster... ¿Qué desea?

—Capturar a Frank Martínez. Es un prófugo de la justicia de mi país y me lo voy a llevar. Si hacemos ese «positivo» usted será un héroe.

—Señor Moore, ¿qué sabe usted de Frank Martínez?

—Todo.

El sargento calló cuanto sabía y el Gran Inspector se comprometió a citar «inmediatamente» a una junta de seguridad, luego de la cual ordenaría una investigación exhaustiva, y un operativo policial, que desde luego encabezaría Lee, y Lee le dio un plazo justo para que cumpliera con lo ofrecido.

—El embajador verá con agrado cualquier esfuerzo suyo —dijo, y se marchó.

Pese a su cargo, el Gran Inspector sabía que no contaba con suficiente apoyo del Estado para emprender una lucha abierta contra los narcos, y por tanto, su acuerdo con Moore lo conduciría irremediablemente a un enfrentamiento personal con Frank Martínez.

Algo comentó de aquello ese día, o se lo confesó a alguien, o su mujer lo dijo en la peluquería, pero el asunto llegó pronto a oídos de Frank y éste llamó a Gina:

—¿Hay cintas del Gran Inspector en los archivos de El Plató?

Ella buscó en una computadora y un poco después se comunicó con él:

—Tenemos algo más de una hora. Buen sonido, buena imagen...

—Pero, ¿de qué? Dime de qué.

—De Rasputín divirtiéndose con una chica. Luego con un muchacho —informó sonriendo, y Frank le ordenó que hicieran copias y se las enviaran a los ministros, a varios diputados, al Cardenal, a los socios del Club del Country, a la mujer del «zar» y a los colegios de su hijos y a los de la prensa y a los de la televisión, «Y carajo, a cuanto chismoso se te ocurra».

Por eso se mató el Gran Inspector.

Desde luego, para Frank, aquella tragedia significaba venganza. Pero según se lo comentó al secretario de Aviación que se hallaba con él en ese momento, también le permitiría mostrar su poder, y a la vez sentar un precedente para quien intentara perseguirlo, «así se trate del zar, o del sultán, o de quien sea».

Le ordenó a Peligro, un matón de su confianza, que comprara un auto a nombre del Diputado que apoyaba al «zar» y lo cargara con algunos rockets, pistolas y un par de fusiles traídos de México.

—¿Qué debo hacer con todo esto?

—Un atentado contra el jefe de inteligencia de la casa del Presidente. Pero a ese hombre no lo pueden tocar. Debe salir ileso. Disparen sobre el chofer para inmovilizar el vehículo y por favor, cuídense de abandonar el auto con el armamento muy cerca del sitio. Necesito que lo encuentren.

A partir de allí fue emergiendo el verdadero perfil que había reprimido en su interior desde la infancia y eso lo condujo a elaborar una fórmula para atemorizar y alimentar su fantasía como dueño de vidas y destinos. «Soy inteligente, adinerado y bandido, pero no un bandido cualquiera sino el mejor de todos». Le gustaba esa palabra, la sentía, pensaba que si algún día se la dijeran en su cara, estarían haciéndole un reconocimiento y el primero que se atreviera sería un afortunado. «¡Bandido!», se dijo, y creyó escuchar una sonoridad especial.

A partir de allí comenzó por multiplicar sus ojos y sus oídos. Ordenó entregarles dinero a taxistas, empleados de restaurantes y hoteles, a gente de la Guardia Nacional, a cuanto ser estuviera en contacto directo con la ciudad, y aumentó el número de matones a su servicio.

Alguien que presentía la historia oculta detrás del suicidio y del atentado, levantó la voz en la Cámara de Diputados y luego a través de la televisión, y Frank le dijo a Peligro: «Secuéstrenlo y tráiganmelo».

—¿Aquí?

—No. A la Planta Veinte.

La Planta Veinte era un piso en un edificio moderno que sólo conocían él y dos o tres de los pistoleros a su servicio. Como en El Plató, hizo cubrir los techos y las paredes con espejos, pero allí no había cámaras. Se trataba de una «casa de seguridad» en la cual, quien tratara de enfrentarlo, en lugar de su imagen vería la propia multiplicada en los cristales y él, que conocía cada rincón y cada vértice, contaría con el «factor sorpresa» en su favor.

El diputado llegó allí atado y una vez le quitaron la venda de los ojos vio a Frank sentado al frente de él y entró en pánico. Le golpearon la cabeza con un revólver y cuando tuvo claridad, preguntó qué estaba sucediendo.

—Que su lengua es larga —comentó Frank.

—Pero comprenda lo mío, yo tengo mis ideas, cuento con el derecho de hablar y de debatir los asuntos del país...

—Está bien: tenga sus ideas y haga uso del derecho a la palabra. De acuerdo. Pero enfoque sus temas por otro lado y sepa, si no se ha dado cuenta, que yo soy quien tiene el control de esta ciudad. Por eso usted no puede continuar con el cuento del suicidio de su amigo y con lo del atentado al hombre de la Inteligencia, que no tienen nada que ver conmigo, de manera que cállese ya. No riegue veneno y podrá vivir en paz.

Hablaron cerca de una hora y al final, con los ojos brillantes, el diputado dijo que aceptaba aquellos argumentos y antes de la medianoche lo dejaron libre lejos de allí.

Sin embargo, la semana siguiente volvió a pedir justicia, esta vez en términos más enérgicos, y horas más tarde fue acribillado en una avenida.

Cuando regresaron los matones, Frank hizo llamar a Peligro:

—Supe que llevaste a dos cobardes. ¿Por qué haces eso? —le preguntó.

—Señor, yo no ando con cobardes. Todo lo contrario. Para nosotros es una dicha; óigame bien: un placer morir en el coche y no en los calabozos de la Guardia, porque allá torturan durante uno o dos días, mañana y tarde, y ésa es una muerte muy severa. En cambio cuando uno está caliente por la acción... Mire una cosa: de todas maneras nos vamos a morir: a bala o como sea. Entonces yo le he dicho a mi gente que la muerte en los calabozos de la Guardia es peor que la del cáncer o la de un riñón, que son muertes penosas, pero, son otra cosa. En cambio con un balazo no se siente nada y el organismo es tan perfecto que lo prepara a uno para la muerte. Cuando uno está en riesgo, algo lo irriga con adrenalina y se tranquiliza. Y mire otra cosa: usted lo sabe, porque es un bandido como yo...

—¿Un, qué?

—Que usted también es un bandido.

—Muy bien. Continúe —le dijo escondiendo una sonrisa, y el hombre continuó:

—Usted sabe que uno ama el peligro porque le gusta jugar con la adrenalina, la calma, la salida del trance, luego volver a él. Cuando empieza la guerra uno siente temor. Miedo no. Si fuera miedo uno no era bandido y no andaría en estas cosas. Digamos que siente temor, pero cuando llega la acción y uno sabe que puede controlar la situación o estar dentro de ella, y también sabe salir, el temor desaparece, el efecto se vuelve contrario y lo que estaba en contra de uno cae sobre los demás. Yo no ando con cobardes, señor.

Un poco después sonó el teléfono. Era Candelaria: «¿Qué está sucediendo allá?».

—Nada que tenga qué ver con nosotros —le dijo Frank—. Sucede que la política se ha enturbiado y el gobierno reacciona con torpeza. ¿Cómo van las cosas en México?

—Más mal que bien. Sólo se escucha de muertes y secuestros.

—Aquí es igual.

—Iré dentro de un mes. Tú sabes lo que pienso de este camino.

—Un mes no. Espera más tiempo, no es conveniente que abandones ahora tu trabajo porque allá el momento es crítico. Lo sabes muy bien. Continuaremos hablando y yo te diré cuándo debes venir. ¿De acuerdo?

—Tú mandas.

La vida de Frank dio un giro. Se había rodeado de algunos de sus compañeros en la Academia, bebía con frecuencia y su sentimiento de triunfador y de invencible que no admitía equivocaciones fue desbordándose a medida que crecía su deseo de hacer pedazos el mundo.

Una noche durante el sueño creyó escuchar una voz que le decía: «Frank, los buenos bandidos son solitarios porque el hombre solo no tiene tendón donde lo hieran», y mandó a la rubia psicodélica con sus hijas y sus gatos a vivir en Francia al lado de sus familiares.

—En la cama, Frank no es propiamente para alquilar balcones —le dijo Colette a su hermana cuando regresó a Saint Jean de Luz.

¿Cómo lo iba a ser si ella le había castrado el ánimo desde el primer día?

El exceso de alcohol y tal vez la ausencia de Colette, lo llevaron a sentir quebrantos de salud que realmente no lo afectaban y ahora padecía de una enfermedad diferente cada día. Al despertar contaba que estaba luchando contra algo similar al cáncer, otras lo aquejaba una úlcera o sencillamente lo que hubiese imaginado durante el sueño. La gente de su confianza subía a la habitación y rodeaba la cama y él entornaba los ojos, extendía los brazos y hablaba en voz baja, hasta cuando alguien lo interrumpía o simplemente se atrevía a nombrar al médico. En ese momento recobraba el aliento y los echaba de allí. Pero si permanecían callados, también estallaba. Dejaba la cama al final de la mañana y bajaba a la oficina de recibir.

«Los bandidos deben vivir en lugares que los demás desconozcan», dijo la voz otra noche, y se mudó a lo más alto de un edificio. Para estrechar su seguridad, adquirió el resto de las plantas a través de terceros y las mantuvo deshabitadas. «Quiero que sea un edificio inteligente», comentó después y lo dotó de cuanto sistema electrónico tuvo al alcance. «Quiero más lujo», y compró una serie de esculturas en bronce y otras en mármol que le parecieron terribles al decorador. Como nadie debía saber dónde vivían los bandidos, días después hallaron en un camino el cadáver del decorador y los de varios trabajadores que habían pintado los muros de la edificación.

Tal vez por esos días uno de sus hombres le dijo a un compañero suyo que había visto a una chica pagando con dólares en una tienda. Él se le acercó y le pidió que le vendiera algunos y ella aceptó. Era una mujer simpática, y sin preguntarle mucho, porque generalmente no dejaba de hablar, se enteró que bajo el piso de su casa alguien guardaba una montaña de dinero.

Ella lo sabía porque cuando abrían la losa bajo una alfombra y empezaban a contar, o sacaban, o metían dinero, o simplemente la dejaban abierta para que el sótano recibiera aire, a ella le permitían acercarse. «Desde luego, un error garrafal, pero a mi favor», pensó el hombre.

La chica vivía allí con sus padres y tenía un novio, y cuando ella se lo contó, el novio le aconsejó: «Espera a que descorran la losa y cuando empiece a salir el vaho de los billetes, te arrastras y agarras cuantos puedas». Desde entonces ella tomaba lo que cabía en sus manos y se lo entregaba al novio, un muchacho de barrio pobre que empezó a vestir como nunca lo había imaginado y compró una moto y una guitarra y se dedicó a la buena vida.

Al padre de la chica no le gustaba el novio. Como respuesta recibió una paliza y dos o tres días después, otra. Camino de un hospital, porque se sentía aturdido, cruzó una avenida y un coche le quitó la vida.

Al escuchar la noticia, el dueño del dinero fue por él, pero la mamá y la chica le dijeron que no lo hiciera. Ellas podrían continuar cuidando aquella casa. Eran pobres y él les permitió que se quedaran.

«Segundo error», pensó el pistolero. «El narco se entera de que apalean al señor y luego muere, y a pesar de eso deja allí su fortuna».

—Ese dinero es nuestro —le dijo más tarde a su amigo.

—Vamos por él.

Cuando llegaron allí encontraron a la chica y antes de atarla la obligaron a mostrarles la alfombra. Entraron en la habitación de la mamá, la ataron, apagaron las luces y se marcharon con ellas. En el camino hicieron salir al novio de su casa, lo embarcaron en el auto y también lo ataron. Antes del amanecer les quitaron las cuerdas colocadas en sus manos y los lanzaron al fondo de un despeñadero.

Iba a amanecer cuando descorrieron la losa, pero encontraron tal cantidad de dólares que no pudieron sacarlos. No llevaban sacos, ni un segundo auto, ni tenían dónde esconderlos y se contentaron con tomar unos cuantos, cerrar la casa y marcharse. Durante las noches siguientes regresaron y llenaron bolsas y maletas y después sacos, hasta vaciar el sótano.

Una tarde alguien le contó a Frank que el hombre de la esvástica necesitaba reunirse con él.

—Llévenlo a la Planta Veinte —ordenó.

Cuando se reunieron, el de la esvástica soltó sin preámbulos:

—Señor, me robaron cuarenta millones de dólares.

—¿Qué quiere que haga?

—Ayudarme a encontrarlos.

Los pistoleros eran gente de confianza de Frank y sabían que cargar con aquella fortuna representaba un problema para ellos. No sabían quién era su dueño, ni contaban con los canales para ponerlos en circulación y resolvieron decírselo.

—Señor, hemos encontrado cuarenta millones de dólares.

Frank abrió los ojos y cuando pudo tomar aire, fue breve.

—Déjenme ese asunto a mí. Yo puedo manejar la situación.

—¿Y...?

—El setenta por ciento será mío. El resto, para ustedes.

—Lo que usted diga, señor.

—Traigan el dinero.

Ordenó que les dieran un camión. Una vez el cargamento estuviera en su poder, debían llevarlo a una casa en el campo que ellos conocían.

Cuando llegaron allí, Frank los esperaba con cinco personas más, y cuando el camión quedó vacío, se acercaron al arrume de sacos y empezaron a sacudirlos y a caminar en torno a ellos. Emplearon un día y una noche contando los dólares.

Cuando la respiración volvió a su ritmo, Frank mandó llamar al de la esvástica y le dijo que finalmente había localizado el dinero.

—¿Dónde está?

—Lo tiene una banda de cuidado, pero podré llegar a él —le explicó.

El de la esvástica hizo una pausa para estirar el tiempo y tratando de sofocar la alucinación en sus ojos, le mostró los dientes:

—Yo también he investigado y ese dinero lo tiene su gente —dijo.

—Eso no es así. Ya no quiero conversar con usted —respondió Frank y le dio la espalda.

El de la esvástica se quedó inmóvil, esperó a que alguien lo escuchara y cuando vio que lo habían abandonado, buscó la puerta. A un kilómetro de allí su coche fue abordado por gente de Frank. Lo llevaron de regreso a la casa, lo ataron, le vendaron los ojos y los de la Academia, expertos en estos manejos, lo hicieron hablar. Él no solamente les dijo dónde tenía más dinero escondido, sino qué cargamentos de cocaína se hallaban camino a México. Cuando Frank tuvo en sus manos aquella fortuna, desapareció el hombre de la esvástica.

Ahora las dependencias del gobierno olían a tabaco. El sargento Moore fumaba puros. Cuando visitó al Gran Magistrado, encontró a un hombre diferente del que le habían descrito. No le pareció arrogante, ni agrio. Escuchó sus teorías, y aunque no lo esperaba, se encontró con que también hacía venias, y cuando terminó la actuación, le dijo su nombre, y agregó:

—Créame. Confíe en mí. Yo soy el gobierno de los Estados Unidos.

—¿Qué puedo hacer por...?

—Algo sencillo. Darles órdenes a sus jueces para que revivan los juicios contra Frank Martínez. Magistrado: me parece increíble que a un enemigo público como es ese hombre, le permitan andar libre por estas calles.

Recostándose en su silla, el Gran Magistrado intentó ofrecer una explicación, pero el sargento arremetió:

— Prefiero que hablemos en español.

—Gracias por su cortesía míster Moore.

—No es cortesía.

El magistrado insistió y Moore volvió a interrumpirlo:

—En español, por favor.

—Bueno —comenzó diciendo nuevamente—, los jueces y aún nosotros tenemos un cúmulo de trabajo tal...

—Ésa no es disculpa, magistrado. El embajador estaría muy reconocido si usted ordena revivir esos juicios, y además, abre los ojos con los jueces para que hagan cumplir la ley. Nosotros necesitamos a Martínez tras las rejas. Luego ya nos lo entregará usted.

—Míster Moore, necesito un tiempo prudente para estudiar primero cada caso.

—¿Cuánto significa «prudente»?

Creció tanto la humareda en el despacho como la arrogancia reprimida, pero a pesar del silencio insultante del magistrado, el sargento Moore estaba seguro de haber conquistado otro islote.

Unos días después, Frank se enteró de lo que estaba sucediendo a través de sus pistoleros, porque el sargento Moore dio la orden de que quien mandaba en las prisiones filtrara entre los detenidos la noticia: el Gran Magistrado iba a ordenar la captura de Frank Martínez para luego entregárselo al gobierno de los Estados Unidos.

Como el narco conocía el poder del magistrado sobre la justicia, y la presión de Moore, y detrás de él la del embajador, llamó a los de la Academia:

—Díganme realmente quién es el Gran Magistrado.

—Un juez influyente por el cargo que ocupa. Generalmente es cauteloso y en estos casos resulta eficaz.

—Cuéntenme de su familia.

—Ahhh. Tiene un hijo. Solamente un hijo. Ya te imaginarás lo que significa para él.

—¿Qué hace el hijo? ¿Cuántos años tiene? ¿Para dónde va? Quiero información.

—Debe haber cumplido los cuarenta años o algo así y también quiere formar parte de las Cortes. Su papá ha movido todas las cuerdas para conseguir que lo elijan y ahora adelantan una campaña como si se tratase de un cabildero cualquiera.

—Necesito más información —dijo, y los hombres le entregaron algunos folios escritos con prisa. Cuando atardecía se comunicó con Gina. No quería seguir agitando la marejada en su cabeza y le pidió que lo invitara a su casa. Deseaba que terminara pronto el día y antes de salir tomó el teléfono para llamar a Candelaria pero algo aleteó en su cabeza y colgó.

«No conviene que sepa lo que está sucediendo. Me hace falta su criterio, es cierto, pero en este caso no servirá de nada porque va a estar en desacuerdo», pensó, y metió los brazos entre los de una gabardina para resguardarse de la lluvia.

Gina le preguntó si quería que invitase a algunas amigas y él dijo que andaba en otro plan. Buscaba algo tranquilo, sin música trans, sin éxtasis, sin ácido. A propósito, el que le había dado la última vez le alteró el sistema nervioso. Luego del efecto llegó a su casa y sintió pánico. Nunca había tenido un miedo semejante. No. No era miedo: era pavor, era un temor perverso que le convirtió la piel en manchas erizadas. La mañana siguiente se miró los brazos. Habían desaparecido las manchas pero descubrió en ellos puntos rojos, inmóviles, un manto de llagas diminutas carcomiéndole la piel. Lo arrugaba una tristeza que no tenía que ver con nada. Eran una tristeza y una sensación de quietud absoluta.

—Es la resaca que produce esa droga —le explicó Gina.

—Dame un whisky.

—¿Y un par de chicas?

—No.

—Te hace falta Candelaria, ¿verdad?

—Sí. Estoy rodeado, no sé, de una gente que camina hacia delante porque no tiene otra alternativa. Candelaria ve lejos. Últimamente la he sentido distante, no por la lejanía en que se encuentra, sino por su manera de ser. Ha cambiado mucho desde cuando la conocí.

—¿En qué?

—Parece que se le han congelado los sentimientos. La siento vacía.

—¿En la cabeza?

—No. Ella es cerebral. Digo, vacía... Porque vibra menos; ya no la emocionan cosas con las que antes...

—¿Estas enamorado de ella?

—Tú sabes que no. Ella es la persona en quien más confío, precisamente por lo que estamos hablando, pero hay cosas en las que tenemos grandes desacuerdos.

—¿Por ejemplo?

—¿Me confiesas?

—No. Trato de entenderte. Espero a una amiga. ¿Te apetece una dosis de «E»? Es la droga del amor. Te llenará el cerebro de sensaciones cálidas y un cosquilleo en la cabeza, tú la conoces.

—No porque una sola dosis puede dañarme el cerebro y además, con eso en la cabeza hablo asuntos que normalmente acostumbro a callar.

—Frank, es la droga cariñosa, facilita la intimidad.

—Ya te dije que no. Dame mejor un «pase» de perica.

Regresó a su casa de madrugada, se comunicó con uno de sus amigos de la Academia y le dijo que necesitaba hablar con él en la Planta Veinte. Cuando amaneció no había dormido y esperó un par de horas antes de salir.

—Piensa en una ciudad diferente a ésta, que tenga aeropuerto internacional. Imagínate una línea recta entre las dos. Sobre esa recta debe haber dos casas, cada una en las afueras de cada ciudad —le explicó al hombre con quien tenía la cita—. Casas sencillas, a-le-ja-das de las ciudades. Alejadas significa que no debe haber vecinos cerca, y como te lo acabo de decir, debe coincidir con la ruta aérea que une a las dos capitales.

—Tengo la primera. Es una construcción sencilla, casa de pobres como todas las del lugar, pequeña, gris. Una casucha tan corriente que no se diferencia en nada de las demás, a unos veinte kilómetros de aquí. En cuanto a la segunda, se me ocurre la costa de la selva. Conozco el sitio, a unos quinientos kilómetros de donde estamos ahora, en las afueras de un poblado silencioso, con buenas carreteras y fácil acceso por aire.

—¿Qué hay cerca de la primera?

—Yendo por una autopista, un barrio de casas elegantes con acceso restringido, luego está la vivienda y un poco más allá un poblado. Se halla deshabitada. Es un sitio tranquilo.

—¿El barrio elegante está sobre la vía?

—No, pero si uno lo desea, puede dejar la autopista, entrar al barrio y abandonarlo por una salida posterior, también muy vigilada, y llegar a la vivienda de que estamos hablando por una senda, angosta pero en buen estado.

—Compra lo que haya que comprar a nombre tuyo.

Cerró la puerta y se dedicó a estudiar un mapa, luego una carta de navegación aérea que llevaba consigo y antes del mediodía hizo llamar a Peligro y le contó sus planes. Se trataba de secuestrar al hijo del magistrado, él decía «retenerlo», y llevárselo hasta la costa de la selva donde lo mantendrían en cautiverio.

—¿Cómo?

—Asunto tuyo. Demuéstrame que es cierta tu teoría de la adrenalina.

—Es cierta.

—Adelante —le dijo sin darle nuevas instrucciones—. Voy a saber hasta dónde llega tu astucia, pero la operación queda bajo tu responsabilidad: plan tuyo, gente tuya.

Peligro entendió perfectamente que el problema no consistía en agarrar a la víctima y decirle «Camine conmigo», sino quitársela a sus guardaespaldas, movilizarla a través de calles y avenidas colmadas de guardias y sacarla de la ciudad. Para él, ése era el arte del rufián. Según su mentalidad, se encontraba frente a una operación de cirugía y se sentía seguro de realizarla sin errores.

Esa misma noche visitó los alrededores de la casa donde funcionaban las oficinas del abogado, frente a un edificio formidable. Era un domingo, la ciudad estaba solitaria. Desde el coche en que recorrió calles aledañas miró paredes y tejados, árboles y tiendas. En su memoria iban quedando grabadas cada esquina, cada puerta, cada ventana.

Merodeó cerca de la casa de su víctima varios días, al cabo de los cuales creyó saber quiénes eran los amigos que lo frecuentaban, qué autos conducían y cuál utilizaba el hijo del magistrado, cómo eran sus rutinas diarias, los restaurantes en que acostumbraba a comer y a cenar.

Preguntó qué había en aquel edificio, y le dijeron: las Cortes. Comprobó que durante el día, los magistrados eran vigilados por agentes secretos que permanecían en la calle del frente mientras aquéllos trabajaban. El abogado tenía ocho.

La segunda semana compró un traje y se fue hasta las oficinas del abogado. Buscaba hablar con él. «Todo candidato a cualquier cargo en el Estado le da cita al primero que se cruce en su camino creyendo que le ofrecerá apoyo», pensó, y compró unas flores y unos chocolates para las secretarias, y una vez conjurada su resistencia, vio que anotaban su nombre en una agenda. Debería regresar al día siguiente. Sentado en una sala veía llegar funcionarios que subían a la planta superior y los guardaespaldas esperaban afuera. Luego de los escritorios de las secretarias había una biblioteca. La oficina principal estaba un tanto escondida detrás de los libros.

Ese día conoció por fin a quien buscaba. Le pareció un hombre autoritario. Le dijo que era estudiante de leyes y pertenecía a un club o algo parecido que reunía a cerca de mil abogados y, gente del medio, todos convencidos de sus cualidades y, por lo tanto, dispuestos a apoyarlo en su aspiración de ascender a la magistratura.

«Fue un cuento bien armado», le dijo luego a Frank.

Desde luego que sí, porque para llegar al la cúpula de la justicia en aquel país, ahora no era necesario ser experto en leyes, ni conocer los fundamentos de la juridicidad. Qué palabra. Lo importante era contarse entre las fichas políticas del Presidente de la República y de los ministros y del que tocaba la batuta en el partido de gobierno y, además, demostrar que a sus espaldas había una masa de seguidores apoyándolo.

Mientras hablaba con el candidato, Peligro observaba cuanto podía.

Uno de los cuatro coches en que se movilizaban él y sus pistoleros acostumbraba a salir de la ciudad diariamente a las siete de la noche, hora prevista para el secuestro, tomaba la autopista y al acercarse al barrio elegante desviaba. En el portal de ingreso, el chofer dejaba en manos del vigilante una hamburguesa, un bocadillo, algo, de manera que se hizo conocer y cuando lo veían acercarse le abrían la reja como si se tratase de un habitante del lugar. La orden que tenía era transitar por el barrio y buscar la puerta de salida donde repetía la operación de la hamburguesa. Peligro sabía que tras el golpe, la Guardia no controlaría ese paso. Desde allí, el auto rodaba un trecho, cruzaba por frente a la casa deshabitada, iba al poblado y regresaba a la ciudad.

Dos días después, los hombres salieron de un pequeño hotel y dándole la cara al atardecer, Peligro les dijo a los choferes que aparcaran tres coches frente a la oficina y dejaran a espaldas de la casa el que hacía diariamente el camino de la autopista. Su gente debía ubicarse en la primera planta al lado de los guardaespaldas. Él subiría solo y esperaría al lado de las secretarias.

—Tengo una cita con el caudillo—dijo al llegar a la casa.

—Siga usted.

El abogado había hundido su cabeza en un arrume de papeles y cuando la levantó se encontró con una pistola cerca de la frente, el brazo firme, y esa mirada clandestina que no había descubierto la tarde que vio a Peligro por primera vez. Él le dijo que era guerrillero y el abogado habló de una negociación de paz con la guerrilla, y algo de la personalidad del comandante. Decía que era su amigo. Le parecía un hombre, primero que todo, bien parecido. Las mujeres se enloquecían con él. Le hubiese resultado mejor declararse guerrillero de cinturas y corazones, o de cantante de rock, porque tenía perfil de rockero. Y además de apuesto, era locuaz, es decir, demagogo. Lo había conocido en la universidad. Desde luego, el comandante era mayor que él, pero con los cables cruzados. Imagínese: venir de una familia prestante y verlo ahora alineado con la gleba en esas montañas. Él lo había tratado un par de veces, antes de que tomara en sus manos ese surtidor de plomo con que golpeaba a la clase adinerada, que le daba de comer al país, porque...

Peligro recordaba una a una aquellas palabras y mientras retiraba el seguro la pistola, disparó su argumento:

—Vengo de parte del comandante y nos lo vamos a llevar a usted.

—Pero, pero…

—Usted se va conmigo para donde el comandante. Él quiere enviarle un comunicado al gobierno y usted es la persona indicada. Acompáñeme.

El abogado trató de reaccionar pero el secuestrador se anticipó:

—Si usted no sale de aquí, tengo orden de matarlo.

—No, eso no puede ser así. Comuníqueme con el comandante, yo no salgo. Esto no es normal...

Peligro le colocó unas esposas, unió su cabeza a la suya y susurró:

—Vamos. Después de cruzar la puerta de esta oficina dígales a sus guardaespaldas que no intenten moverse porque se mueren.

Cuando asomaron, los de abajo tenían una pistola sobre la nuca de cada uno, la puerta se hallaba cerrada y el abogado recitó su parlamento:

—No se jueguen la vida. Yo voy con este señor a recoger un mensaje del comandante. Ésta es gente de la guerrilla.

Cortaron los cables de los teléfonos y antes de salir Peligro les dijo a los guardaespaldas que la puerta activaría una granada en caso de ser abierta.

—Si les avisan pronto a las autoridades, la vida del abogado corre peligro —repitió, y salió con los demás.

Ocuparon los tres coches que esperaban al frente. Uno le dio vuelta a la esquina y se detuvo al lado del que habían aparcado en las sombras. Descendieron el abogado y Peligro. Los demás partieron por calles diferentes. Antes de ocupar el cuarto coche, lo liberó de las esposas y le ordenó que se colara en la bodega a través del espacio descubierto por el espaldar de la silla. Una vez allí, tomaron el camino.

Antes de entrar en la autopista escucharon en la radio voces que se atropellaban mezcladas con trompetas de alerta y anuncios de jabones: «El hijo del Gran Magistrado ha sido secuestrado por la guerrilla». Le ordenó al chofer que tomara «las rutas alternas» y recorrieran calles estrechas, barrios modestos, barrios elegantes, pero, al fin y al cabo, vías poco transitadas que no serían tenidas en cuenta por los servicios de seguridad.

«La Guardia está buscando tres coches de la misma marca, diez hombres dentro, el abogado con la cara vendada, pero no saben del cuarto, un auto más grande, diferente de los anteriores», se decía.

Cuando llegó al barrio de las rejas y las casas elegantes, el chofer dejó ver una bolsa con hamburguesas y refrescos: «Siga usted».

Se detuvieron frente a un prado y a pocos metros una casa discreta, desde la cual veían las luces del poblado. Cuando descendió miró desde la penumbra y constató una vez más que allí no había árboles, ni cuerdas de energía, ni de teléfonos. Miró su reloj: ocho de la noche. Inclinó el espaldar de la silla y le dijo al abogado que saliera de allí y se dirigiera a la casucha. Él lo hizo luego de darle algunas instrucciones al chofer. Segundos después escucharon que el auto partía.

El abogado se detuvo en un corredor de paredes grises y puertas entrecerradas, y Peligro le indicó que abriera alguna y ocupara una habitación, y para evadir sus preguntas se encerró en la cocina. Quería café, hacer algún bocadillo, distraer el tiempo que comenzaba a detenerse. Tal vez el abogado lo miraba desde su incredulidad. O tal vez confiaba en él por tratarse de un enviado del comandante. Su universo intelectual no le permitiría comprender al de un secuestrador, ni descifrar sus movimientos. Aceptó una taza de café. Luego debía quitarse la ropa. Como se trataba de un secuestrado recibió algunas prendas deportivas a cambio del traje azul marino.

Luego intentó decir algo, pero con el desenvolvimiento de un gato que juega con su propia sombra, Peligro dio la espalda, abandonó la casa y cuando se confundió con la oscuridad, levantó la voz, le dio algunas órdenes al silencio y desapareció. Caminaba por el prado pero finalmente decidió afrontarlo.

El abogado trató de sondearlo desde el comienzo acerca de la guerrilla, clan que le ponía los pelos de punta con sus frases demagógicas, sus consignas, el pueblo unido jamás será vencido, ni un paso atrás, liberación o muerte, el proletariado, la lucha de clases. ¿Cuáles clases? Quería estar seguro de que aquel hombre pertenecía al grupo que señalaba y éste le respondía tratando de recordar los comunicados del comandante publicados por la prensa. Peligro creía ser un buen lector de pensamientos y cuando suponía que los ojos del abogado le dejaban ver su odio con más intensidad, salía de allí y esta vez impartía nuevas órdenes, utilizando nombres de bandidos conocidos:

—Dandenis, cubra el flanco derecho. Tilton, a la retaguardia... Audi: emplace mejor la ametralladora —gritaba, y luego regresaba con el ánimo de rehuir la conversación, pero en un espacio tan reducido como aquél irremediablemente se enredaba en las preguntas del abogado.

Ambos estaban tensos. Al abogado lo atormentaba que los rivales aprovecharan su ausencia para oponerse al nombramiento como miembro de Las Cortes, y Peligro contaba mentalmente el tiempo para no desviar la mirada hacia la esfera del reloj cada minuto. En ese momento su preocupación se centraba en que el chofer no cometiera errores, y cayera en manos de la guardia. «Si lo capturan lo torturarán. Y si lo torturan hablará. Y si habla los tendremos aquí», se decía y continuaba: «¿Y si llegan? Si llegan existe la posibilidad de morir. Bueno, algunas veces uno encuentra guardias inteligentes. Todo depende de que yo advierta su presencia y tenga la oportunidad de echarle mano al abogado. Tengo que permanecer cerca de él, así descubra que la guerrilla me importa tanto como las nalgas del que dijo que perder es ganar un poco. Con él en mis manos tendré un pasaporte, podré pedir lo que quiera, porque ya conozco los trucos y la algarabía de gansos degollados que se escucha en estos casos: que hay francotiradores, que se encuentran rodeados, que los Boinas Verdes de Miami... Si se llegaren a tomar este lugar con violencia, lo pondré a hablar; claro, le van a creer más a él que a mí: es que en este momento ya no soy un bandido, me he convertido en terrorista, y él va a pedir calma. Dirá que necesitamos salir ilesos. Lo pondré a negociar a él. Un momento. ¿Y si no es capaz de negociar? Ah. Le pegaré un balazo».

La misión del chofer era ir hasta la capital y desinformar a las autoridades.

Antes de partir, Peligro le entregó una bolsa con monedas, una lista con los números telefónicos de los periodistas radiales pues sabía que ellos, por competir entre sí, cada vez que oyeran esa voz lo dirían al aire y eso lo escucharían los de la Guardia y los gobernantes y los de la Corte y todo el mundo. La noticia había estallado con más ruido de lo que calculó al comienzo y las llamadas a la radio cada media hora se hacían desde lugares distintos.

Él contaba con que las autoridades calculaban el regreso esa misma noche o al día siguiente. «Si hay una voz que asuma la responsabilidad del secuestro, y en eso son duchos los servicios de seguridad, tendrán calma... Cuando un terrorista usa la comunicación muchas veces, ellos creen que pueden localizar su teléfono, pero ese muchacho no es tonto: debe estar recorriendo la ciudad y cambiando de teléfono cada vez». El chofer ralmente utilizaba a la radio.

—Retiren la guardia del Parque Nacional. Nos disponemos a liberar al abogado y pedimos garantías —decía el chofer. Luego colgaba el teléfono y escuchaba que sus palabras eran repetidas en forma inmediata. Segundos después veía a la guardia evacuando el sitio indicado. La historia se repitió muchas veces.

En la casucha, el abogado había vuelto a presionar el diálogo con su captor y tras un par de respuestas de aquél, confirmó sus sospechas: Peligro no pertenecía a la guerrilla. Se descontroló y empezó a caminar por aquella habitación estrecha y a preguntar dónde se hallaba el comandante, dónde se encontraban en ese momento, quién lo había sumergido en esa pesadilla. Él no la merecía. Paseaba sus ojos por los muros, verificaba centímetro por centímetro la estrechez de aquella tumba.

A las cuatro de la mañana lo venció la angustia y Peligro se sentó al lado de su cama con los ojos abiertos por el efecto de un medicamento.

La segunda casa a quinientos kilómetros de allí, no era mucho más amplia que ésta y frente a ella también se extendía un campo libre de obstáculos. Fue adquirida antes del secuestro y a partir de allí, un helicóptero se dedicó a realizar vuelos entre las dos ciudades todos los días. La nave partía de la capital anunciando su plan de vuelo, cubría la misma ruta, aterrizaba en la segunda ciudad, permanecía allí varias horas y regresaba antes del atardecer. La costumbre era realizar el primer vuelo a las siete de la mañana. Entre el aeropuerto y la tumba, el helicóptero empleaba unos cuantos minutos.

El chofer regresó a las cinco y Peligro vio amanecer sentado cerca de la cama donde se había encogido el abogado con las manos entre las piernas y las rodillas dobladas contra el pecho. Afuera el cielo estaba despejado y un reflejo amarillo en los bordes de las nubes anunciaba una mañana de sol.

A las siete Peligro se acercó a la pila de leña llevada por él la semana anterior, juntó algunos maderos, les metió fuego y cuando traqueaban las llamas, escuchó que el abogado decía algo a través de la pequeña ventana de una de las habitaciones:

—Joven, joven: ¿qué sucede? ¿Por qué una hoguera? Joven...

Peligro guardó silencio. No quería hablar más con él. Miró hacia atrás y vio al chofer con una ametralladora controlando la puerta de la casa. Quince minutos después, se desprendía de allí una columna de humo blanco, pero no escuchó el helicóptero. A la media hora llamó al chofer y le dijo que partiera en busca de un teléfono y se comunicara con Frank. Algo estaba sucediendo. El piloto había visitado el lugar tres días antes y conoció el terreno limpio, la lejanía de los vecinos, su coincidencia con la ruta aérea, pero como la radio tomó el suceso con tanta generosidad, el piloto sintió una descarga en la nuca al acercarse al helicóptero y se quedó inmóvil.

Frank deseaba hacer sentir su poder como bandido, secuestrando a alguien importante en cualquier rincón del país y llevándoselo a cientos de kilómetros en las narices de la guardia. Para él ése era el mensaje de aquel secuestro.

—Si lo agarramos en la capital y somos incapaces de sacarlo de allí, es porque somos débiles. Desde luego, secuestrarlo ya demostrará cierto poder, pero no un poder total y eso es lo que quiero que entiendan —le había dicho a Peligro la mañana que le encomendó esa misión.

El chofer se detuvo en la soledad del límite de la urbe y después de varios intentos logró comunicarse con Frank:

—El pájaro no aparece. Nos dejó colgados de la brocha.

Cuando Frank escuchó la voz del piloto, supo que los nervios lo habían doblegado.

—Si continúas escondido en ese hangar, lo pagarás con tu cabeza.

—Pero el aceite...

—¡A volar!

Mientras Frank trataba de comunicarse con el piloto, se acabó la leña y antes de que los últimos maderos se convirtieran en rescoldo, Peligro comenzó a quemar las camas, las mesas, los colchones; colchones de casa pobre que muy pronto se convertían en cenizas, y cuando las llamas fueron pequeñas y el humo trazaba remolinos no más altos que la casa, miró hacia allá y pensó: «Lo único que me falta por quemar es al abogado».

El humo volvió a elevarse vertical gracias al traje de paño inglés y a la corbata del abogado junto con la última sábana. No había brisa y pronto escucharon el ruido del helicóptero. El secuestrador ingresó a la casa, tomó la funda de una almohada, lo único que había escapado de las llamas, y con ella le cubrió la cabeza para evitar que distinguiera la matrícula de la nave. En ese momento no lo preocupaba que los vieran.

Cuando el piloto tocó tierra el abogado pensó que la guerrilla no tenía helicópteros.

—¡Exijo que me diga quién es usted! —le gritó a Peligro.

A partir de allí el secuestrador le perdió el respeto y le engarzó nuevamente las esposas.

—Yo soy Peligro, un terrorista. Estamos viajando adonde termina la civilización y usted va a hablar con el señor Frank Martínez.

—¿Me van a matar? ¿Me van a matar?

—No señor. Si se tratara de eso, lo habría matado anoche en su oficina. Usted va hablar con Frank Martínez y lo que ha de decir tiene que ver con su padre.

Volaron una hora sin variar la ruta cubierta por el helicóptero tantas mañanas y vieron por fin el humo de una hoguera. Descendieron en un paraje deshabitado. A pocos metros había una casa y seis hombres armados avanzando hacia ellos. Peligro les entregó al abogado.

—Este hombre queda bajo su responsabilidad. Llévenlo a la casa y quítenle el trapo de la cabeza —ordenó, y trepó nuevamente al helicóptero.

Un poco después del mediodía se reunió con Frank. Estaba sonriente, pero cuando lo tuvo cerca sintió algo en su mirada.

—Señor, ¿qué sucede?

—Los periodistas dicen que sus fuentes de altísima fidelidad confirman la muerte del abogado y eso agrava las cosas. ¿Has pensado en matarlo?

—Señor, no crea en la prensa. Usted me lo ha enseñado.

Candelaria quería conocer a Bob Collins en Chicago, pero se detuvo primero en Miami donde vio a Gary Dobson. Hablaron de cocaína. A él no le importaba por qué ruta le llegaba; ése no era su problema, pero tenía la seguridad de que Frank y, por supuesto Candelaria ahorrarían inconvenientes y perderían menos cargamentos si eran capaces de establecer un camino independiente de los carteles mexicanos.

Para ella estaba claro que volviendo a cruzar las aguas del Caribe podría zafarse de la telaraña que la aprisionaba.

—No veo por qué no intentarlo —dijo Dobson.

—Porque Frank está empecinado.

—Cuéntame cómo andan las cosas por allá.

—Sé que el país está en demolición. Frank me asegura que se halla fuera de escena, pero, por lo que lo conozco a él y conozco también ese medio, tengo la impresión de que a esta hora se halla en el centro del huracán. Y que ese huracán lo puede triturar.

—¿Qué esperas? Toma tu propio camino. Aquí te conocemos, sabemos que eres una mujer, además de bella y de evasiva, astuta, y ahora muy adinerada; dominas este idioma, conoces el negocio: eres un narco, o una narca, no sé cómo se dice, muy bragada. ¿Qué diablos esperas? Aquí estamos nosotros encantados de continuar tratando contigo.

El vuelo a Chicago le pareció breve. Su dilema era abandonar a Frank o terminar en medio de los balazos, pero sabía perfectamente que era incapaz de escurrirse por el resquicio de cualquiera de esas dos puertas. Detrás de la primera se hallaba la deslealtad y en su vida no había atajos. Y más allá de la segunda estaba agazapada la violencia, por la cual sentía un rechazo visceral desde aquel atardecer en el bosque de samanes: ella caminaba de la mano de su madre, tendría seis años, y cuando se acercaban al final, vieron en la oscuridad verde la silueta de un hombre abofeteando a su pequeño hijo. Se acercaron. La sombra del verdugo, la enormidad del odio, la figura desamparada del niño y su propia humillación la conmovieron. Ese día descubrió el terror, y entonces supo quién era, de qué estaba hecha su piel y qué significaba la infamia. El terror se quedó como una nota desesperada que, pese a lo turbio de su trabajo, retornaba por las noches.

En Chicago, la conversación con Skipp Coleman no fue más allá de los límites trazados en las márgenes de una hoja de papel llena de cifras. Sin embargo, con su manera peculiar de ver la vida, es decir, a partir de la avaricia, sin proponérselo le dio la razón. Era necesario ensayar otra ruta y establecer diferencias con la de México porque el éxito del negocio dependía del tiempo que tomara cada cargamento de cocaína en llegar a sus manos. Eso lo repitió una y otra vez con la frialdad a la que ella se había habituado desde cuando lo conoció. Ese lenguaje le parecía más eficaz y, desde luego, más seguro que la palabrería de aquellos con quienes tenía que tratar habitualmente.

A Bob Collins, aquel abogado que trabajaba para la *pizza nostra* y un día le dijo a Frank «Vete para Miami, la coca es el futuro», no lo conocía. Tal vez tenía la misma edad de Frank, sabía escuchar y desde cuando lo vio creyó que se hallaba frente a un testigo del tiempo, capaz de comprender sus urgencias ¿Urgencias? Sí, escapar del túnel abierto a sus espaldas y que su malicia indígena, o en otras palabras, ese pálpito certero de mujer, le decía que el olor a pólvora provenía del templo de espejos donde se había refugiado Frank con sus once mil putas.

Cuando Candelaria pisó su despacho, Collins vio en ella a esa generación de narcos que quiere permanecer libre de pecado. Por lo que dijo al comienzo, indudablemente se trataba de una mujer con bajos perfiles de violencia y una especie de sentido empresarial que no tenía nada qué ver con la visión política ni con el instinto criminal de su amigo.

Ella había ido a escucharlo pero él quería que primero le permitiera entrar en su mundo.

De acuerdo, era una mujer rica pero las costumbres de su ex marido, y de gente como el hombre de la esvástica, le habían enseñado que no debía pensar siquiera en legitimarse ante la sociedad imitando el modelo de Robin Hood. Al diablo la pobreza. Ni tampoco quería justificar lo que hacía, creando empresas para darle trabajo a la gente y aparecer como la salvadora de su sociedad.

—Entonces, ¿qué quieres?

—Primero que todo —le dijo con su voz incitante—, yo no tengo por qué legitimarme con la sociedad como lo hacen los demás, sino enriquecerme a largo plazo para que mis hijos, si es que los tengo algún día, o mis familiares, esa palabra me parece más apropiada, se beneficien de lo que estoy haciendo.

—¿Cómo inviertes tu dinero?

—¿Cuál? ¿El que debo pagar? ¿O el que tengo que cobrar? Tengo mucho por pagar... Mira Bob: no es aconsejable preguntarle a una mujer, ni por la edad, ni por su cuenta bancaria.

Aunque lo dijo con cierta gracia, Collins entendió que se hallaba frente a alguien que permanecía a la defensiva y comentó algo que también resultaba simpático. Se rieron y luego insistió:

—Bueno, Candelaria. Dime ahora...

—Déjame que vaya atrás —respondió ella—. Lo primero que escuché un día que llegaron a casa de Frank unos cocineros de cocaína buscando la solución de algo que para mi resultaba sencillo y para ellos una misión imposible, fue que guardaban los dólares entre barriles. No alcanzaban a comprender que las cosas serían mejores si escondían el dinero. No. Ellos invertían directamente en la economía y eso era estridente. Pero hay que ver la forma en que lo hacían: compraban todos los autos del mundo a la vez, compraban palacios, construían palacios, pero no uno sino diez, veinte. Buscaban que los vieran, querían mostrarse. Y algo más torpe: sentían placer desafiando y, caray, a la larga la gente no se traga esas cosas. Hasta entonces yo no sabía lo que era blanquear el dinero, pero en ese momento lo presentí... Tampoco sabía un carajo de coca, ni de las cifras, ni de los intereses que se movían detrás de cada kilo, pero los sentí tan provinciales y los vi con una mente, para mí, tan reducida, que el asunto me atrajo como un imán. Y allí, sentada escuchándolos, me dije: «Con mis capacidades, hasta ahora estériles, y mi manera de ver la vida, voy a intentar meterme en esto. A partir de aquí, voy a convertirme en una ganadora».

Le contó la historia de aquella gente atrapada en la selva y la del Barón Rojo y la evacuación de los trabajadores del laboratorio clandestino de coca en las narices de los Boinas Verdes, y Collins pareció alucinado.

Comieron en un restaurante y allí le preguntó qué más había aprendido de Frank y de Santos y de cuantos fue conociendo luego, y ella aceptó el sondeo:

—Cosas sencillas, como que las inversiones deben ser invisibles y a largo plazo, cuidándose de no hacerlas en el sitio en que uno vive. Blanquear y luego reblanquear activos, volver los dólares invisibles como lo hago; sí, es una operación, digamos sofisticada, que abre lo que algunos llaman agujeros negros en el sistema financiero mundial. Que sean agujeros negros o cáncer o como quieran decirles, pero hasta hoy nadie ha logrado penetrar en ellos. Bob, eso tú lo sabes mejor que yo.

—Bueno, pero dime qué tienes, cómo lo tienes...

—Cuando se trata de mí, no me gusta hablar de cifras. Pero con lo que tengo ahora, podría sentarme y no trabajar más durante el resto de mi vida, y sobraría para mis sobrinos y para sus nietos. Para todos ellos. ¿Cómo tengo el dinero?

Guardado en fondos de inversión redimibles a diez, a veinte años. Mira: en México me enamoré de una casa colonial parecida a la de Santos, que para mi era maravillosa, pero una noche dije «No», y aunque me causó mucha pena, la expulsé de mi cabeza y compré un piso confortable pero muy sencillo y un coche cualquiera. En ese ando y creo que nadie se fija en mí.

Para ella, el sentido de la inversión del dinero no era darse a sí misma, porque no lo podía hacer. Si cometía ese error, la descubrirían. Entonces, como no podía complacerse, tampoco se consideraba objeto del deseo de los demás.

—¿Y qué otras cosas tienes? —insistió Bob Collins.

—Hace un tiempo me aventuré en Wall Street. O no me aventuré. Sencillamente encontré a una gente muy despabilada...

—Mafia.

—Sí, el juego del alza y la baja truculenta de ciertas acciones. Cuando están abajo, compras. Luego suben, les pagas y te advierten en qué momento van a bajar. Ahí les ordenas vender. Un juego que no imagina mucha gente. Tuve algunos negocios con dos de esas mafias, como dices tú.

—Allá hay más de dos. ¿Te alejaste de eso?

—Sí, porque esa ruleta exige que permanezcas muy metido en la jugada y yo no tenía el tiempo suficiente, ni tampoco alma, ni genio para ese ambiente que a la hora de la verdad me parece un paraíso artificial...

—Es el mundo de los *yuppies*.

—Pues fíjate: en Wall Street y el entorno de la Bolsa, la gente tiene las narices saturadas de coca. Son unos viciosos de peso completo.

—En ese medio es lo *inn*, y, además, lo necesario. Creen que el talento para los grandes negocios entra por las narices, y ellos las tienen bien grandes: una polvareda de perica, y todos tan tranquilos.

—Bueno, pero no serán todos.

—No, no todos, desde luego, pero a mí me parece difícil saber cuáles son las excepciones. ¿Qué tienes en Colombia?

—Nada. ¿Me escuchaste? Nada, porque al comienzo Frank quiso que firmara como dueña de varias propiedades, pero poco a poco fui liberándome de esas escrituras y hoy figuran a nombre de otros... Una cosa es que tengas desacuerdos con lo que hacen los demás y otra que te cierres y no aprendas de lo que consideras como sus errores.

—¿Y el negocio? ¿Concretamente cómo concibes el negocio ahora?

—Siento que no estoy de espaldas al mundo.

—Explícamelo. ¿Confías en mí?

—Claro que confío en ti, Bob. Por eso estoy aquí sentada... Hombre, el mundo es la globalidad. Qué termino tan *inn*, pero es así. Entonces lo que ando buscando es una serie de alianzas estratégicas, para Frank y para mí. Si Frank dice que es absurdo, como sé que lo dirá, entonces me abriré sola.

—¿Qué buscas con eso?

—Varias cosas: una de ellas, tratar de que la sociedad no me margine. Y otra, escapar de esta parafernalia, pero no será de la noche a la mañana. Sé que tomará algún tiempo, ojalá no demasiado. Es que no quiero continuar siendo una traficante de cocaína. Mira: es que para mí, esto de recibirla y cobrar dineros y enviárselos a Frank a través de un judío en el Fighter Bank de Miami y esperar a que te roben o te delaten, y además, vivir oliendo a sangre ajena, me parece que no tiene sentido. Tú sabes que hoy en un centro de inversiones, o llamémoslo paraíso fiscal, cualquier banquero gana mucho más tocando con sus dedos diez teclas frente a una computadora, que un narco sudamericano agonizando o haciendo agonizar para asegurar un embarque de perica. En eso ando ahora.

Candelaria era esa tarde un pájaro de tela. Las preguntas de Collins habían sido demasiado evidentes, pero ella comprendía que debía ser así y por eso permitió que le midiera el aliento.

Al atardecer se despidieron y caminó sin rumbo por una avenida. Estaba segura de haber ganado una batalla a pesar de su actitud aparentemente vulnerable, pero al mismo tiempo soberana como la de la aves rapaces en espera. Anduvo algunas calles más y cuando sus pensamientos comenzaban a diluirse en la tranquilidad del anochecer, sintió en su pelo las primeras ráfagas de un aguacero y entró a una *boîte.* Martini seco.

La tarde siguiente se reuniría una vez más con Bob Collins, informado como pocos en el mundo de lo criminal, y decidió preguntarle por algo que venía escuchando con insistencia, de manera que cuando lo vio, planteó el tema. Collins había dejado su puerta libre y estaba dispuesta a cruzarla cuando fuera asaltada por alguna duda.

—He escuchado que cada día son más amplios los sectores que hablan de legalizar la coca. ¿Eso es posible? —le dijo antes de tomar asiento frente a una de las mesas de su despacho.

—¿Por qué me lo preguntas?

—Porque sería el fin de nuestro negocio.

—Te lo voy a responder de un tajo: no lo pueden hacer.

—¿Por consideraciones morales? Pero es que con el whisky...

—Ésa fue una situación muy diferente, una época distinta, unos intereses distintos. ¿Te gustan las matemáticas? Vamos a hacer unos números sencillos. Simplemente llévatelos y dales el orden que quieras.

Tomó una pluma y él mismo corrió su silla hasta tenerla cerca con los ojos sobre una hoja de papel.

—Tú debes saber quién es Milton Friedman. Hablando del torrente económico en este país, él dijo, y nadie lo ha desmentido, que por cada millón de dólares que ingresan a nuestra economía, se generan cincuenta empleos. Y el gobierno dijo hace poco que las ventas de droga en Estados Unidos producen quinientos mil millones de dólares. Según eso, la droga permite tener ocupadas en toda clase de actividades a veinticinco millones de personas. ¿De acuerdo?

—¿Cuánto corresponde a la cocaína?

—La mitad de las ventas de droga. El cincuenta por ciento: doce millones y medio de empleos.

—Mirémoslo por otro lado.

—Sí. Las cifras pueden variar un poco, pero lo que quiero que veas es la perspectiva del asunto. Los expertos dicen que hoy se estima la producción de cocaína en los Andes sudamericanos en dos mil toneladas al año. Si el gobierno la comprara toda, tendría que invertir dos mil millones de dólares.

—¿De dónde sale esa cifra?

—Dos millones de kilos a mil dólares cada uno, en donde la siembran. Bueno. Supongamos que la compran, ¿y qué sucede? Que se acabaría la coca, pero al mismo tiempo desaparecerían doce millones y medio de empleos. El quince por ciento de la mano de obra estadounidense.

—¿Y?

—Espera, espera. El presupuesto anual de la División de Justicia es de ciento diez mil millones de dólares, o sea que la coca vale menos del dos por ciento de ese presupuesto. Tenemos dinero suficiente para comprarla, pero a cambio desaparecerían doce millones y medio de empleos, o ¿no? Si decidieran acabar con la coca, la recesión en este país sería peor que la depresión de los años treinta. ¿Crees que no lo saben?

—Me imagino que sí. Ellos son los que mandan.

—Pero el asunto no termina ahí: en este momento la población carcelaria en Estados Unidos es de un millón y medio de presos, setenta por ciento de los cuales está por droga, o sea un millón. La mitad de esa gente es acusada de traficar con coca y crack: nos quedamos con medio millón de reclusos.

—¿Cuánto vale todo eso?

—El primer año, cada recluso le cuesta al Estado cien mil dólares, que incluyen el proceso para llevarlo a la cárcel y todas esas cosas, lo que quiere decir que se invierten en ellos cincuenta mil millones de dólares. Pero volviendo al tema, si se acabara la coca, desaparecerían medio millón de presos y el Estado no tendría que gastarse lo que le vale alojarlos y controlarlos. Sumemos entonces cincuenta mil millones, más dos mil millones que le costaría la coca. Solamente ahí, el ahorro sería de cincuenta y dos mil millones de dólares, más o menos la mitad del presupuesto de la División de Justicia. Pero si toman la decisión de eliminar solamente este vicio, tendrían entonces que reducir en forma drástica el aparato represivo: jueces, fiscales, alguaciles, policías, carceleros, sicólogos, siquiatras y cuantos puedas imaginar quedarían en la calle, y eso no lo pueden hacer. El Estado tiene que sostener el presupuesto de ciento diez mil millones de dólares para de la División de Justicia o de lo contrario perdería su poder intimidador.

—Bueno, pero en esto debe haber mucho más, porque yo entiendo que aquí la industria carcelaria es muy rica y muy poderosa.

—Sí. Hablando del dólar, que es lo que está en juego, las cárceles tienen una cara especial: solamente la Industria de Prisiones, que produce bienes para la industria militar, genera cada año novecientos mil millones de dólares a costos ridículos. ¿Qué hacemos: ¿la reducimos en un treinta y cinco por ciento? No. No hay marcha atrás.

—En esto hay cada contrasentido...

—Hacia allá iba. Aquí necesitamos una legión de policías para combatir el delito, pero treinta y cinco por ciento de los delitos los genera la cocaína. Y si ésta se acaba, ¿qué sucede? Que la estructura de la División de Justicia se reduciría en esa medida. ¿Será posible dar ese paso? Desde luego, el Estado no ha buscado llegar a esto, no le gusta esto. Nadie lo ha pensado así, pero el vicio de la gente se desbordó y el fenómeno creció tanto que, como te decía antes, es irreversible y las autoridades se hallan atrapadas. La máquina está montada. Ahora dime qué piensas de todo esto.

—Una cosa sencilla, Bob: que a aquí les interesa que el diablo exista. Si no existe el diablo no hay guerra. Y sin guerra no hay dinero. ¿Cómo se llama ese congresista al que fueron a solicitarle que trabajara para aumentar un presupuesto del gobierno y les respondió «Ustedes nos piden dinero, pero... ¿Dónde está la guerra? Sin guerra no hay dinero»? Entonces, ¿dónde está el diablo para irnos a pelear con él?

—Para ellos el único diablo que existe es Colombia —dijo Collins.

—A eso voy —agregó Candelaria—. Tú sabes más que nadie que Colombia definitivamente se convirtió en diablillo, porque el gran negocio de producirla y llevarla al norte se mudó a México y a Brasil y a Venezuela y a Argentina y a Chile y a América Central, y a... Dime nombres de países y te juro que terminarás metiendo en el mismo saco a toda América Latina. A toda. Allí los que no la producen, ni hacen el tráfico por su territorio para llegar hasta aquí, se dedican a blanquear el dinero. Entonces pongámosle cuernos y pongámosle cola a ese diablillo: necesitamos una bestia escupiendo babaza para que las cosas puedan funcionar como están.

—Correcto. No olvides que las guerras son economías de escala. Si hay guerra, comienza un *boom* económico que enriquece a quien la hace lejos de su fronteras.

Luego de despedirse y antes de que Collins regresara a su despacho, Candelaria dio dos pasos atrás y tomándole la mano, hizo la última pregunta.

—Del negocio total de la coca, ¿cuánto llega a Sudamérica y cuánto se queda aquí?

—Dímelo tú.

—No. Primero tú.

—De cada cien dólares, seis son para Sudamérica.

—No. La contabilidad que yo llevo dice que son cuatro. Óyeme bien: cuatro dólares se reparten entre los países productores en Sudamérica y noventa y seis se quedan aquí irrigando la economía —dijo Candelaria.

Frank quería dilatar en el tiempo el cautiverio del abogado.

—Si lo dejamos guardado un par de semanas entre esa nevera, cuando lo tenga frente a mí encontraré a una persona reventada. Durante un secuestro, la angustia aumenta cada hora. Pero la del magistrado mucho más. Es que todo este tinglado se montó para ablandar al padre. Lo demás me tiene sin cuidado —le confesó a Alfredo, el hombre de la Academia que parecía estar más cerca de él, pero Alfredo lo convenció de lo contrario.

—Error —le dijo—. Error porque el tiempo cuenta más en contra tuya. Recuerda que el magistrado tiene un pacto con Moore y eso es más rudo que una cadena colgando de la garganta. No descarto que como respuesta a la «retención» de su hijo te llame a juicio y después te entregue.

—El error es tuyo —respondió Frank—. La cadena no cuenta en este caso.

—Toma tú la decisión que consideres. Yo te apoyaré.

Cuando se retiró Alfredo, Frank quedó en silencio, destapó una botella de champaña y se paseó por la oficina con la copa en la mano, pero no bebió. Un escalofrío, luego una ola de calor, un pum, pum, pum que retumbaba en sus oídos y la sensación de tener la cabeza dentro de un acuario lo acosaron. Se recostó en un sillón y cerró los ojos. Creía ver la selva inundada de mosquitos y se dijo: «Tengo una fiebre palúdica», pero recordó que él no había pisado nunca la selva y llamó nuevamente a Alfredo.

—Acepto aunque yo tenga la razón. Vamos.

—¿Le mostrarás tu cara?

—Pues claro. Se trata de un asunto mío. Mi caso es el que está de por medio, no el tuyo. Es que, amigo: Frank Martínez siempre ha dado la cara.

—Lo que intento decir es que si vamos enmascarados podrás ahondar la crisis y luego ya decidirás cuándo te la descubres.

El auto se detuvo lejos de la casa y mientras se acercaban Alfredo le entregó una capucha de lana.

—Esto es demasiado caliente, me lesiona la piel —dijo Frank.

—Hoy será una reunión breve para crear mayor suspenso y más confusión. Ten paciencia, Frank.

Cuando entraron en la habitación, el abogado estaba de pie esperándolos, había escuchado sus voces, y una vez cruzaron la puerta, Alfredo dijo que pertenecían a un comando terrorista pero el abogado no era torpe.

—¿Dónde está Frank? ¿Dónde está Frank? Yo quiero ver a Frank Martínez.

Cruzaron algunas palabras al cabo de las cuales Alfredo se equivocó y dijo: «Como acaba de decir Frank...», y éste respondió: «¡Como acaba de decir el estúpido de Alfredo González!».

Y el abogado:

—Ay Frank, ay Dios mío, hermano. Hablemos de lo que quieras, Frank. Hablemos.

Frank se quitó la capucha, pidió café y se quedaron allí un par de horas con el tema de la coca y la posición de la justicia y de sus propios casos y de cuanto se le iba ocurriendo a cada uno.

Cuando salió de allí habían desaparecido los signos de la fiebre palúdica y le dijo a su compañero que esa misma noche Peligro o alguien de su grupo debía robarse un coche con teléfono a bordo. Como era ley tratándose de Frank, el hombre escuchó y calló, y la mañana siguiente un auto verde esperaba frente a la puerta de «la cárcel del pueblo», como la había bautizado Frank. Se lo comunicaron y no dijo nada. Ahora algo más ocupaba su cabeza y luego de una pausa prolongada ordenó que trasladaran a una cuadrilla de trabajadores hasta el centro de la selva.

—Que los lleve el helicóptero, los baje con un cable y los deje allí.

—¿De qué se trata?

—Deben derribar cuantos árboles sea necesario para despejar una zona que permita la operación del pájaro y construir un helipuerto con maderos fáciles de poner y de quitar para borrar huellas. Al lado del helipuerto quiero una cabaña entre los árboles.

Esa tarde hicieron salir de la casa al abogado y lo sentaron dentro del auto. Desde allí se comunicaron con su padre. Primero habló con él el abogado y mientras miraba las pistolas que le enseñaban los dos hombres, le explicó que se encontraba muy bien, y después aclaró que se trataba de enterrar los procesos en contra del señor Martínez. Luego habló Frank.

—Parecía que le hubiésemos colocado azúcar en la lengua —dijo luego de cortar la breve comunicación: «Magistrado, quiero que se olvide de mi caso y me deje en paz. Le doy dos días para tomar una decisión».

A partir de allí, el abogado y después Frank hablaron un par de veces más con el magistrado, al final de las cuales lo que quedaba claro era su afán porque el hijo fuera liberado con prontitud. El plazo para la elección del nuevo miembro de las Cortes llegaba a su final.

—No voy a salir pronto de aquí y ésa es mi esperanza profesional —había repetido el abogado en aquella sala estrecha que olía a humedad, y sus secuestradores se lo transmitieron a Frank una noche que apareció en la «cárcel»; hizo sacar al secuestrado de la ratonera, caminó con él hasta donde se encontraba un nuevo auto enviado por la gente de Peligro y desde allí lanzó lo que para él era la sentencia definitiva:

—Magistrado, si usted no ha tomado una determinación, el abogado va a desaparecer del sitio en que se encuentra.

—No, pero...

—Lo trasladaremos a Marte.

—Pero, escúcheme usted: la decisión ya no depende sólo de mí sino de varios magistrados y del Ministerio de Justicia y tal vez de la Cancillería porque la «retención» de mi hijo ha creado un clima hostil en el Estado, ¿me comprende? Creo que si lo libera podremos concertar luego. Es que, además, está próxima la elección del nuevo magistrado. Permítale a él realizar su proyecto y usted conseguirá lo que quiere, pero en un ambiente distinto.

—Yo lo comprendo, pero le informo que el abogado saldrá para el infierno y eso será mañana. Ésta es su última oportunidad. Y si lo saqué de la capital donde están todos los guardias del país, usted sabe que este segundo paso será un juego —dijo finalmente, y cortó la comunicación.

Peligro había dividido a sus hombres en grupos diferentes. Unos eran expertos en vigilar lugares como aquél, otros en seguir los rastros y establecer costumbres y horarios de quienes Frank declaraba como sus enemigos, otros en manejar dinero, otros en traficar con lo que les dijeran, y a su juicio, los diez hombres que cuidaban al abogado habían hecho bien su trabajo, pero a Alfredo se le ocurrió que debían cambiarlos.

—No es bueno que esa gente se familiarice con el cautivo; hay que llevar a un equipo diferente —le dijo a Frank, y a él le pareció bien.

—Cambiemos también el coche que utilizan.

—¿Por qué?

—Es poca cosa. Llevemos un todoterreno nuevo. Hagamos cambios. La dinámica de una «retención» debe seguirle el ritmo a las circunstancias.

—De acuerdo. Háganlo.

Esa tarde enviaron a un grupo de pistoleros jóvenes que al día siguiente empezaron a visitar el poblado cercano en un coche moderno y al encargado del dinero se le ocurrió comprar todos los víveres allí, comida para once personas en un lugar donde las gentes nunca habían visto tal abundancia, y se relacionaron con los cinco o seis guardias del lugar y terminaron bebiendo con ellos. A los guardias aquello les pareció sospechoso: unos desconocidos en un auto lujoso, con una chequera y mucho dinero invitando a la gente a beber ron y hablando a toda hora...

—Jefe —le dijo uno de ellos al sargento—, aquí tiene que haber cocaína de por medio. Ellos vienen siempre del oriente y me parece que trabajan en algún laboratorio clandestino de droga escondido por ahí. Caigámosles.

—Somos pocos. Voy a hablar con la ciudad y le pediré ayuda al comandante. Mientras llegan refuerzos es necesario seguirlos y dar con la guarida.

Labor sencilla porque antes de que el sargento comenzara su tarea, aparecieron por allí dos de ellos en plan de juerga. A su encuentro salió un cabo, buen conversador y buen bebedor que los provocó y bebieron más de lo normal. Cuando partieron borrachos, no vieron al sargento tras sus pasos. Localizada la casa, el hombre esperó la llegada de más guardia.

Al amanecer arribaron los refuerzos. Era una patrulla reducida porque el comandante creyó que se trataba de un nuevo delirio del sargento que justamente había sido condenado a vivir en aquel moridero por su exceso de imaginación y ahora esperaba que transcurriera el tiempo para pensionarse.

Antes de partir el sargento contó quince hombres. Al llegar al lugar se ubicaron formando una medialuna y algunos se acercaron a la puerta a pedir que salieran los dueños, pero antes de llamar vieron adentro gente con armas.

—¿Qué hacemos?

—Tomen posiciones.

Unos corrieron hacia un lado y otros fueron al costado opuesto, pero no lograron rodear totalmente el sitio. Sin embargo, el sargento gritó pidiéndoles a quienes se encontraban dentro que salieran uno a uno, pero en lugar de abrir la puerta, alguien respondió y se trenzaron en una discusión que de una parte pretendía ser ultimátum y de la otra una especie de negociación.

La casa tenía una salida de emergencia resguardada por un bosque que impedía la visibilidad y por allí comenzaron a escaparse los pistoleros hasta quedar sólo uno de ellos con el secuestrado. Afuera el más viejo de todos se fracturó una pierna y se quedó allí escondido, y cuando el sargento dijo: «Éste es un laboratorio de cocaína», el que trataba de negociar respondió:

—No hay cocaína. Aquí tenemos al hijo del Gran Magistrado.

El grito cambió la situación. El sargento ordenó bajar las armas y ahora sí buscaron un acuerdo, tras el cual, quien hablaba pidió ser esposado a un guardia. Uno de ellos entró en la casa, salió con el negociador y se alejaron. Detrás de él apareció el abogado y más tarde el de la pierna quebrada.

La semana siguiente, alguien anunció que el magistrado deseaba reconocer la labor del sargento y lo llevaron a la capital con algunos de sus hombres, pero el día previsto para el homenaje se quedaron plantados en una esquina. No llegó nadie. A su regreso, el sargento buscó en un calabozo al hombre de la pierna quebrada y a través de él se comunicó con Peligro.

Fue un diálogo breve:

—¿Qué quieres? —preguntó el bandido.

—Danos dinero y no formularemos cargos contra el detenido.

El de la pierna quebrada abandonó la cárcel.

9

Cuando las máquinas de coser entraron en su escala musical, Emilio miró a su suegra. Quería decirle ¡por fin! o ¡finalmente!, o algo parecido al sentimiento que espera al final de los sueños, pero su cara le decía que ahora no le importaba lo que se dijera. Nuevamente Nadia Stepánovna se hallaba en el plano del silencio, o en el de los oídos que no desean escuchar. O en el del silencio sordo, para decirlo en dos palabras, pero a esas alturas sus arrebatos no lo desconcertaban como cuando la conoció. Era su temperamento. Una vez había caído en sus manos el control de algo, aquellos ojos aplastaban cualquier sonido que saliera de la boca de Emilio. Sin embargo, una cosa es permanecer sereno y otra muy diferente, tragarse el escozor de una herida, y esa mañana comprobó por última vez que hiciera, lo que hiciera, su voz continuaría siendo huérfana en esa familia.

La fábrica, como la llamaba su suegra, era un pequeño taller con cuatro máquinas de trabar hilo y algunas herramientas más, en cuyo montaje él había aportado un esfuerzo colosal desde el momento en que repitió la escena del camión adquirido en el mercado de autos usados en Suecia, el contenedor con telas, el recorrido de un camino largo, ese llenar los bolsillos de los guardias antes de cruzar la frontera para llegar por fin a San Petersburgo y depositar el cargamento en una cava cerca del canal Gribayédoba.

Su suegra consiguió el lugar para instalar la industria a través del grupo criminal que controlaba los bienes raíces, porque le parecía la máscara ideal para limpiar su dinero. Era una bodega al final de la calle Moskátelni, a escasas calles del Palacio de Invierno, en el corazón de la ciudad. Realmente Moskátelni no era una calle sino un callejón ocupado por silos con una especie de cubos de acero y una giba herrumbrosa en cada entrada. Un callejón sin brillo y sin salida visible, con muros que se estrechaban negando el paso de la luz. Calleja gris, marrón desteñido, parda, apagada como los muros, empedrada, con una pátina de polvo y de vestigios de hojas muertas en el otoño.

Desde cuando las máquinas comenzaron a sonar, el taller fue un buen negocio. Fuera de ellos, nadie hacía forros para los asientos de los autos en la ciudad y la tarde que llegó Emilio con su camión, Nadia Stepánovna le dijo que antes que mover un tornillo, tenía que protegerla.

—¿Cómo? —le preguntó él.

—Negociando con una *krisha* y pagándole.

Una *krisha* era una banda que gobernaba el sector.

—¿Pagarles para qué?

—Para evitar un incendio. Almacenamos telas, algodones sintéticos que arden como tamo, hilos. Hay que pagarle a esa gente para que no nos robe, o simplemente nos machaque a palos cualquier noche.

Ella sabía por qué lo decía. Para despojar gente de sus pisos y venderlos luego, se había enrolado con algo muy popular y muy conocido en la región como *Gruperovka Tambovskaya,* la mafia más fuerte de la ciudad. Los hilos de la banda eran movidos por un habitante de las altas esferas del gobierno local desde cuando se conocieron los resultados de las elecciones para gobernador. La razón era sencilla: los Tambovski habían alimentado las arcas de la mayoría de los candidatos antes de comenzar la contienda política con el dinero de la extorsión y de las ráfagas de los fusiles *kaláshnicov,* que los francotiradores, hasta hace poco miembros del KGB, hacían sonar desde las terrazas, desde los balcones, desde algunas ventanas.

Eso lo sabía la gente, pero la cultura decantada por cerca de un siglo en Siberia les había enseñado que el silencio era el precio de la vida. Durante la campaña política, millones de rublos empacados en objetos tan elegantes y tan vitales como las bolsas de plástico que las mujeres utilizaban y después lavaban para continuar sirviéndose de ellas, eran depositadas en los cuarteles generales de los aspirantes. Así llegaron al poder el gobernador y sus camaradas que ya no solamente controlaban la vivienda, el comercio, las tierras que fueron del Estado, sino a la industria, algunos bancos, las nuevas corporaciones. Y descendiendo en la escala, la prostitución, la droga, los salones con máquinas tragaperras. Y llegando al fondo, a los mendigos. Y más abajo, a los muertos que buscaban una tumba en el cementerio.

La *krisha* del convenio con Nadia Stepánovna para proteger la industria de Emilio no pasaba de ser un apéndice de los Tambovski.

Bueno, eso de la industria «de Emilio» era una manera de decirlo, porque legalmente la dueña del negocio y de la existencia del mismo Emilio en Rusia era Nadia Stepánovna. Ella era quien firmaba los papeles de propiedad de todo aquello. Además, ella tenía el poder legal para aprobar la estancia de su yerno en el país. En pocas palabras, su residencia en Rusia dependía de que Nadia Stepánovna le diera la bendición dibujando su firma en un papel que exigía el gobierno. Pero esa rúbrica permanecía en vilo. Ella aún no había dicho sí, ni no, y él contaba las semanas que faltaban para su deportación de acuerdo con el silencio de su suegra. «Es posible que la industria le traiga alegría y dé su mano a torcer», se decía cada mañana y cada anochecer, pero el suspenso continuaba.

Él y su mujer cenaban en casa de la suegra, porque ella había determinado que la nieta, ahora se acercaba al año de nacida, viviera a su lado, y para que el padre pudiera estar con ella algunos minutos, no encontraron otra solución. La chiquilla se llamaba Svetlana.

—¿Svetlana? —dijo Emilio antes de que ese nombre fuera registrado—. Svetlana es nombre para una mujer de edad. Los nombres cambian con las épocas. Svetlana no va con una chica de hoy.

—Los nombres no tienen edad. ¿Quién ha dicho eso? Svetlana se llamaba mi madre. Svetlana se llamará mi nieta —respondió Nadia.

Y se quedó Svetlana. Svetlana Emíliovna, pero ella, y por supuesto su hija, nunca pronunciaron el segundo nombre.

En casa de la suegra, la mesa permanecía cada noche cubierta no sólo con comida, sino con la voz de Nadia Stepánovna. Fue allí donde Emilio se enteró con anticipación de algunas muertes que ocurrirían luego en las calles y en las mismas viviendas que ocupaban las víctimas, escuchando las conversaciones de Nadia con Evgenia, su esposa.

La primera vez oyó un concierto de improperios contra quien manejaba la privatización de la propiedad raíz, pero como su conciencia se lo dictaba, el funcionario se oponía a que las propiedades más costosas cayeran en manos de particulares. Desde luego, Nadia lo aborrecía: era un sujeto incómodo, pernicioso... O no. Pernicioso no era el término. ¿Cómo se le dice a quienes huelen a muerto antes de estar muertos?

El término *kaláshnicov* la excitaba. Sus vísceras le decían que en el universo no giraba una herramienta más útil que aquélla. ¿Conversar para qué? ¿Discutir con qué fin si ahora el poder local utilizaba un idioma directo?

A aquel hombre le perforaron la cabeza tres días después cuando se dirigía en su coche a la gobernación. La balas salieron de un *kaláshnicov*.

Allí las bandas de criminales no atacaban desde motocicletas que rociaban balazos como lo hacían los pistoleros formados por Frank. No. En aquella ciudad lo habitual eran los francotiradores.

Pero no se trataba de una regla general, desde luego, porque otra noche Nadia Stepánovna dirigió su lengua contra Igor, el director de una compañía que, según ella, buscaba monopolizar parte de la tierra del Estado, o por lo menos daba pasos de siete leguas sin la aprobación de quienes habían comprado el privilegio en las elecciones.

Cuando Emilio escuchó aquello, hubiera querido tomar un teléfono, entrar en el edificio, irrumpir en un despacho y hablar con él, pues conocía el nombre que grabarían en esa lápida, pero se sentía incapaz de hacerlo porque también corría el riesgo de recibir un balazo en la nuca.

Poco después, unos pistoleros llamaron a la puerta de Igor. Se llamaba Igor Barísovich. Alguien la abrió y le dieron muerte frente a sus hijos y a su mujer.

A partir de ese día, a Nadia Stepánovna volvieron a brillarle los ojos, y Emilio tomó como pasatiempo registrar en su memoria los atentados que sucedían en calles y viviendas de la gente, pero perdió la cuenta cuando finalizaba el verano.

Lo cierto es que al final de cada semana escuchaba que los bienes raíces municipales iban siendo repartidos entre la gente del gobierno y algunos industriales y militares y políticos y dueños de diarios adictos al nuevo régimen.

El caso más sonado fue el de Evyeni. Le borraron la cabeza con una bomba, y hay que ser justos: aquella muerte sorprendió a Nadia Setpánovna. Ella se enteró apenas con el estruendo a eso de las nueve o las diez, no estaba segura de la hora en que Evyeni se detuvo frente a un semáforo en la calle Makarenko. El personaje iba distraído, pensaba acaso en sus maldades, porque también danzaba al compás de los Tambovski, y en ese momento un hombre se acercó al coche, colocó un paquete encima y se alejó con prisa. No se supo si fue él o un cómplice quien accionó un control eléctrico. El asunto es que el artefacto destruyó la parte superior del auto.

Mientras cenaban, Nadia explicó esa noche que realmente Evyeni había estado del lado del gobernante, pero de un tiempo para acá lo habían visto alejado y alguien de la policía secreta siguió sus pasos y luego le recetó el mismo medicamento que él estaba utilizando.

—¿Cuál? —preguntó Evgenia.

—Grabaron su voz, sus movimientos y supieron que ahora andaba sobre el tejado de un político enemigo del gobierno, y en ese tejado consiguió una serie de grabaciones. Justo la semana de la muerte andaba buscando la forma de darlas a conocer. A estas horas no se sabe qué mostraban los videos, o qué revelaban las palabras del camarada y resolvieron ponerle ruido al asunto antes de que él hiciera sonar el suyo.

—La muerte de Mijáil fue parecida. Una explosión y adiós cabeza —dijo Evgenia, y también escuchó una explicación de su madre:

—Ésa es otra clase de harina. Mijáil era importante en un banco y el banco estaba metido en las cosas del petróleo. Eso habrá qué preguntárselo con detalles a los de la guerra petrolera.

Evgenia no recordaba si Viacheslav, el médico, cayó antes o después de Evyeni. Para Nadia Stepánovna la fecha era lo de menos. Ella estaba al tanto de los antecedentes y eso le parecía suficiente porque, claro, esta vez también andaba de acuerdo con los matones que le machacaron el cráneo al médico cuando subía por las escaleras del edificio donde vivía.

—Fue una muerte que no logré entender. ¿Qué había detrás de la paliza? —le preguntó Evgenia antes de retirarse de la mesa, y su madre, que era una de las que hablaba directo, se lo explicó:

—Ese médico estaba buscando donde no debía. Andaba refiriéndose con cierto aire de Mesías a los supuestos malos manejos en el sistema de salud, y de la necesidad de combatir la corrupción y eso no es cierto. Yo sé que no es cierto. Total...

A excepción de aquel muchacho que una tarde apareció cerca de la universidad con las piernas quebradas a garrote, Emilio no había escuchado otro caso igual. Le impresionaba que los bandidos buscaran siempre la cabeza de sus víctimas. Pero siempre. El caso de Liena, la de los derechos humanos, era copiado casi con detalles de lo que le ocurrió al médico: la escalera de su casa, los tubos de goma endurecida, los trozos de cerebro sobre sus hombros. Esa mujer con nombre de campesina, un ser bien importante porque defendía la vida de la gente, estaba en la orilla opuesta de los que gobernaban.

Nunca se atrevió a preguntarle a su suegra aquello del lenguaje directo en cuanto a la anatomía del cerebro, porque estimaba que más allá de una táctica, se trataba de una costumbre tan profunda como la mentalidad que transita a través de los tiempos.

Lo cierto era que la muerte se había instalado en San Petersburgo como idioma cotidiano con diferentes acentos. «Mira el caso de Víktor Páblovic», le dijo Evgenia otra noche a su madre.

—Al de Víktor agrégale el de Nicolai. Esta semana fueron ellos dos, ambos metidos en el tráfico de petróleo. Víktor se estaba cruzando en el camino de... Bueno, de alguien en el Estado que se ha hecho fuerte en algo tan complicado, y tan competido, y, mira: tan peligroso como la distribución de gas para los autos, y vino a morir en el campo: ese día estaba en su dacha tratando de cultivar algo en la huerta con uno de sus hijos y le llegó la hora. Y lo de Nicolai es algo parecido en cuanto a lo del petróleo, pero bien diferente por la forma en que lo enfriaron. O lo calentaron, porque dizque cuando estallan, los cohetes producen una ola de calor infernal. ¿Cómo les dicen en Sudamérica?

—Rockets —respondió Emilio.

—Bueno. Pues a Nicolai le lanzaron uno contra el auto en que se movilizaba y no solamente lo desintegraron a él sino que el coche terminó tan blando como este postre... Algunas veces pienso que no debería decir todas estas cosas aquí. Desde luego, para que te tranquilices porque te veo nervioso, estoy segura de que no hay micrófonos escondidos, porque lo sé, y porque tengo cómo detectarlos. Algo aprendí en la fábrica de electrónicos donde trabajé tantos años y luego haciendo algunas tareas para el Partido, aunque uno no sabe bien... Fíjate lo que le sucedió a Evyeni: él y sus amigos invitaron a España a un hombre de los afectos del gobernador. De Madrid salieron un fin de semana para la Costa del Sol y en la casa de un tal Petr que había trabajado con el KGB, bebieron durante toda una noche y en el calor de la juerga, el amigo del gobernador contó todo lo que ustedes quieran. Sucede que había una cámara escondida detrás de un gran espejo, o de un cuadro, no lo sé con exactitud, y grabaron. Bien: al poco tiempo fue Evyeni el que cayó en la misma trampa, aquí en San Petersburgo.

Cada noche la conversación de Nadia Stepánovna era un cuadro general de naturalezas muertas por el estallido de bombas y balazos, tráfico de tumbas, de metales, de petróleo, de drogas. Apuntes untados de sangre que sumían a Emilio en una angustia permanente. Para atenuarla siquiera por un instante, creyó que debía deshacer pasos y regresar a los ambientes que había dejado a las espaldas cuando terminó sus estudios, pero en todo lado la conversación tenía la misma estridencia, hasta que una tarde volvió a caminar bajo los árboles con Valentina Nicoláievna.

A la salida de una exposición tomaron un sendero y mientras andaban, ella le preguntó de dónde venía su pasión por la pintura.

—El sentido me llegó en los genes —dijo él—, pero la pasión nació en Rusia. Yo no he visto a un pueblo que tenga tanto fervor por la pintura, por los lienzos, por los pinceles. Recuerdo que me contagié de esta obsesión un enero que fui de Kalinin a Moscú. En ese momento había un invierno de treinta y cinco grados centígrados bajo cero. Llegué al Museo Pushkin y encontré allí una cola de cerca de tres cuadras, ya te digo, a treinta y cinco grados bajo cero. Y cuando vi aquello no lo podía creer: una gente esperando dos horas para entrar a ver una exposición que traían de Occidente. Allí había tanta pintura... Rembrandt, Matisse, la época negra de Goya, Modigliani, Cézane, Picasso en su periódo azul. Y para mí fue todo un aprendizaje ver a esa gente temblando en aquel frío glacial. Para calentarse brincaban en un solo sitio, pero soportaban el padecimiento, porque luego los dejarían entrar sesenta minutos en el mundo fantástico de la pintura.

—Quiero verme desde afuera. Dime por qué los rusos amamos el arte.

—Bueno, primero, por los genes, y luego...

—¡Dilo!

—Ese saberse menos que Europa por los logros tecnológicos, económicos, por su prosperidad, hace que aquí se obsesionen por las artes de manera fanática. La llegada de la *Horda Dorada* de Gengis Kan detenida por los rusos, salvó al resto de Europa, pero petrificó el desarrollo y llegó a impedir que aquí hubiera Renacimiento y liberación de los siervos de la tierra. Entonces, cuando te escucho hablar del pasado, dices: «Nos falta mucho». Para mí, una parte del esfuerzo gigantesco por superar ese sentimiento, explica la obsesión por el arte y la cultura.

Ella sonrió y lo tomó del brazo, y cuando apenas penetraban el verde de un parque, saltó sorpresivamente al tema de la droga.

—No puede ser. ¡No-puede-ser! —exclamó Emilio cogiéndose la cabeza.

—¿Por qué? ¿Qué es lo que no puede ser?

—Que caigamos nuevamente en el tema de la droga y de las bombas. Estoy saturado. Mira: estoy angustiado. Es que no escucho hablar de nada distinto en ninguna parte, y hasta tú que eres diferente...

—No soy diferente de nada. Es que esta violencia y esta corrupción no se conocían, por lo menos en la forma en que la estamos viviendo, y la gente tiene por qué estar agobiada. Los que piensan y los que tratan de mirar al mañana andan tan angustiados como tú.

—De acuerdo, pero te pregunto: ¿por casualidad no hay algo diferente en Rusia? ¿No hay cosas buenas de qué hablar? ¿Acaso todo, absolutamente todo, es tan trágico y tan sórdido como han resuelto imaginarlo?

—Entrañable mío, la gente no anda imaginando nada, las bombas y los balazos están ahí. Eso no es imaginación de nadie. Por ejemplo, la droga: me interesa mucho saber de ella porque busco lo que hay más allá de tanta palabrería superficial. Escuchando de esta maldición he llegado a pensar, y estoy segura, que donde ha habido guerras, queda como rastro la miseria. Y queda la angustia, desde luego. Y de la miseria sale la droga. Ahora sé que en el extremo opuesto a la miseria viven los pueblos que han hecho la guerra y el hambre.

—De acuerdo: son pueblos ricos, pero también viciosos. Y angustiados. Yo no sé si estén conscientes de su angustia. Qué lo voy a saber. De lo que sí estoy seguro es de que quieren escaparse de donde están. Y si quieren escapar embutiéndose cuanta droga encuentren, es porque sus países no son tan paraísos como ellos lo dicen.

—Claro. ¿Ves que siempre llegamos al mismo punto? —dijo Valentina—. En mi teoría, o en mi especulación sobre los dos extremos, están, por ejemplo, Vietnam y los *amerikantsi*. Vietnam para mí es un ejemplo claro de lo que está sucediendo en el mundo. Luego veo a Afganistán y los rusos. Comencemos por Vietnam: les llevaron la guerra y los vietnamitas y los chinos y los de Laos y los de Camboya envenenaron con drogas al invasor. Ése fue el precio apocalíptico, digo yo, que pagaron después de la derrota.

—No los envenenaron ni los enviciaron. Ellos estaban enviciados cuando llegaron allá. Lo que sucede es que los amarillos los acabaron de hundir en el vicio —dijo Emilio.

—Sí, claro, pero mira también lo que les sucedió a los vietnamitas después de esa guerra. Te lo voy a contar, porque a raíz de nuestro atardecer y nuestra mañana después de Yelaguín, he buscado a algunos vietnamitas en la universidad, y hablando con ellos he aprendido mucho. No tanto como contigo, pero...

—Dime qué sabes de Indochina, porque yo conozco algo a través de los que le venden y le compran dólares a Nadia Stepánovna.

—En este momento, Vietnam es uno de los grandes abastecedores de heroína de los *amerikantsi*, sus enemigos de ayer. Ahora las montañas quemadas con bombas y herbicidas y cuanto descargaron allá los aviones, producen opio. Por ejemplo, yo conocí los nombres de Son La, Lai Chau, Lao Cai, no sé cuántos más, oyendo de bombardeos y matanzas, y ahora los vuelvo a escuchar cuando hablan de vicio. Y las aldeas y las ciudades vietnamitas son trampolín para la heroína que viene de Laos y Birmania. De toda esa montaña de inmoralidad, parte se queda en Vietnam, otro pueblo enviciado, pero la mayor cantidad cruza por allí y se va a buscar las venas del invasor.

Caminaban cogidos de la mano. Algunas veces ella se abrazaba de la cintura de Emilio y él la miraba a los ojos. Esta vez la interrumpió:

—Esas colinas de las que hablabas fueron arrasadas con herbicidas, y los valles también. En el delta del río Mekong acabaron con los bosques de mangle y cuando el mundo se dio cuenta, porque empezaron a aparecer niños deformes con la punta de los pies mirando hacia los costados, labios como una flor, paladares hendidos, hígados descomunales, dieron el grito y detuvieron la fumigación. En Colombia, los narcos han destruido las selvas más ricas del universo, un banco de genes para el futuro de la humanidad. Una vez destruida la selva y cultivada allí la maldita coca, aparecen en el cielo los aviones de los *amerikantsi*, descargan miles de toneladas de herbicidas sobre las plantaciones, y de paso, acaban con más selva. Pero eso no sirve de nada: los narcos se van a otro lugar y aniquilan más selva. Mira: en Colombia han arrasado treinta veces más territorio selvático que en Vietnam y todo el mundo está callado.

—¿Por qué? —preguntó Valentina.

—Los científicos y los defensores de la vida tienen temor: quien diga algo en este sentido será tachado de narcotraficante. Sin embargo, pienso que con una mínima porción de lo que han costado los venenos esparcidos durante treinta años, habrían acabado con toda la coca del mundo y les sobraría una fortuna incalculable. ¿Cómo? Dándole a la gente la manera de trabajar con honradez.

—¿Para ti qué es una «fortuna incalculable»?

—A ver... Hoy, dos galones de veneno valen lo mismo que un kilo de hoja de coca en la selva. El veneno es supremamente caro, vale oro. Pero los aviones, o los helicópteros, evacuan de sus tanques esos dos galones en menos de dos segundos. Y no es un solo aparato rociando veneno. Son muchos a la vez. Entonces, piensa en cuántos «dos segundos» hay en treinta años. Una fortuna de dinero y una eternidad de muerte.

—Eso parece demencial. O, no parece: es demencial. Detrás de esa locura no debe haber seres inteligentes.

—Claro que sí los hay.

—¿Quiénes? ¿Quiénes son inteligentes en ese absurdo?

—Los dueños de la industria que produce los venenos y desde luego quien capta los impuestos que paga esa industria. Ellos siempre ganan las guerras, estén del lado vencedor o con los vencidos.

—Colombia es una sociedad tan diferente a la rusa. ¿Qué necesita la gente en Sudamérica para trabajar con honradez?

—Bueno, si la comparamos con Rusia, habría que partir de ceros porque se trata de que le den a la gente elementos para acabar con el hambre.

—Dime cómo es eso.

—Por ejemplo, habría que organizar a la gente del campo en comunas o en cooperativas o en algo que les permita a todos ser dueños de todo. Y hacerles vías de ferrocarril, silos en los cuales almacenar lo que cultivan, y ciertas industrias para que procesen las toneladas de alimentos que produce una tierra supremamente rica. Eso crea mercados garantizados... Y construir también escuelas y todo ese cuento que vale una miseria junto a lo que han costado los venenos con que matan los suelos, las aguas, los bosques. Todo. Lo matan todo. No hablemos ahora del ser humano.

—¿Y por qué no lo han hecho?

—Ya te lo expliqué: la industria de los agroquímicos en Estados Unidos es la más poderosa del mundo. Si se acaba la coca, sus empresas serán menos poderosas, el Estado será menos poderoso.

Se detuvieron y Emilio sacó de su mochila dos botellas de cerveza. Aún la tarde estaba allí. No alumbraba el sol pero tampoco hacía frío. Desde el tronco de un árbol caído vieron cruzar una bandada de cuervos y cuando desapareció su algarabía, Valentina volvió al ataque:

—Emilio, regresemos al Vietnam de hoy.

—No. Me agobia el tema.

—Regresemos. Rematémoslo, ¿si?

—Ciudad Ho Chi Minh —dijo él— es otra Amsterdam, llena de turistas blancos buscando heroína, y aunque no la busquen, los vietnamitas se la dan. Y se la dan barata. Sé que un paquete con veinte dosis, los *amerikantsi* lo bautizaron *buda*, les cuesta igual que una cajetilla de tabaco rubio en su país. A los vietnamitas les vale la mitad. ¿Sabes cómo se meten el opio? Untando los cigarros. Hay otra ciudad llamada Cholón que es como el Amsterdam pequeño de Vietnam. Y si uno va a las playas turísticas que están ahora de moda, debe llevar botas para no pincharse con las jeringas que tiran los visitantes.

—Es cierto —asintió Valentina—. Esta gente me dice que cuando vaya, visite Nha Trang, Vung Tau, Hoy An, pero que no busque el mar. Que busque la felicidad porque los traficantes no son controlados. Ellos dicen que la heroína vietnamita es mejor que la de Camboya. ¿Te gustaría probar y me dices luego cuál te parece mejor?

—¡Jeringas! Detrás de cada una hay un enfermo de sida. Otra de las bendiciones que les dejó la guerra. Hoy, Hanoi y

Haifong son la fuente del sida. Fíjate que ellos también están pagando por esa guerra —dijo Emilio.

—«Ellos» quiere decir desde el más sencillo de los habitantes hasta quien los gobierna. Ayer escuché que, óyeme bien esto, que acaban de meter en la cárcel al jefe de la lucha contra los narcóticos de Vietnam. ¿Sabes por qué? Porque resultó ser el jefe de una mafia de traficantes de heroína.

—¿Por qué insistes en la palabra mafia, un patrimonio exclusivo de los italianos? —le preguntó Emilio.

—Porque ya no es exclusiva de ellos, creo yo. A propósito: ¿qué hay de Francesco, ese amigo tuyo cuando llevabas vodka a Finlandia?

—Por ahí anda del Caspio a Volgogrado, de Volgogrado a San Petersburgo. Trae heroína y creo que lleva drogas sintéticas. Algo así. Yo sé que su jefe, otro italiano joven, maneja en Moscú una parte de la prostitución. Las prostitutas son canales efectivos para distribuir la droga. Francesco habla de la Camorra napolitana, de la Cosa Nostra siciliana, de la 'Ndranghetta de Calabria, de la Sacra Corona Unita de Apulia. Eso es mafia. Italia está cruzada hoy del sur al norte por los caminos de esa gente. A partir de ahí, busca el nombre de cualquier país europeo y allá podrás hallarlos. Y vete al norte de América y también. Ellos son una parte de la historia de los Estados Unidos: Al Capone, Gambino, Costello, Colombo, y te voy a nombrar a uno los mafiosos «modernos»: Sam Giancana. ¿Has oído hablar de él?

—No.

—Giancana fue amigo del presidente, compartió una amante con él y siempre dijo que había contribuido con dinero en la campaña política para hacerlo presidente. Cuando intentaron asesinar a Castro y más tarde invadir a Cuba, él y otro mafioso, Johnny Roselli, dieron más dinero y se asociaron con gente de la ley en ese país. El final puede ser inesperado: Giancana tuvo que ver con la muerte de su ex amigo el presidente... Que, a su vez, venía de una familia enredada en el pasado con la mafia.

—¡Juu!

Dejaron de hablar, pero la urgencia de la palabra se veía en la cara de Valentina, que había convertido el silencio en búsqueda de plantas. Ahora caminaba descalza por la hierba, sin hablar, escuchando los sonidos, buscando los olores y los colores de la vegetación. La sensación de sentirse acechada la encendía. Cuando Emilio abrió los ojos, vio su cara a través de las ramas de un álamo temblón. Ahora cantaba algo.

—Yo la llamo la canción de los amantes, o la canción del amor.

—No la conozco —dijo Emilio, y ella sonrió.

—No existe. Son frases improvisadas, sentimientos.

Caminaron un trecho y para hacerla feliz, regresó al tema:

—Dijiste hace un par de horas que ibas a hablar de Vietnam y luego de Afganistán. ¿Cómo es eso?

—No es sólo Afganistán. Es lo que se encuentra en el Asia Central, donde todo es «tan»...

—¿Cómo?

—Sí, «tan»: Kirguisistán, Kazajstán, Uzbekistán, Turkmenistán, Afganistán, Pakistán...

—¿Te los aprendiste?

—Por favor.

—Bueno, todos esos territorios tienen que ver con el mar Caspio, un mundo de heroína. Conozco esos nombres casi de memoria porque ahora se mueve por allí Nicolai Andréievich.

—Mi padre.

—Sí, mi padre... No pienses que hoy también voy a llorar. Escúchame: nuestra guerra en Afganistán, nuestra horrible guerra, fue otro Vietnam. ¿Qué quedó en los «tan» después de la guerra? Miseria, y con la miseria tráfico de opio y heroína a través de las fronteras que, desde luego, son incontrolables por la manera como Stalin concibió la delimitación para evitar que se independizaran. Allá los gobernantes les entregan a los traficantes los pasaportes que pidan, y ellos a su vez, se los dan a la gente que pasa con la droga. No encuentran otra ocupación. En esa región, hoy una persona gana cinco dólares al mes; eso es miseria y eso es hambre y por eso se van a traficar. Llevando heroína reciben el doble en cada viaje. Toda esa droga termina en el Caspio y por allí, tú ya lo sabes, viene hasta San Petersburgo buscando el camino de Estados Unidos.

—¿Cuál crees que puede ser la solución?

—Repito lo que me dijiste hablando de Colombia, porque siempre lo he pensado así: hay que ayudarles a desarrollarse —respondió ella—. Permitirles que encuentren algún trabajo honesto para calmar el hambre. ¿Será muy difícil? Yo estoy segura de que esa gente siembra amapola, no porque sea mala, sino por su miseria. Y porque no tiene detrás un Estado fuerte. Óyeme: es que con cinco dólares al mes no alimentas ni a un gato.

—Escuché que quieren destruir los cultivos con un hongo.

—Claro. Solución simplista que no arreglará nada, y además, violenta y muy peligrosa.

—Cuéntame por qué.

—En el Instituto de Genética de Uzbekistán, el régimen soviético buscaba la creación de agentes químicos para destruir las cosechas de sus enemigos. Se acabó el régimen, se abrieron las fronteras pero quedaron las armas. Hoy los ingleses, con dinero de los *amerikantsi*, y con ayuda de la gente del KGB que comenzó en el proyecto, están perfeccionado, dicen ellos, un hongo para lanzarlo desde aviones y arrasar los malditos cultivos. Claro que son malditos. Pero lo que me aterra es que, sí, claro, el hongo puede acabar con la amapola, pero también con cuanto vegetal se halle a kilómetros y también con los seres humanos. Si se atreven a negar esta verdad, son más criminales que aquellos que trafican. Eso se llama guerra química. Eso se llama exterminio. Entonces sigo en tu onda: ¿todo el dinero que están invirtiendo para exterminar, no podría utilizarse en buscar la forma de proporcionarle a esa gente la manera de trabajar con honradez?

—¿Tú crees que lo utilicen? —preguntó Emilio.

—No lo van a hacer, por lo menos en estas regiones. ¿Por qué? Sencillamente porque si lo aplican, los regímenes islamistas como Irán y Afganistán denunciarán inmediatamente que la guerra química está dirigida contra los musulmanes.

—¿Entonces?

—Ya encontrarán un Estado insignificante.

—Ese riesgo no lo puede afrontar la humanidad. Sería importante decírselo al mundo.

En la cara de Emilio asomó la angustia que parecía haber olvidado desde cuando vio a Valentina, pero ella simuló no advertirlo y continuó:

—No, por ahora el riesgo no lo corre toda la humanidad, no. Lo afrontan las regiones más empobrecidas, las del hambre. Pero, dime: ¿quién puede denunciarlo que no sea un gobierno o un pueblo entero? Si alguien que carezca de poder se atreve siquiera a decir que no está de acuerdo porque la vida de millones de seres inocentes va de por medio, tú ya sabes lo que sucede: le dan una dosis de *kaláshnicov* o simplemente lo callan. ¿Cómo? Deshonrándolo, que es casi lo mismo: «Se trata de un miembro de la mafia», dirán de él y terminará en la cárcel o en el destierro, y asunto solucionado.

Había llegado la noche y las lámparas señalaban mil rastros en la niebla. Caminaron un trecho en silencio y cuando vieron la entrada a una estación del metro, Emilio le dijo que fueran primero al centro de la ciudad. Quería confundirse con la gente, entrar en algún lugar y escuchar música, no bailar, mirar los ojos de Valentina por un instante. Se lo dijo y ella lo abrazó.

—¿En qué piensas ahora?

—En viajar —respondió ella—. Pocas veces me he alejado de esta ciudad. No conozco caminos diferentes de los de mi cerebro que busca siempre lo conocido. Entonces he resuelto pelear con él y viajar a mundos nuevos, o por lo menos, diferentes de éste. Algunas veces no me fío de los relatos que escucho. Creo que lo que me cuentan es algo que alguien resolvió que había sucedido tal como su cabeza lo interpreta. Ahora mismo estoy recordando a Mael Dúin. ¿Sabes quién es?

—No, pero me suena a mitología. Hubo una época en la que devoré mitología céltica. ¿Por qué? Porque me advirtió que andaba equivocado tratando de juzgar a los de ayer por las costumbres de hoy.

Buscaron asiento en la oscuridad de una taberna. Él acarició sus manos y ella comenzó a hablar del celta instalado en su cerebro:

—Este hombre quería vengar la muerte de su padre. Pero necesitaba embarcarse y un druida le dio el barco y le dijo que partiera. Se fueron a buscar la isla donde vivía el matador, pero se desató una tempestad y los mudó de camino. Quedaron a la deriva. Hallaron islas y después más islas, pero no encontraron al asesino sino a una legión de demonios que disputaban carreras de caballos. Vieron enjambres de hormigas tan grandes como potros y finalmente se detuvieron frente a una columna de plata. De la columna colgaba una red, también de plata. El barco la atravesó, y al atravesarla cruzó la frontera que los separaba del Otro Mundo: la tierra de las mujeres. Las mujeres los recibieron y les dieron de cenar. Él se fue a la cama de aquella que mandaba en las hadas, y cuando amaneció, ella le dijo que se quedara para siempre. Se quedó, pero al cabo del tiempo sintió que estaba atado a la nostalgia y decidió regresar. Levaron anclas y sin que se diera cuenta, ella cruzó por su mano derecha un hilo mágico. Quería detenerlo. Quería que Mael Dúin fuera suyo para siempre...

Calló y Emilio trató de leer en sus ojos, pero la oscuridad se lo impidió.

—¿Qué sucede? —le preguntó y ella guardó silencio. Luego dijo:

—Me voy a un mundo desconocido para mí. No volveré a verte.

—¿Nunca?

—No lo sé. Tal vez estaré allí un año, dos años... En este momento no sé nada más.

—¿Habrá algún lugar donde puedas desafiar la nostalgia?

—No sé si sea capaz de hacerlo, pero me voy a Bandjarmasín. Eso es Indonesia. He conseguido un trabajo que me servirá para abrir la mente un poco más y para pensar en ti, y para...

—No puede ser.

—Sí. Sí puede ser. Debo partir la semana que viene. No te lo dije antes porque había una fuerza, había algo que me atormentaba, y que me atormenta ahora, y me sentí, no lo sé: como entre la niebla. Quiero alejarme del ruido de las bombas y de la estridencia de estas mafias. Esta situación demencial ha terminado por agobiarme.

—Ahí no digo nada. Yo me siento igual —comentó Emilio.

—Pero a la vez quiero estar cerca de ti —susurró ella—. Cuando me dijeron que había luz verde para los geólogos, lo primero que me vino a la mente fue tu cara, pero pronto esa cara entró en disputa conmigo misma, con lo que deseo en la vida. Y ganó mi vida. No será fácil para mí, pero el destino...

Alguien decía que uno solamente tiene tres oportunidades para salirse de los parámetros rígidos que ha heredado. Debo valorar nuevamente el orden de los procesos en que he estado aprisionada hasta hoy, y ahora que vivo en un país libre, quiero hacerlo. Cada uno busca su propia felicidad. Tú sabes que en mi vida hay un rompimiento claro por el abandono, pero eso me ha centrado y me ha llevado a cambiar temas y a pensar que hoy las cosas están ahí, pero mañana tal vez no. Generalmente uno pierde la primera oportunidad por falta de experiencia. Pero quedan dos, y ésta es una de ellas. Yo sé que tú lo entenderás.

Ahora las lágrimas estaban en la piel de Emilio.

A partir de aquella noche, y de aquel amanecer, Emilio también tomó la decisión de marcharse. Tal vez por su razonamiento, nunca reconoció con suficiente lucidez que la vitalidad de Valentina Nicoláievna era una cuerda que le había impedido huir, y pensó en el desamparo. ¿En la orfandad? Posiblemente. A esa altura no discutía con tantos sentimientos enfrentados.

Pensaba en algún lugar tranquilo de Sudamérica, si aún podía encontrarlo, en el cual le resultaría fácil volver a comenzar, siempre y cuando lograra penetrar los oídos de su mujer. Calculando que algún día tendría que enfrentar esa decisión, había depositado algún dinero, no demasiado, en un banco finlandés. Y si además lograba que su suegra le entregara una parte de lo que era suyo, las cosas serían aún más fáciles.

Durante varias noches habló con su mujer y finalmente logró que moviera la cabeza un par de veces. Tal vez sí. A lo mejor, quién sabe. Svetlana Emíliovna, su hija, era lo único que lo ataba. Le restaba hablar con la suegra y una noche se lo dijo al final de la cena:

—¿Irse de aquí? ¿Llevarse a la niña? No, ustedes están locos. Creo que deben pensarlo mejor, aquí lo tienen todo —respondió sorprendida.

La noche siguiente les pidió que esperaran un tiempo más, al cabo del cual podrían tomar la decisión que les viniera en gana, y a partir de allí nunca volvió a mencionar el tema hasta cuando él se lo recordó. Esa vez ella guardó silencio y dejó de mirarlo a la cara, pero antes de despedirse dijo que la mañana siguiente debían reunirse en el taller antes de que llegaran los demás. Tenían que discutir algo. Pensar en un proyecto nuevo.

Cuando Emilio llegó al lugar la mañana siguiente, encontró parte de las luces apagadas y en la segunda planta pudo contar las siluetas de cinco hombres corpulentos vestidos de negro, la cabellera corta y aplanada, tatuajes en los brazos, pantalones ajustados. «La *krisha*... Éstos son los Tambovski», pensó. Detrás de ellos brillaban los ojos de su suegra.

—¿Qué sucede aquí? —preguntó.

Se imaginaba que aquellos hombres querían más dinero del que recibían ahora, pero Nadia Stepanovna salió al paso:

—Aquí lo único que sucede es que debes irte. Pero debes largarte solo y dejar en paz a mi hija y a mi nieta.

—¿Mi esposa está enterada de todo esto?

No escuchó que Nadia contestara y volvió a hablar:

—Todo lo que hay aquí lo has conseguido con mi trabajo, con mi dinero. Yo tengo parte en esto.

—¿Tu dinero?, maldito sureño. ¡Checheno!

—Lo que estás haciendo va contra tu propia hija.

—Mi hija ya no es tuya, y tú no te la llevarás de aquí. Tú no eres nadie.

Emilio intentó retirarse, pero uno de los mafiosos lo detuvo: «Tú no irás a ninguna parte». Los demás lo rodearon, sujetaron sus brazos contra la espalda y lo arrastraron en busca de la puerta, donde esperaban dos coches y dos hombres más.

Lo hicieron subir en uno y le doblaron la cabeza hasta alcanzar el piso. Anduvieron una eternidad. Primero escuchaba el bullicio de las calles a través de algún cristal que luego cerraron. Un silencio eterno. Algunas veces los que iban a su lado lo pateaban, otras lo insultaban, y cuando creyó haber llegado al límite del pánico se detuvieron.

Frente a él apareció una especie de bodega. Uno de ellos corrió una cortina metálica, otro abrió una puerta también metálica y lo arrastraron hasta un punto en el que sus ojos no podían separar las sombras de la luz. «La cabeza, debo proteger mi cabeza», pensó, y antes de recibir en la cara el golpe de una bota achatada, entre las sombras de polvo distinguió un arrume de plataformas de madera sobre las cuales acomodan la carga para que una máquina la movilice, y cerca de ellas, otro de ladrillos.

Las botas chocaron contra las manos y los brazos con que se cubría la cabeza. Nunca creyó poseer tanta fuerza, nunca pensó que en aquellas circunstancias un hombre lograra sacar del fondo tantos alientos para defenderse. La verdad es que no lograron, o no quisieron bajarle la guardia lo suficiente como para quebrarle el cráneo o deformarle la cara. A él le horrorizaba que desdibujaran la forma de su cara o que le machacaran la cabeza. «Prefiero un balazo en el corazón. Si muero, porque voy a morir, lo único que deseo es que mi hija pueda reconocerme», pensaba en ese momento. Allí, tendido en el piso, pedía que la muerte viniera pronto, pero con la cara intacta para que su mujer pudiera reconocerlo, si su mujer se interesaba en mirar el cadáver. Para que sus amigos supieran que se trataba de él. Para que en la morgue alguien viera su rostro como realmente había sido.

Al final de aquel instante interminable, sintió un golpe en el hígado y posiblemente perdió el conocimiento. Por lo menos durante el tiempo que permaneció tendido entre el olor a orines de gato y el sudor que lo bañaba, no logró recordar qué había sucedido después del último porrazo.

Ahora estaba solo. No sabía si era de día o de noche y dejó de luchar consigo mismo por olvidarse de las punzadas en el hígado. Lo habían abandonado en las sombras de aquella bodega para que muriera de hambre y de sed. Tal vez fue la imagen de su hija riendo la que lo rescató de la bruma en que flotaba. Recordó los gestos, la calidez de Valentina Nicoláievna, y le pareció escuchar sonidos con el tono de su voz.

Después, los recuerdos se fueron al ayer: a su padre, a su madre. Deslizó la punta de los dedos por cada una de las formas de su rostro y creyó que no habían cambiado, pero cuando intentó sonreír, su piel era un brasero. Cuando se alejó el ardor, la nube que le llenaba los ojos se hizo más espesa.

El tiempo había desaparecido. Se deslizó lentamente impulsándose con las piernas hasta cuando su cabeza tocó las plataformas. Antes de cubrirse la cara, las había visto formando una columna que se acercaba al techo. Tenía que intentar trepar y llegar hasta lo alto con un ladrillo en las manos.

Cuando se incorporó pensó que en cuanto no eliminara del cerebro la señal del dolor en los brazos y en las manos, la muerte iba a ganar esa carrera. Pero a la vez comenzaron a mermarse sus fuerzas y ahora el miedo era perderlas del todo, mientras el deseo de vivir se multiplicaba. Tenía que volver a ver a su hija, tal vez a contarle a su mujer lo que había sucedido y ese deseo creciente de vivir le permitió dar los primeros pasos.

Recorrió con las manos parte del muro que lo separaba de la calle y a poca distancia de las plataformas encontró los ladrillos empacados en un manto de hule delgado. Hundió en él la punta de los dedos y lo rasgó. Uno, dos, cinco ladrillos. Los llevó hasta la torre de plataformas, se detuvo y antes de hacer el primer intento volvió a pensar en la vida, en la luz de los bosques al atardecer, en Bach, en Pushkin, en Valentina; no iba a permitir que ninguno de ellos desapareciera de sus ojos y de sus oídos para siempre y comenzó a trepar, pero olvidó cargar con un ladrillo. Ahora pensó en sus estudios y comenzó a decir palabras en castellano, en francés, otras en alemán. Recordaba algunos hitos de su vida y recuperó el aliento.

Cuando llegó a lo más alto, se plantó en el centro de la plataforma, levantó los brazos y sintió la forma del techo. No era de hormigón como lo había temido. No era de metal. La superficie le indicó que se trataba de una lámina de asbesto, más blanda que el ladrillo, más grande que la superficie de la plataforma, más cercana a su cabeza de lo que había calculado, y tal vez por la excitación, o por el esfuerzo hecho para llegar hasta el punto en que se encontraba, sintió que se extinguía.

¿Cómo es la agonía? La agonía lleva un desierto en la garganta, en los oídos el sonido de agua que corre, dolor en los brazos, en el vientre un tumulto de colmillos, y en los ojos el brillo gris del titanio emergiendo de las sombras: la figura de Pedro el Grande en un caballo y los cascos aplastando a la serpiente de la traición.

El suyo había sido un secuestro «sucio», si es que hay alguno limpio, pero bueno: fue sucio porque lo realizó la suegra. La suciedad estaba dentro del corazón de lo que llegó a considerar como su familia, y como la agresión venía de lo afectivo, malo o regular en su caso, lo invadió ese temor que sobrecoge cuando alguien descubre que la lealtad es mentira. En aquel momento era incapaz de explicarse cómo había vivido al lado de un enemigo. Eso no lo podía entender.

Y, además, sentía que todo aquello era sucio porque se salía de las reglas del secuestro corriente: pago contra entrega.

Me das algo y te devuelvo la libertad. No. Aquí se trataba de una traición: «Checheno, te voy a quitar a tu hija y tú vas a morir de hambre y de sed».

«Pero no voy a dejarme morir», se dijo cuando la niebla tuvo alguna transparencia. Eso le permitió incorporarse y tomó el ladrillo con las manos de plutonio. «No, de plutonio, no. De acero», y empezó a azotar la lámina del techo que comenzó a quebrarse con los primeros golpes. No tenía fuerzas para quebrar ladrillo y persistió durante mucho tiempo hasta sentir que saltaban los primeros trozos de asbesto y a través de los agujeros vio un resplandor. Debía ser la luz de la luna, pero nuevamente estaba sin fuerzas y se dobló buscando la superficie de la plataforma con las nalgas.

Ahora lo invadía un desinterés absoluto: «Ha de ser la muerte», pensó.

¿Cómo es la muerte? Es el dolor que taladra la carne, es niebla azul. El cerebro vibra y las vibraciones crecen como los latidos del corazón, y en la medida en que se va alejando de la vida, la niebla azul se torna verde, amarilla, roja, anaranjada y finalmente violeta cuando la angustia llega al clímax. Aleación de colores, luz brillante. Más allá flota un universo sin sonidos. En el Valle de la Muerte no hay árboles. Es una planicie con yerba rasante y en el límite de lo infinito, dos figuras. La pequeña viene al frente, le hace señas, lo llama. Su cara y sus movimientos son los de su hermana menor, muerta a los cinco años. A espaldas de ella está el abuelo, fallecido cuando él tenía doce. Intentó acortar la distancia para alcanzar las manos de su hermana, pero la luz ocupó todos los espacios y cuando comenzaba a invadirle las cuencas de los ojos, movió los párpados y se encontró nuevamente en las sombras de la bodega.

—¿Estoy muerto? No. Ya he regresado.

Nuevamente el ladrillo chocó contra la lámina hasta convertirla en un agujero más ancho que su cintura, pero afuera había luz. Comprendió que debía esperar la noche para tratar de salir y volvió acostarse con la cara contra las tablas. Huía de la claridad.

«Faltan pocos golpes para terminar de abrir la tronera. Sí. Cada golpe es una pala llena de tierra. Estoy abriendo una tumba. ¿Alguien ha abierto su propia sepultura?»

Un poco antes pensaba en qué debía hacer para que alguien descubriera su cadáver. Ése era el mayor sufrimiento y por eso vio el Valle de la Muerte y luego la luz. La herida más profunda era dejar de existir en el abandono y que luego nadie lo recordara como fue.

Corriendo la película hacia atrás mientras anochecía, pensó que antes de cerrarse las puertas había olvidado el dolor durante algunos minutos. En ese momento el problema no estaba en el trato recibido, sino en cómo iba morir. Con el rostro deforme sería irreconocible y eso tenía qué ver con su dignidad.

Pero ahora, tendido sobre las plataformas, la traición era el eje de su drama; una vez afuera, ya no tendría a alguien cerca. No sabía cómo iba a rehacer su vida, hacia dónde ir, en quién confiar. La única esperanza hubiese sido Valentina, pero ella se encontraba en el fin del mundo y prefirió olvidarse de la soledad que lo esperaba.

Pero, sin calcularlo, en ese momento era más cómodo culpar a alguien de su destino y comenzó a sentir temor por los demás. En adelante, todo el que se cruzara con él, le haría daño. Definitivamente, su problema tenía que ver con la lealtad, y cuando abandonara aquella tumba y volviera a encontrarse con la gente, el argumento sería breve: ¿alguien es leal en esta vida?

Finalmente comenzó la noche y exprimiendo la fuerza que quedaba en su cuerpo, acabó de quebrar la lámina, trepó al techo y alcanzó la calle deslizándose por una especie de cañería metálica que bajaba hasta el suelo. Allí se arrastró nuevamente, vio un paradero de trolebuses y la sombra de alguien.

—¿Sabes algo de tu marido? —preguntó Nádia Stepánovna y su hija respondió con un movimiento de cabeza. Varios días sin ir a casa, sin tomar un teléfono para explicar algo.

—No. No sé nada —dijo.

—Yo sí.

—¿Dónde se encuentra?

—Muy lejos. Se marchó a Indonesia con una mujer.

—¿Me abandonó?

—No. Te dejó en libertad. Tú no eres una mujer abandonada, eres una mujer libre.

—No lo creo.

—¿No puedes creerlo? Mira esto. Míralo bien y después quémalo —dijo, y sacó de su cartera varias fotografías: Emilio sentado en una pequeña embarcación y una mujer desnuda saltando al agua. Emilio abrazando a una mujer desnuda con un remo en las manos. Emilio y la misma mujer hechos un nudo bajo un árbol. Emilio en un portal y la mujer rodeándole el cuello con sus brazos. Fue la mañana de la despedida.

—Ella se llama Valentina Nicoláievna, es hija de un militar y trafica como su padre —dijo la suegra.

Evgenia la miró: «¿Y tú a qué te dedicas?», pareció increparle y su madre calló, pero luego volvió incendiar:

—Ahora mismo tienes que mudarte del piso que ocupabas. Alguien está esperándonos y vamos a meter entre un camión toda la basura que hay allí y la vamos a desaparecer. Tú irás a vivir desde ahora en casa de alguien y una vez yo haya comprado un piso en la Costa del Sol, te marcharás de aquí. A partir de hoy eres dueña de tu vida.

Nadia Stepánovna hizo el negocio en esos mismos días, porque Petr, el ex agente del KGB había comprado un chalet en Málaga, y a cambio, quería vender una propiedad. Se trataba del mismo piso en el cual grabaron la conversación del hombre de confianza del gobernador, pensando en el chantaje que culminó con la muerte de un político.

Petr conocía muy bien a Nadia y basándose en algunas fotografías, ella decidió que era un sitio ideal y lo adquirió con el compromiso de que se llevara a su hija y la introdujera en la colonia rusa del lugar.

Emilio recordaba una banda interminable de luz, la cara de una enfermera rubia (¡vaya cara!) y el sonido de las ruedas desvencijadas de la camilla atravesando una galería de sombras.

Después era de día. Una sala. Flotaban cinco camas con enfermos que sonreían amigables. Encima de su cabeza giraban un médico con cofia alta, blanca, tiesa. «Severo el panadero», pensó; y una doctora amable, entrada en años. Una tercera menos móvil, con una lámpara de minero en la frente, un par de ojos azules inexpresivos, cejas negras, pestañas tupidas, alargadas, brillantes, cubrebocas humedecido por el aliento, voces de sentencia. Las veces que la vio le pareció la caracterización mas cercana de Katerina Ivánovna, viuda de Marmeládov, el borracho filósofo de *Crimen y castigo*.

También estaba allí un cirujano joven que se enteró de su ingreso a la sala de emergencias, gracias a que alguien dio aviso a la policía. Lo habían rescatado cerca de la estación del trolebús, sin sentido, con la ropa raída y cubierto de polvo.

—Tiene usted una lesión en el hígado —le dijeron.

A partir de allí comenzaron a contar días y noches y días luchando contra el dolor en el vientre y un sentimiento de culpa que lo enloquecía. Se sentía despreciable. «Es complejo de Judas», le dijo alguien.

Realmente él no se explicaba por qué lo habían castigado, por qué habían tratado de dejarlo morir de hambre y de sed. Seguramente lo merecía.

Cuando tuvo la boca libre de sondas le pidió a una enfermera que se comunicara con su mujer, pero una y otra vez le dijo que nadie contestaba en ese teléfono. El cirujano joven aceptó ir una tarde al lugar, pero la mañana siguiente le informó que no solamente en ese sitio no vivía ninguna Evgenia Alexándrovna, sino que los vecinos no recordaban haberla conocido, por lo cual Emilio empezó a construir una mezcla de pensamientos que partían de sus viajes a Finlandia.

Era posible que al entregarle el dinero a su suegra, hubiese alterado parte del andamiaje familiar y su mujer empezó a rechazarlo en silencio: el dinero estaba minando la imagen de autoridad que ella tenía de su madre.

Tendido en aquella cama, en algunos momentos la amaba; al fin y al cabo era la madre de su hija. Pero también la odiaba por su falta de solidaridad.

De todo ese infortunio tenía un buen recuerdo. Cuando abandonó la habitación y salió al pasillo, una enfermera lo vio caminando por sus propios medios y aplaudió, y luego, otra, y otra, y un médico y tres más, y con ellos varias personas.

—No te aplauden a ti, sino a la vida que acaba de triunfar sobre la muerte —le dijo alguien.

Pero una vez se alejó de la clínica, la sensación de soledad fue aún mayor. No tenía un centavo en el bolsillo, vestía con ropa que le regalaron algunos enfermos. La ambulancia lo llevó a la universidad que siempre había sido su último refugio. Vivió algunas semanas en las habitaciones de varios estudiantes, visitó lo que había sido su vivienda y no halló rastros de Evgenia, preguntó por su registro de matrimonio y le dijeron que él no se había casado nunca, y como tampoco encontró rastros de su hija, se dedicó a deambular por las calles sin rumbo, buscando a la pequeña, hasta que una noche un amigo le aconsejó que abandonara San Petersburgo. De lo contrario, iba a enloquecer.

—No tengo rumbo. No veo qué camino seguir —respondió.

—Vete para Sudamérica, ésa es tu tierra.

—No, allá no. Si me quedo en Rusia, tal vez algún día pueda encontrar a mi hija.

—¿Y tu suegra?

—Si llega a saber algo de mí, buscará mi muerte.

Su amigo insistía en que buscara un panorama distinto, y finalmente él lo aceptó.

—Vete a Moscú —le aconsejó el amigo.

—¿Cómo? No tengo dinero, allí no conozco a nadie.

Reunieron algunos rublos entre varios profesores, le regalaron más ropa y una noche se embarcó en un tren en busca de alguien.

—Se trata de mi amiga de infancia, tiene tu edad o un poco menos. Ella te recibirá por algún tiempo —le dijo el amigo.

—¿Cómo es ella?

—Un ser especial, una mujer generosa pero a la vez con mucha seguridad en sí misma. Muy firme, muy trabajadora. Me comuniqué con ella anoche y en el sitio donde vive puede haber un rincón para ti. Vete a buscarla, tú no puedes continuar cargando con tanta angustia.

Cuando el tren se puso en movimiento, Emilio miró una vez más el trozo de papel que llevaba en el bolsillo:

Natascha Ivánovna
Novolesnaya, 35. Entrada 2, tercera planta.

10

Los delirios de Frank Martínez.

Ahora pensaba en que su espíritu de bandido debía ascender. Quería ser terrorista.

—A medida que uno se insensibiliza, va convirtiéndose en amigo del miedo, en cómplice del enterrador. A esta edad y con tantos kilómetros recorridos he conocido todos los gestos de la vida. Eso es lo que conozco. No se donde leí que las personas no muy inteligentes le temen a la muerte. Se les olvida que la vida es algo pasajero. Que sea así. No lo discuto porque ése no es asunto mío. Yo pienso lo contrario: para ser feliz hay que vivir plenamente, de manera que cuando llegue la muerte no lo arrugue el temor.

Alfredo, uno de sus hombres cercanos, aún no había entendido a qué venía el discurso. Trató de preguntárselo, pero Frank continuó hablando.

—La muerte, para que lo vayas entendiendo, es la compañera de la vida. Y no hagas esa cara de estúpido porque no se me ha subido a la cabeza ninguna obsesión macabra, ni ando haciendo cuentos de terror. Qué va. Hablo de la realidad. Si uno quiere vivir mejor, tiene que ver y sentir la muerte cerca. Lo demás es negar lo desconocido. Pero si alguien dice: «Sí señor, yo me voy a morir hoy o mañana, que venga la muerte como consejera, pero a la vez, que venga el desafío a esa muerte», ése es un guerrero.

Continuó con la palabrería, mirándose en los espejos que lo rodeaban cuando remataba cada sentencia, hasta que por fin se le acabó el cuento y cambió de tercio.

—En España acaba de salir de la cárcel uno de los que colocó aquella bomba que puso en órbita al hombre más cercano del Generalísimo. Parece que no lograron comprobarle nada o algo por el estilo, pero sus compañeros se quedaron detrás de las rejas y el personaje anda libre. Quiero que vayas a buscarlo. Ahora mismo. En este papel hay nombres y algunas direcciones. Memorízalas, viaja a España y me lo traes. Anticípale un dinero decente y dile que aquí hay más, pero tráelo.

Luego llamó a otro de sus ayudantes.

—¿Cuántas iglesias hemos regalado hasta hoy?

—Dos.

—No es nada. Busquen curas pobres y constrúyanles iglesias o capillas. Lo que quieran. Y hagan más comedores para gente pobre. Y casas para los miserables. Ah. Y un refugio para ancianos. Quiero que la gente viva mejor y quiero que esas obras se vean ya. ¿Me comprendes? ¡Ya! Si hay alguna demora, tú serás el culpable.

La última frase era su mejor retrato. Siempre había culpabilizado a los demás por sus propios problemas, con el fin de disimular sus culpas primitivas, detrás de las cuales se agolpaba una violencia que venía desde la niñez. Era una rabia guardada, que ahora, a sus cincuenta años, explotaba con el pretexto de defenderse.

Cuando construyó la primera iglesia, Candelaria le preguntó qué había detrás de tanta generosidad, y luego de una tarde de conversación, a ella le quedó claro que a Frank no le bastaba con la fortuna. Estaba convencido de que el dinero era solo una parte del poder, pero para tenerlo todo, necesitaba atemorizar, y a la vez aparecer ante los demás como el patriarca magnánimo, así los pobres le importaran un pepino. En ese momento no buscaba el poder detrás del poder, sino un poder con el reconocimiento amoroso de una imagen buena, de manera que a medida que crecían en su entorno el arsenal y las bandas de pistoleros, él regalaba, decía así, ciertas obras, acudía a su inauguración y se «untaba de pueblo» cuanto le era posible para esconder mejor la rabia.

Un poco después, Candelaria dio en el blanco y le preguntó de qué se arrepentía en esta vida. ¿De ser narco?

—No. ¿Sabes que no? —respondió—. De eso, no, porque la coca no es mala. Si fuera mala no sería la vida, la felicidad, la razón de ser, hasta la moda de la mitad de los estadounidenses, y ellos no se equivocan nunca: si les parece buena será porque realmente es buena. Por eso es blanca.

Realmente, su culpa era roja como la sangre de quienes había ordenado asesinar a partir de Epaminondas Díaz Gordillo, aquel juez con nombre caricaturesco. Él fue el primero y a partir de allí, Frank se acostumbró a adueñarse de la vida de los demás cuando algo le molestaba. Simplemente por eso, y ahora el crimen le parecía tan normal como beberse una copa de champaña.

A Alfredo lo condujeron a la frontera con Francia unos traficantes de Vigo. De allí lo enviaron a Oviedo y luego se fue a Pamplona donde por fin pudo conocer al hombre de la Eta. Le dijo que se llamaba Pepe.

Los primeros días el vasco fue evasivo, pero cuando comprobó que realmente Alfredo venía de parte «seria», aceptó conversar y cuando tuvo en sus manos un maletín con dólares preguntó cuándo partirían para América.

La propuesta de Frank fue breve:

—Necesito que nos enseñe a manejar explosivos. Usted cobre y trabaje.

Pepe sabía en qué consistía el ofrecimiento y acordaron organizar un campamento lejos de cualquier ciudad y concentrar allí diez o doce alumnos que luego les enseñarían a otros tantos.

El lugar fue la costa de la selva. Allí reunieron a catorce hombres. Dos de ellos pertenecían a uno de los setecientos setenta y siete grupos guerrilleros del lugar y los demás eran jóvenes pobres con el reflejo de la riqueza fácil entre las cejas.

Peligro, que hasta entonces anduvo metido en el cuento, se robó con su gente cinco coches viejos. «Tienen que ser antiguos porque cuanto más viejo sea el auto, más resistentes serán las latas. Vamos a mostrarle a Frank el poder del juego en que acaba de meterse», le había dicho Pepe.

Los primeros controles a distancia para detonar los autos llegaron en las maletas de Pepe, pero desde el primer día, Frank, que era uno de los alumnos, ordenó traer a un ingeniero electrónico y áquel comenzó a fabricarlos y a enseñarles sus secretos a los demás. Una o dos semanas más tarde habían hecho explotar los cinco primeros coches y seis más, y llegada la hora le preguntaron a Frank dónde quería hacer su presentación.

—En un barrio de la capital —comentó, pero después de un silencio los llamó nuevamente:

—Que no sea un auto. Vamos a utilizar un pollino.

—¿Un burro bomba?

—Lo que oyó usted. Y después del burro haremos un maletín bomba. Luego veremos cuándo y dónde comenzarán a salir chispas de los coches.

—Pero, ¿burros en la ciudad?

—Bueno, váyanse a un poblado y compren el pollino. De mi parte, pónganle como nombre *El Gran Magistrado.*

Iba a amanecer. Las mujeres entraron en la iglesia. Un hombre cruzó la plaza desierta, ató un borrico frente al ayuntamiento y después del estruendo, el pueblo quedó a oscuras. La gente abandonó la iglesia, los que se habían quedado en casa saltaron de sus camas y la plaza se llenó de mujeres vestidas de negro y hombres y niños en calzoncillos buscando algún rastro en el fondo del pozo abierto por la dinamita. Pero allí no había nada. La cabeza del borrico se mecía en un balcón, un casco flotaba en el estanque y las vísceras cubrían parte del muro del ayuntamiento.

Una hora después la plaza se llenó de reporteros que acababan de descubrir la existencia de aquel lugar en la geografía de su país.

Días más tarde, el maletín estalló en las manos de uno de los nuevos terroristas que no había logrado comprender bien la manera de emplearlo.

Frank hizo llamar a Peligro. El pistolero acudió pronto y antes de cruzar el umbral de la puerta sintió el calor de aquel rostro implacable. «De los ojos le salían balas», dijo después.

—Eras el responsable de la operación, pero resolviste enviar a un tercero. Tu teoría de la adrenalina es mentira. Eres un cobarde y quiero que te vayas de aquí ahora mismo. Lárgate de mi presencia —le gritó frente a los demás.

A partir de aquella madrugada, en el poblado empezaron a estallar coches en calles, plazas, frente a los teatros, en los parques de la ciudad. Luego de cada aturdimiento, los dolientes cargaban con la muerte en brazos, pero la muerte en esos días se había reducido a rescoldos, a trozos de piel, a amaneceres oscuros de sangre, y cuando anochecía nuevamente, las gentes se escondían viendo su propia muerte. La reacción de explosiones en cadena les borraba la visón a seres inocentes en la ciudad. Alguien trató de hacérselo ver a Frank y él respondió:

—En este país no hay inocentes.

La gente moría por las mañanas. Por las tardes, millones de voces de luto ocupaban las calles y al atardecer el silencio viajaba llevando el grito de todas las ventanas en contra de la iniquidad.

A esa misma hora los coches eran alistados con sus cargas de explosivos. Frank había reclutado a una serie de jóvenes cuya misión era hacerse cargo de los autos y llevarlos hasta los lugares que les indicaran.

—Cuando te encuentres en el punto acordado, debes oprimir este botón rojo y nosotros recibiremos una señal que nos avisará tu llegada —le explicaban a cada uno antes de partir.

Generalmente iban acompañados por su novias o sus compañeras. Algunos llevaban también a un hijo pequeño para que conociera el nuevo coche de su padre y cuando se aparcaban frente a alguna patrulla de la guardia, le decían a quien estuviera a su lado: «Oprime ese punto rojo». Pero el botón no emitía ninguna señal. Era sencillamente el mecanismo que activaba los explosivos.

Según las circunstancias, Frank utilizaba también a un «escuadrón» de suicidas, como los llamaba, porque realmente lograba convertirlos en eso. También eran hombres jóvenes, pero más pobres que los anteriores, adiestrados por él con la luz del arquetipo mariano:

—La madre es más importante que uno mismo.

Desde luego, él sabía que las suyas convivían con el hambre. Cuando los conocía, les regalaba imágenes de la Santa

Madre y les hablaba tanto de aquello que en poco tiempo se hallaban dispuestos a hacer lo que les ordenase, a saltar de lo alto de un edificio con un chaleco cargado con dinamita, a asesinar a un familiar o a quien fuera, o a tomar el mando de un auto con su carga de explosivos. Sabían que iban a morir, iban conscientes de ello, pero los animaba un sueño: el dinero de la operación llegaría a las manos de sus madres. Así murieron muchos.

Antes de lanzar al primero a la calle, a Frank se le ocurrió realizar un simulacro.

—Quiero demostrar que he convertido en zombis a estos cretinos, pero necesito tu ayuda —le dijo a uno de sus ayudantes.

—¿Qué debo hacer?

—Vete a donde el inspector Rodríguez y dile que abandone su despacho porque lo van a matar.

Luego llamó al joven que creía menos firme en su decisión y le dio una ametralladora y un distintivo de la guardia:

—Vete adonde el inspector Rodríguez. Tu misión es llegar al edificio, cruzar el cordón de escoltas de seguridad, penetrar a su despacho y disparar.

El joven llegó al lugar; la guardia trató de detenerlo pero avanzó en línea recta, cruzó por frente a la secretaria, abrió la puerta y desocupó la ametralladora sobre la silla vacía. Luego se tragó un comprimido de cianuro que llevaba en uno de los botones de su chaqueta.

—Por si no se han dado cuenta, he condenado a este país a la dinamita y al plomo —le dijo después Frank a quienes lo rodeaban.

Unas semanas más tarde escuchó nuevamente las voces que le hablaban durante el sueño: «Tú no eres un narco. Tú eres un guerrillero. Vete para la guerrilla», repetían en coro, y la mañana siguiente empezó a hablar de clases sociales: los de arriba, los de abajo. Odiaba a los de arriba y no perdía oportunidad de humillarlos aun en sus pensamientos. Desde aquella noche su cerebro quedó atado a una sola idea: venía de abajo y se consideraba un redentor de su propia clase, por lo cual le envió un mensaje al jefe de uno de tantos grupos guerrilleros anunciándole que había tomado la determinación indeclinable de sumarse a sus filas. Realmente, estaba dispuesto a hacerlo.

—Es cierto: tú, un guerrillero, pero antes de irte para la selva, debes hacer claridad sobre algo —le solicitó Alfredo.

—Aquí todo es claro —respondió Frank.

—No. Hay problemas: alguna de las chicas de *El Plató* está hablando.

—Pues deben callar a todas las que han ido por allí, y para mayor seguridad, vuelvan silenciosas a las que ustedes crean que tienen una idea del lugar. Después destruyan esa casa.

Una mañana comenzaron a aparecer cadáveres de mujeres en diferentes sitios de la ciudad. La noche siguiente, otros. Y la siguiente y la siguiente.

Las primeras sabían de la existencia del lugar, pero el número de muertes superaba cualquier cálculo. Frank pagaba por cada una y los matones habían encontrado en esa locura una manera de saldar sus decepciones o simplemente de meterse en la bolsa más dinero del que les pagaba con regularidad. Todas eran chicas entre los quince y los diecinueve años, clase pobre, algunas estudiantes, otras aspirantes a modelos, otras a presentadoras de televisión o a candidatas en alguno de los setecientos setenta y siete reinados de belleza.

Lo que nadie supo en esos días fue que entre las muertas se hallaba una cuñada de Peligro.

Peligro vivía con una mujer del pueblo, morena, bien presentada, mal hablada, con tatuajes en los brazos y una admiración especial por las armas. Parecían dos gotas de sangre.

Ella anduvo siempre a su lado y participó en cuanta maldad les salía al paso, pero no perdonó aquella muerte.

—Mi hermana conoció esa casa por su culpa. Él fue quien la llevó allá y al convertirla en una de las marionetas de Frank, le buscó la ruina —dijo, y escribió el nombre del pistolero en la lista de sus enemigos.

Peligro hacía otras cuentas.

—¿Un cobarde? ¿Soy un cobarde? —se preguntaba desde el momento en que escuchó al narco gritándoselo delante de los suyos, pero, además, el enfrentamiento con el reptil astuto de su mujer le saturó el hígado. Sin embargo, sentía temor cuando recordaba la mirada de Frank.

Los explosivos destruyeron El Plató y Frank se retiró a una casa de campo, desde luego con paredes y techos cubiertos por espejos y sistemas de seguridad a cada centímetro, y allí pasaba la mayor parte del tiempo vigilado por varios hombres.

Peligro conocía el lugar, los sistemas de seguridad, la forma de llegar hasta allí, pero nunca se atrevió a pisar nuevamente el prado que la rodeaba. Sin embargo, luego de un viaje silencioso a algún lugar del que nunca habló, pensó que no podía permanecer más tiempo con la humillación golpeándole el cerebro.

Alguien en la empresa de comunicaciones conocido por él como *El señor de los alambres*, que a su vez trabajaba para Frank, aceptó interceptar las líneas telefónicas de la casa campestre y al cabo de un tiempo, Peligro se enteró de los nuevos hábitos de su enemigo, supo qué hacía y cómo se movía cada uno de sus hombres, los planes del día siguiente y aun qué clase de enfermedades lo agobiaban por las mañanas.

Reunida esa información, pensó en alguien que disparara con la mano izquierda para que le cubriera el flanco derecho una vez entraran en la casa. Se llamaba Mauricio.

—¿Irás conmigo? —le preguntó una noche y él respondió sin vacilar:

—Sí. Lo tuyo me parece justo, aunque siento algún...

—¿Miedo?

—No. Temor. Confieso que le tengo temor a ese hombre.

—Eso nos sucede a todos. A mí también. Pero sé que una vez lo tenga al frente y le mire a los ojos como mira él, voy a verlo menos grande.

—Te habías demorado en decir eso. ¿Qué ha sucedido?

—Luego te lo contaré. ¿Vas conmigo?

—Si es necesario, iré contigo hasta el cementerio.

Un grupo de hombres y mujeres vestidos de labriegos vigiló la casa durante el día y la noche. Hasta la diez de la mañana, allí todo estaba en calma. A esa hora llegaban las mujeres de la cocina. Los lunes a las diez y media venía un furgón con comida y licores. Entre las once y las doce comenzaban a entrar amigos. Nunca eran más de siete. El del Porsche cambiaba de auto tres veces en la semana. Sobre la entrada había un censor que activaba cuatro reflectores por las noches. Los hombres de dos puestos de observación en el camino bebían licor y podrían ser neutralizados con facilidad. Ellos tenían orden de comunicarse con la casa sólo en casos de emergencia; las claves empleadas eran tales y tales. Sus jefes inspeccionaban el lugar antes del atardecer y a la medianoche, unas veces sí y otras no: también eran aficionados al licor. Dos semanas atrás, todo el mundo abandonó la casa a las once. Frank no salió con ellos.

El de los alambres se comunicó con Peligro un viernes:

—Mañana estará solo. No quiere ver a nadie, ha despedido a la escolta y canceló cuatro citas que tenía allí mismo.

—¿Por qué?

—Porque sí. La paranoia lo ataca después de varios días de vicio y en esos casos echa a todo el mundo de allí. Por lo que he escuchado, la soledad lo saca del aturdimiento.

Al amanecer del sábado salieron de la niebla dos siluetas y se colaron en una de las cabañas de observación ubicadas en el camino. Un instante después, la cara del hombre que dormía allí miraba al cielo. La operación se repitió en la segunda.

Debió transcurrir una hora o algo así y por fin llegó la claridad. Una bola de papel voló en busca de la entrada. Los censores no respondieron. Puerta blindada, pequeños vidrios empañados por la tibieza de la calefacción, el estallido de un sello de dinamita sobre la chapa. Camino franco.

Luego de la entrada, Peligro lanzó una granada de aturdimiento para diezmar la capacidad del narco. La onda expansiva quebró algunos espejos que se desplomaron en pedazos reflejando una muchedumbre de figuras, las suyas. Avanzó tres pasos y se lanzó haciendo un rollo, pero antes de caer, una bala había rasgado la gorra que cubría su cabeza. Llamó a Mauricio y no escuchó que le respondiera: «Iba a acompañarme hasta el cementerio», pensó, pero en ese instante Mauricio corría transpirando miedo en busca de un refugio.

Buscó la figura de Frank en todos los espejos pero no logró descubrirla, aunque su nariz de gato le indicaba que se hallaba justamente sobre el flanco que debería cubrir su compañero. Como no estaba capacitado para manejar la mano izquierda, los disparos desviados picaron sobre un muro y rompieron más cristales. «Menos caras, primera zona limpia de reflejos», pensó. Se arrastró sobre los codos, pero un metro adelante le salieron al paso más balazos. No había duda, Frank lo estaba viendo, pero la multiplicación de imágenes a él también tenía que restarle precisión.

Jugaron al caballo y al alfil, al peón que trata de comer de medio lado, otras veces a la torre que avanza y retrocede siguiendo una recta bajo el estruendo de los balazos y la lluvia de espejos que reflejaban miles de puntos de luz. A esa hora debió desaparecer completamente la niebla porque adentro nada era borroso.

Los disparos perdidos derribaron una lámpara de cristal y aprovechando el ruido, Peligro dio pasos de cuarzo y se ubicó en la esquina que formaban dos muros. Al parecer, esta vez Frank lo vio con claridad y él también lo tuvo en la rectitud de su brazo. Dispararon a un tiempo pero las balas destruyeron más espejos. Cada cristal en el piso era el fin de la nada.

Peligro avanzó apoyándose sobre los huesos de sus rodillas y entró en una nueva zona de reflejos. Más detonaciones, signo inequívoco de que Frank tampoco sabía dónde se hallaba su enemigo. En el centro de la pared desnuda quedó un trozo de cristal en el que Peligro vio el humo azul del arma de Frank. «Lo tengo», se dijo, estiró el brazo y descargó una andanada de disparos que no tuvieron respuesta, pero el brillo evidenciado en los espejos caídos le anunció un movimiento, no tan rápido, pero tampoco despacioso. Avanzó un poco más: «Estoy acorralándolo en el fondo», pensó, y esperó unos segundos. Silencio. El tiempo de su corazón latiendo marcaba el final, y como dejó de verse a sí mismo, reculó hasta encontrar un vértice con las espaldas y desde allí pudo escuchar el ronquido de los bronquios taponados de Frank. Él también lo escuchó y estiró la mano. Lanzó varios disparos, pero como no podía arquear totalmente el brazo para alcanzar al pistolero, hizo algún movimiento, resbaló, Peligro vio una sombra tambaleante que cayó al frente y su mirada dio en el blanco. No supo cuántas veces accionó el arma.

Finalmente, Frank yacía tendido sobre miles de partículas de espejo y en cada una un rostro.

Se hizo un agujero en el tiempo. Tendido en una cama, Peligro recordaba la bruma de Ciudad de México, avenidas y parques que sólo había visto en la televisión y la mueca de desprecio de Candelaria cuando escuchó esa historia de bombas, la escuela de morir establecida por Frank y el mundo desbocado que fue creciendo en la medida de sus vicios.

Él sabía quién era ella pero no la había visto antes de aquel viaje. Candelaria lo recibió en el aeropuerto vestida de rojo como se lo había indicado antes y lo llevó a un hotel en el corazón de la ciudad. Luego fueron a una especie de club donde se reunieron varias veces y el tema siempre giró en el mismo remolino: Frank había cometido el error de dejarlo vivo después de humillarlo delante de sus hombres, pero él, un bandido graduado, no podía repetir la historia de su jefe. Por otro lado, le parecía urgente detener el horror y ella creía que Peligro era el único capaz de lograrlo.

Él le confesó que sentía miedo cuando enfrentaba la mirada de Frank, pero por fin había encontrado a alguien que comprendía la intensidad de su odio, y Candelaria le cortó las palabras:

—¿Llegamos al final del coraje? Yo sé que tú no eres ningún cobarde. Es que eso del miedo es tan relativo... ¿Tú sabes que el avestruz nunca esconde la cabeza dentro del suelo? Se trata del invento de algún dibujante. Ni tampoco el cangrejo camina hacia atrás. Son mitos y uno termina convencido de que las cosas son como alguien se las imaginó. Por eso mismo, uno tiene que comprobar antes de tragar entero.

—¿Qué quieres decirme?

—Hombre, que las cosas no son siempre como uno se las imagina. Que nadie es tan grande ni tan poderoso como se lo hacen creer.

—Bueno, es que yo...

—Tú, nada. Tú tienes que abrir esa cabeza. Mira una cosa: siendo niña aprendí un juego de niños. No recuerdo a quién se lo escuché, pero es una verdad como un puño. Cuando alguien está frente a uno y uno siente que su soberbia lo ablanda, el remedio es imaginárselo, y perdóname que sea tan cruda, imaginárselo desnudo frente a la taza del baño. Hablo de los apremios fisiológicos. Ese trance te muestra que todos los seres humanos somos iguales.

—No te entiendo.

Se lo explicó en su lenguaje y vio que los ojos de Peligro brillaban.

—Trata de hacer ese juego conmigo ahora mismo.

El hombre calló unos segundos y volvió a sonreír:

—¿Es así? O no es así —le preguntó Candelaria.

—Sí. Así es.

—¿Entonces? ¿Vas a continuar con esa humillación en la cabeza? Hombre, el coraje no ha llegado a su final.

Esa misma noche, cuando entró al aeropuerto en busca del vuelo de regreso, le pareció que era otro hombre, sentía que había dejado allí el fardo que cargó tanto tiempo sobre los hombros. En el avión miró a sus vecinos de primera clase, hizo el ejercicio mental varias veces y siempre terminó sonriendo. Rió durante todo el viaje.

Se hallaba recuperando aquellos instantes, cuando la estrella de dinamita hizo volar la puerta del piso donde se había escondido mientras sanaban su mano izquierda y una pierna, heridas en el duelo con Frank. Trató de incorporarse y con su visión oblicua reconoció entre la humareda los tatuajes en los hombros de su mujer. Tomó el arma con la mano buena y disparó un par de veces. La mujer también lo hizo y mientras él se revolvía con dos trozos de plomo entre el pecho, lo último que ella escuchó tendida en el suelo fue un quejido, agudo como el suyo, en la garganta de Peligro.

Pasaron las lluvias y regresó el brillo. Pasaron las semanas. Se apagó por fin el estruendo de la dinamita, y una tarde, cuando Candelaria vio los primeros volúmenes del submarino construido en las montañas, tuvo que beberse un vaso de ron para empezar a creerlo. El taller era un escenario de luces y tonos medios que la miraba como en cualquiera de sus sueños, con el sol del atardecer cayendo de las claraboyas sobre el cuerpo de una ballena encallada en el piso.

Brad Clarke, el ingeniero naval que había llevado al trópico, dijo algo pero ella no lo escuchó. Por fin era dueña de sus propias causas. Frank se había llevado al otro mundo el chantaje de la muerte, y en ese momento ella tenía en las manos la «rosa de maniobras».

Se había negado a visitar el taller hasta tanto la obra no hubiese tomado forma, pero esa tarde quedó atornillada al piso. El submarino era igual a los dibujos estudiados con Brad Clarke, y aunque en ese momento le parecía inmenso, pensaba que se vería diminuto flotando en la superficie del océano. Era una especie de juguete en el cual tenían que caber tres hombres, una tonelada de cocaína, unas máquinas, bueno, todo lo que el ingeniero había enumerado semana tras semana.

Treparon hasta la escotilla y ella descendió primero esquivando un par de lámparas. Cuando llegó al piso debió agacharse. Adentro el espacio vital no era superior a un metro. A la altura de sus rodillas vio tres sillas estrechas donde se acomodarían el timonel, a sus espaldas el motorista, y unos centímetros adelante un tercero, cuyo oficio sería relevar a alguno de sus compañeros en determinados momentos.

—Como te lo había explicado, éste no es un submarino. Digamos que se trata de un sumergible capaz de entrar en inmersión un metro, un metro y medio como máximo por debajo de la antena del radar. Esa profundidad es suficiente para lo que tú lo quieres. Sería posible hacerlo descender mucho más, pero entonces tendríamos que agrandar los tanques de lastre y perderías un espacio valioso —comentó Brad Clarke, y continuó explicándole—: Debajo de donde estás parada quedan los tanques y más abajo le hemos colocado una plancha de plomo. En ese lugar la estructura es muy rígida. Te estoy hablando de acero naval. Como este artefacto es muy «celoso» en el mar, el peso del plomo evitará que las olas lo escoren... Es decir, lo recuesten hacia los lados y quede con la cabeza hacia el fondo. Puedes estar segura de que con ese peso siempre andará nivelado y siempre en condición estable, como dicen los marinos.

—¿Qué altura tiene esto?

—El puntal, apréndelo bien, tiene tres metros y medio, desde la vela hasta el fondo.

—Esto es para gente intrépida.

—O para submarinistas. Es lo mismo... Todos los espacios que ves a este lado estarán ocupados por elementos esenciales de navegación. Aquí van los tanques de oxígeno; habrá combustión adentro, escape de gases permanente y necesitarán renovar el ambiente a medida que crezca la contaminación. Le instalaremos un indicador de gas carbónico: anuncia cuándo tienen que subir a la superficie para cambiar el aire interior. De lo contrario se intoxicarán. Ellos lo saben.

—¿Y atrás?

—Ahí va la propulsión, todo lo que es maquinaria. Acuérdate que son tres motores. El resto está ocupado por tanques de carburante que le darán una autonomía ideal para navegar desde la costa del Caribe colombiano hasta Puerto Rico, Haití, República Dominicana, Jamaica. Con esto vas a cubrir todo el Caribe. Y regados por aquí y por allá, extractores de gases de escape, equipos de recirculación de aire para respirar mejor, dosificadores de oxígeno, bombas hidráulicas para manejar los timones y los planos.

—¿Llegaron ya los equipos de comunicaciones?

—Hemos recibido lo más moderno que hay en el mundo: teléfono satelital, cuatro teléfonos móviles, diez *yi-pi-es* o *Global Position System*, que les va dando la posición, el rumbo, la velocidad y señala la distancia que los separa de un objetivo determinado.

Tomó uno de ellos, tan grande como una calculadora de bolsillo, y continuó:

—Esta miniatura actualiza la información en forma permanente, con un margen de error de diez metros a lo largo y ancho de la Tierra.

—Ése les dirá...

—Ése les permitirá localizar el lugar o el buque al que le deben entregar la carga. Los utilizan, por ejemplo, para guiar misiles balísticos.

El calor y la molestia con los cuerpos encorvados dentro de aquella lata de sardinas, los echaron. Brad colocó sobre un banco la botella de ron. Estaba emocionado explicándole el proyecto. Nunca había trabajado en condiciones de estrechez, incomodidad y peligro como éstas, pero a la vez le parecía apasionante.

—La ventaja de este artefacto —continuó— es que nada lo podrá detectar: lo pintaremos con un azul similar a la coloración del mar, y como la propulsión estará por debajo y bien adentro, la estela debe confundirse con la espuma de las olas. La estela será diminuta, imperceptible. Ah. Y algo importante: la estructura metálica está forrada con fibra de vidrio.

—¿Por qué?

—El eco del radar que lo toque no dará reflejo. Si lo quieres, piensa en un eco muerto. Éste es un buque invisible, no juega con la velocidad sino con el mimetismo: un buque fantasma.

Fuera de la barraca, construida con madera, láminas de metal y algunas vigas de acero, no se advertía la presencia de guardias ni vigilantes. O si los había, Candelaria no los vio cuando salieron. Ella deseaba que el lugar tuviera la misma apariencia de las pocas construcciones de la región, tan lejana del mar como la cadena de montañas frente a ellos.

Algunas semanas después de la muerte de Frank, ella había abandonado México. Ahora era nómada que se movía entre Miami y algunas islas del Caribe estableciendo las bases de una actividad que le parecía sencilla, gracias a que en cada lugar tenía relaciones directas y podía llegar a la gente que manejaba los hilos más sólidos del negocio sin la ayuda de terceros. Por otro lado, contaba con el prestigio de traficante de una sola palabra. Nunca le había fallado a nadie, era hábil pero clara en los negocios, conocía bien el mundo de la cocaína en este rincón del continente.

El día que por fin pudo decir «Voy a regresar al Caribe sin tener que pedirle permiso a nadie», realmente no le atraía la posibilidad de ganar más dinero que antes, sino haberse liberado por fin de la sumisión a los carteles mexicanos.

En parte, su independencia tenía que ver con la fortuna escondida en una cadena de corporaciones financieras internacionales, incrementada por el dinero de Frank, ahora bajo su control. Ella era quien manejaba los bancos.

Pero más allá de los límites del dinero y de su independencia del hombre de las mil mujeres y los mil compadres en la policía, del ranchero y del Gordo y de Cepillo y de todas esas majestades viriles, lo que verdaderamente la electrizaba era dar pasos hacia lo desconocido, apoderarse de las constelaciones del océano, para tratar de llenar su constelación de soledades.

Antes de emprender la construcción del sumergible había visitado nuevamente a Gary Dobson en Florida y a Skipp Koleman en Chicago. A ninguno de ellos le importaba por dónde venía la cocaína. El asunto era que llegara a sus manos sin comprometerlos.

Con Bob Collins habló con más detenimiento. Se trataba de un abogado, pero su trabajo le permitía, por ejemplo, enterarse de algunas cosas en torno a los submarinos rusos.

—¿Para qué quieres saber de submarinos rusos a estas horas? —le preguntó sorprendido la tarde que la vio.

—Se trata de ocupar la cabeza en algo diferente a esta locura.

Collins le confesó que no dominaba el tema, pero lo averiguaría. Luego hablaron del final de Frank, y dos días más tarde le adelantó algo:

—Aún se mueven algunos submarinos rusos en Cuba. Su base ocasional es Cienfuegos, una bahía al sur de la isla con aguas profundas. Creo que se trata de los últimos en merodear por el Caribe, pero sí. Todavía vienen.

—Dime una cosa: ¿los estadounidenses logran controlarlos?

—Si se lo preguntas a un marino, te dirá que sí. Pero yo sé que...

—¿Cómo saben dónde se encuentran y por dónde se mueven?

—Bueno, pero esa insistencia, ese interés tuyo, ¿qué significa? Todo me había imaginado menos a una mujer interesada por los submarinos.

—Pareces un latinoamericano. ¿Por qué las mujeres no podemos saber de esas cosas?

—Un submarino es muy, muy difícil de descubrir allá abajo. Tanto, que Estados Unidos ha desarrollado una tecnología inmensa y costosa para esas actividades. Lo pregunté pensando en ti y al final de una conversación muy larga, el resumen fue que sobre el mar Caribe estamos utilizando los *P3 Charlie*, les dicen también *Orión*, aviones sofisticados y silenciosos para buscar submarinos. El *Orión* tiene un apéndice al final y con él logra detectarlos. Lo que entendí es que el mar tiene magnetismo, el metal de los barcos produce un cambio de magnetismo y el avión mide magnetismo. Buen juego de palabras.

—Y una vez lo mide, ¿qué?

—Cuando detecta al submarino lanza una serie de *sono boyas* que emiten información. Basado en ella, el avión pueden lanzar torpedos y dar en el blanco. Pero además, el *Orión* lleva a bordo visores para detectar calor, y tres o cuatro cámaras con unos lentes de acercamiento capaces de captar objetos diminutos. «Filmar mínimos», dicen ellos. ¿Quieres saber algo más?

—No. Ha sido una clase maravillosa. Me imagino que cuando los rusos se alejen definitivamente de Cuba, dejarán de emplear ese avión en el Caribe.

—Hasta donde sé, ya no lo están utilizando.

La sonrisa de Candelaria iluminó el despacho, y mientras caminaba en busca del Martini seco del atardecer, se dijo varias veces: «Rusos, los últimos submarinos. Si logro meter coca en Rusia y traerla de regreso a Estados Unidos, desde aquí podré llegar luego al resto del mundo con facilidad. Sí, Candelaria. Rusia es un buen camino».

De regreso a Colombia preguntó si algún narco amigo del Barón Rojo conocía Rusia y le dijeron que no. Aún todos tenían la visión de Hollywood: un país de ciudades y calles solitarias, hombres con sombreros negros y alas grandes que no dejaban ver sus caras, abrigos largos de cuero negro, algunos coches negros con aspecto de comienzos de siglo. Realmente ella también tenía esa imagen de país inexpugnable.

—Pero no imposible —se dijo.

Lo que son las cosas. Una mañana, el Barón le contó que en uno de los laboratorios de coca trabajaba un ingeniero electricista egresado de alguna universidad soviética.

—Es un hombre joven y anda tan jodido que terminó en la selva luego de haber estudiado más de la mitad de su vida. Los que lo conocen me dicen que acaba de casarse. Manejaba un taxi, oficio que no le permitía vivir decentemente y consiguió un trabajo en una fábrica de embutidos, de donde lo echaron. Después fue vendedor de pinturas, pero continuó en la fatalidad, hasta que un narco le ofreció el trabajo que tiene ahora. Ellos entierran a esa gente en la selva y allí debe permanecer meses sin salir, pero yo conozco la forma de llegar a él.

—Si se recibió en San Petersburgo, debe hablar un ruso perfecto, tiene que conocer algo del país —comentó luego el Barón y ella, una mujer aparentemente calmada, hizo sonar los dedos antes de que terminara.

—Necesito a ese ingeniero. Desentiérralo y tráemelo ahora mismo.

El sumergible era un artefacto extraño por lo enjuto. Parecía una bota corta con un plato al lado de la escotilla, dos aletas como bigotes, otras dos en la popa donde se veían tres hélices. «Ésas deben ser las propelas», pensó, y trató de mantener la lengua quieta.

En la segunda visita al taller también se colaron en el artefacto y Brad Clarke le hizo una nueva descripción de cada elemento. Los trabajos estaban a punto de terminar y debían llevarlo hasta la costa escondido en el remolque de un gran camión y lanzarlo una noche al mar con la tripulación dentro.

Brad aún no terminaba de explicarse cómo alguien en estas tierras tan lejanas del Caribe había terminado soñando con el mar.

—Secretos del ADN —respondió ella.

El sumergible no era avanzado en tecnología, aunque contaba con los principios básicos de un submarino cualquiera. Candelaria le había dado libertad a Brad para que comprara lo más moderno sin pensar en costos. No obstante, la nave presentaba condiciones de inseguridad, insalvables por su tamaño. Al ingresar, ella observó que la escotilla navegaría casi a ras de la superficie del mar, por lo cual siempre iban a tener humedad adentro. Desde luego, Brad lo había dotado de una pequeña bomba de «achique y salvataje» para expulsar el agua que se colara durante cada viaje.

—¿Qué sucederá con la coca? —preguntó ella.

—Cálmate —respondió el ingeniero—, la coca va adelante. Toda la proa es bodega resguardada de humedad. Respira tranquila.

Los sistemas de respiración eran vulnerables en un mar agitado y podrían permitir también el paso de agua hacia el interior, pero la bomba era una magnífica respuesta. La posición incómoda del timonel era otro lío. El timón parecía un juguete y sólo le permitiría controlar el rumbo.

Avanzó unos cuantos centímetros y observó que el acceso a los motores era estrecho y no permitiría llegar a ellos para corregir cualquier falla.

—El agujero para cruzar hacia donde están las máquinas de propulsión es impenetrable, será un riesgo para los submarinistas —comentó, y Brad lo aceptó, argumentando nuevamente las dimensiones del sumergible, y le recordó que la gente de a bordo era experta y afrontaría los riesgos si cobraba bien.

—¿Quiénes son?

—Puertorriqueños retirados de la Armada estadounidense, cubanos de Miami, en total tres tripulaciones de latinoamericanos. Gente de confianza. «Mi sangre», como dicen ellos.

—Confío en tu palabra.

—Hazlo. Me parezco a ti. En mi vida no hay máscaras, como me lo dijiste hablando de tu personalidad el día que nos conocimos.

—Soy sincera contigo: me parece que aquí adentro todo es un gran riesgo. Mira estas cuchillas para cortar la energía: metal desnudo. Una chispa... Este aparato estará invadido de gases; si lo piensas, es un tanque relleno con carburante y coca; la coca tiene acetona. Cuando abran la escotilla en un mal tiempo tendrán adentro olas y olas. Creo que el sumergible... A propósito: ¿cómo se llama?

—Los marinos usan el mismo nombre para todo: *Albatros*.

—Te decía que un incendio a bordo los puede consumir en pocos segundos. ¿Quién puede controlar el fuego aquí adentro?

—¿No te gustó mi trabajo?

—Sí, es un alarde de tu capacidad profesional. Pero hablo de estas cosas porque debemos ser realistas: si el problema ha sido el tamaño del sumergible, es por culpa mía. Yo fui quien te presionó para que hicieras algo tan pequeño.

—¿Entonces? ¿Lo botamos al agua? ¿O lo dejamos aquí?

—¿Estás loco? El *Albatros* debe pagarse en pocos viajes. Para entonces ya habrás terminado de construir uno más grande y más avanzado en tecnología. Debe ser perfecto. Se hará cilíndrico como tú querías.

—¿Haremos otro? ¿Vamos a hacer otro? ¡*Terrific*!

—Otros, porque sé que contaremos con suerte.

Para la construcción de aquella trampa, Brad Clarke había traído de San Francisco y Los Ángeles a tres especialistas y algunos trabajadores extranjeros. Candelaria pensaba que podía ser peligroso emplear gente del lugar. Desde luego, ella no los conocía ni quería conocerlos. Por eso anunció su visita al taller la tarde de ese domingo.

«Botar el *Albatros* en una zona boscosa y deshabitada de la costa. De allí deberá navegar en superficie hasta una isla, también deshabitada, donde pequeñas embarcaciones de pescadores entregarán la coca y luego hará inmersión buscando las cercanías de Cabo Rojo, en el extremo sur de la isla de Puerto Rico. Varios días y varias noches de navegación», se decía Candelaria.

«A tantas millas de tierra y en un lugar establecido por las coordenadas del *yi-pi-es,* los hombres dejarán los sacos de perica colgando de boyas, siete u ocho metros debajo de la superficie del mar. Embarcaciones con narcos de la *Asociación Neta,* de Puerto Rico, disfrazados de amantes del mundo submarino, la recogerán luego. Cuando la tripulación esté instalando la coca en sus boyas, un pesquero encargado de reabastecer de carburante al *Albatros* desembarcará también una nueva tripulación para el viaje de regreso».

Esa misma noche el Barón Rojo se comunicó con ella. Podría visitarla temprano en la mañana en compañía del ingeniero. Ella respondió que sí.

Se trataba de un hombre sencillo, no hablaba demasiado pero lo poco que decía era concreto. Estudió en San Petersburgo y debía creerle: por su carácter, introvertido, enemigo de la palabrería, había dejado pocas amistades en la universidad y fuera de ella. ¿Por qué trabajaba ahora en un laboratorio de coca? No había encontrado otra oportunidad. El desempleo, usted sabe...

—¿Quieres regresar a Rusia? Te pagaré el viaje, te daré el dinero que necesites para ir al fin del mundo si es preciso. Debo establecer allá algunos contactos comerciales. Se trata simplemente de que hagas el papel de guía y nos introduzcas con la gente que busco.

El ingeniero le dijo que lo pensaría y la mañana siguiente respondió que no. (¿Olfato de tigre?) Pero en cambio...

—En cambio, ¿qué? —le preguntó Candelaria, impaciente.

—Bueno, que tengo allí a un amigo, colombiano, muy inteligente y muy sociable, que conoce a mucha gente. Él podría ser tu guía.

—¿Estará dispuesto a ayudarme?

—Sí. Lo conozco bien. Cuando estudiábamos era buen negociante, tenía talento para todo.

—¿Quieres viajar a Rusia y traerlo? No habrá más compromisos entre los dos. Te pagaré muy bien. Solamente tienes que traerlo, y ya. ¿De acuerdo?

—De acuerdo.

—¿Cómo se llama ese personaje?

—Emilio Grisales.

Dos días después de haber abandonado el taller, el camión llegó con *Albatros* a una bahía profunda arropada por selva y bosques de palmeras, entorno ideal por su lejanía con cualquier puerto. Un poco después lo hicieron Brad y tres hombres más. Era época de marea alta.

El sumergible se deslizó por el carril de una rampa, tocó la playa y cuando el cable de acero que lo dirigía hizo un alto, el segundo camión llenó sus depósitos con carburante y los tripulantes se colaron por la escotilla. El resto de la operación fue sencillo.

Una vez en el mar, probaron máquinas, bombas, sistemas eléctricos, radar, eco sonda y *yi-pi-es*. El tráfico marítimo por el Caribe es el más activo del mundo y deberían esquivar transatlánticos que calan hasta veinte metros. Ellos flotaban a uno.

Recepción de señales del satélite, tanques de lastre, nivel longitudinal, nivel transversal, aletas a proa y popa, control de oxígeno, control de gas carbónico. Comprobaron que los seguros de la escotilla estuvieran en posición correcta antes de asegurar el sellamiento y se sumergieron y volvieron a la superficie varias veces. *Albatros* tenía condiciones aceptables de flotabilidad. Durante la travesía debían salir del agua cada hora para renovar el aire, realizar luego el proceso de inmersión y continuar la marcha.

Cuando terminaron las pruebas que exigió el constructor, navegaron sobre la superficie en busca de la isla y el cargamento de cocaína. Una tonelada. Sería una operación rápida. Tenían que partir a las nueve de la noche, estimando llegar al punto de reunión con el pesquero setenta y ocho horas después, a las tres de la mañana de un viernes. Algo más de tres días hasta Puerto Rico comprimidos entre una bomba de tiempo, durmiendo sentados, bebiendo líquidos hidratantes; el ruido, el calor, los olores del carburante y especialmente el de la coca, que aun bien empacada emanaba gases, surtirían sus efectos poco después de la partida. Sus propios olores también apestaban. Tenían que defecar en bolsas y guardarlas allí hasta cuando la escotilla permitiera la entrada de la brisa.

Al final de la aventura, la oscuridad era su única protección. No poseían un cálculo preciso sobre el tiempo que tomaría la faena con las boyas y la coca y el aprovisionamiento de combustible antes de emprender el regreso, por lo cual, cada segundo sería una eternidad. A la salida del sol, *Albatros* debería estar lejos de allí.

Los sumergibles ocupaban entonces la mente de Candelaria. Tras la partida del *Albatros*, Brad Clarke regresó a San Francisco con la misión de ampliar su equipo de técnicos y trabajadores. Volvería con diez hombres para construir a *Barracuda*, el segundo submarino.

—Con el dinero que me anuncias, tendremos una nave perfecta, espaciosa, muy segura. Para eso necesitaré traer expertos en...

—Trae a una legión si es necesario —le había dicho Candelaria—. Es que no estoy satisfecha con *Albatros*. Si nos descuidamos, ese caldero puede convertirse en una trampa fatal. Ya te había dicho que según mis cálculos, se pagará pronto. Debe hacer unas cuantas travesías. Luego lo mandaremos al fondo del mar.

Al regreso de un viaje a Miami, Candelaria se reunió con el Barón Rojo. Andaba detrás de algo tan extraño en ese momento, que el mismo Barón, un aventurero profesional, no lo podía creer.

—Después de muerto Frank me he enterado de muchas cosas —comenzó diciendo ella.

—¿Qué te interesa?

—Atraer a alguien de la guerrilla. Se supone que muchos de ellos tienen conexiones en Nicaragua y Cuba y que algunos hablan el ruso. Necesito que selecciones a uno y lo traigas a trabajar para nosotros. Que camine sobre alfombra y sienta la diferencia con machacar barro en esas selvas.

—¿Y qué vas a hacer con él?

—Mandarlo a Centroamérica y luego a Cuba. En la bahía de Cienfuegos aún operan submarinos rusos. Se trata de ingresar a la isla y acercarse al capitán de uno de ellos a través de alguien, hacer amistad con él y cuando ya se hablen de «tú», decirle claramente de qué se trata.

—¿De qué se trata?

—De meter en el submarino un embarque de coca y llevarlo a Rusia.

—No, por favor. No. No. Estás loca.

—¿Loca? Hoy esa gente gana una miseria porque la empobrecieron, pero según he averiguado, se trata de un pueblo culto, gente bella. Ya verás qué fácil será llegar a un acuerdo con ellos. O con él. Al capitán hay que ofrecerle trescientas o cuatrocientas veces más de lo que le pagan mensualmente: dólares, uno sobre otro. Cuando escuche la cifra y acepte, me dirás si estoy mal de la cabeza.

—¡Qué locura! Qué locura, Candelaria.

—Hoy ganas más dinero trabajando para mí con los pies sobre la tierra, que jugándote la vida en esos aviones. Dime si podrás hacerlo.

—Desde luego que sí. Pues fíjate que al lado de Frank conocí gente de varios grupos guerrilleros, unas veces en El Plató y otras en la famosa Planta Veinte. Ahora estoy pensando en un hombrecillo que puede llenar las condiciones: paranoico, es decir, una tumba, malicioso, con el cerebro cuadriculado...

—Confío en tu criterio. Pero ese trabajo tienes que hacerlo tú mismo. No quiero conocer al sujeto, ni que él sepa de mi existencia, ni nada de esas cosas. Tú sabes muy bien qué es asociar rostros y mentalidades.

—Dime algo más, necesito más información para moverme mejor.

—Es que nos faltan mil reuniones, mil gestiones, comprobar cada paso, poner al sujeto a prueba, no una sino varias veces, pero ahora te haré un avance: esos submarinos, los últimos que posiblemente vengan al Caribe, regresan a una base rusa que todavía existe, llamada Paldiski, en una isla frente a Tallinn, en una boca del mar Báltico que es, digamos, la puerta de entrada a San Petersburgo.

—Y si el capitán acepta, y si la coca llega allá, ¿qué?

Candelaria se quedó mirándolo y sonrió. Puso un Martini seco para ella y una limonada para el Barón, y cuando vació la copa, le dijo:

—Ya estoy dando pasos en San Petersburgo, pero no te voy a decir cómo. Eso a ti no te importa.

El rato se fue entre risas y dibujos sobre un papel, palabras serias, más risas, dos o tres Martinis secos y limonada.

El Barón ahora estaba loco perdido por la Virgen Santísima. Pero a la vez, su fantasía se había desbordado hacia el sexo virtual. Era un boyerista frente a parejas seleccionadas en la pantalla de su ordenador. «El sexo cibernético es una identidad», decía. Candelaria le preguntó qué hacía con un ordenador al hombro y él le dijo: «Navegar».

—No se te ocurra chatear —le aconsejó—. En nuestro trabajo resulta peligroso.

—¿Por qué?

—Hombre, porque en cualquier «chat» encuentras siempre una cantidad de amigos virtuales, es cierto, pero algún día pueden localizarte. No lo hagas.

Regresaron al tema de la coca y el Barón preguntó qué había pendiente.

—Algo sin respuesta —dijo ella—, pero sé que lo solucionaré cuando el *guerrillo* comience con su trabajo y nos traiga información.

—¿Cuál?

—Primero, esa coca no puede entrar en Cuba. Es imposible y es peligroso, y es... Es estúpido pensar en eso. No quiero saber nada de Cuba.

—Me parece fácil —dijo el Barón—. Esperaremos a que el submarino salga de puerto y se la bombardearemos en aguas internacionales. Ellos salen a la superficie, la recogen, y adiós. Para el Báltico.

—No. Son submarinos con tripulaciones grandes y por más cantidad de dinero que le entregues al capitán, no podrás callarlos a todos. El otro extremo de la cuerda es la sacada de la coca de la base rusa y la llevada hasta San Petersburgo.

—¿Entonces?

—Acabo de decirte que aún no tengo la solución, pero la tendré luego. Cuando el *guerrillo* haya avanzado en sus pesquisas contaremos con más elementos de juicio.

—¿Cuánto tiempo me das?

—No mucho: pronto dejarán de venir los rusos al Caribe, pronto se acabará la base de Paldiski... Ah. Si el *guerrillo* no maneja el ruso, se irá a Nicaragua y a Cuba con un amigo del ingeniero que lo habla muy bien. Yo tengo sus señas. Solo necesito que me digas «Lo hallé».

—Eso, descártalo. Tal vez me tome algunos días...

—A ese personaje hay que untarle colonia. Cómprale alguna ropa decente, unifórmalo con corbata amarilla y después con corbata gris. Ampóllale la boca en buenos restaurantes. Que muerda lo que tanto critica.

—¿Cuánto gasto en él?

—Lo justo. No le des mucho dinero, para obligarlo a depender de ti, y así se verá obligado a pedirte con frecuencia. Ese ir descubriendo el mundo es tenaz, y jugando con calma lo tendrás comiendo en la mano desde el primer día. Se trata de controlarlo.

—¿Y el dinero por su trabajo?

—Se le entregará al final: en dólares o en mortaja. Eso tiene que quedar muy claro.

11

Las huellas de Emilio Grisales parecían haber desaparecido en San Petersburgo. Terminaba enero y cuando el ingeniero creyó que el frío y las noches estáticas le habían congelado la imaginación, halló a Yadim Petróvich, el amigo que metió a Emilio en un tren con una dirección en Moscú y el nombre de su compañera de infancia.

—¿Estás repitiendo una de las descripciones de Isaac Bábel o contándome el drama real de Emilio? —le preguntó cuando escuchó el relato. Yadim Petróvich regresó a los pliegues del tiempo y repitió escena por escena, pero aun así, el ingeniero fue incapaz de asimilar el contenido de aquella historia.

—Si realmente quieres hallar a Emilio, toma un tren y comienza nuevamente por esa calle de Moscú —le dijo Yadim Petróvich—. Yo he perdido su rastro.

Moscú. En *Novolesnaya* tampoco estaba. Llamó en todas las puertas. En todas le dijeron «No», menos en una. Se quitó los zapatos y entró.

Sí, Emilio era un geólogo, había llegado una mañana en busca de Natascha Ivánovna. Ella no se encontraba en casa. La esperó en la escalera. Allí se quedó dormido.

—Después —dijo el hombre que telegrafiaba las frases—, le di algo de comer. Natascha llegó antes del anochecer. Hablaron. Ella le permitió que durmiera allí. Emilio venía de parte de alguien a quien la chica quería tanto como a un hermano. A partir de aquel momento, el geólogo se convirtió en parte de su vida.

—¿Otro té?

—Sí. Otro té.

—Te daré un consejo: regresa mañana. Mi mujer conoce mejor la historia.

Ella hablaba con lentitud:

—Natascha Ivánovna es una mujer maravillosa, pero solitaria. Ella, sólo ella, era la soledad, tal vez la tristeza, y Emilio Grisales llegó en el momento en que tenía que aparecer. Un hombre cálido, amable. Se encontraron sin buscarse. Usted sabe que no es frecuente hallar a alguien que viva solamente para su compañera y él es eso. Natasha tenía únicamente a Iván, su padre. Iván, un hombre muy estricto hasta en la manera de caminar, muy recto, con el cuello estirado, los ojos fijos, los brazos rígidos; pienso que hubiera sido un buen militar, era responsable de alguna sección, o como se llame, en una factoría de relojes. Desde cuando lo conocí trabajó allí.

»Lo que sé, me lo contó Natascha Ivánovna. Luego se supo algo más: una mañana Iván, que como le cuento era exigente, sancionó a un hombre que había llegado borracho a su trabajo. Al cabo de un tiempo vinieron por Iván y se lo llevaron a la policía. Habían recibido una carta anónima, imagínese quién la envió, acusándolo de estalinista y eso es muy grave. Tú debes saber quién fue Stalin y quiénes eran sus seguidores, o qué culpas les achacan a sus seguidores. Los que gobernaban ahora querían cobrar la memoria de tantos millones de muertos, y, bueno, juzgaron a Iván y luego lo mandaron como desterrado a un lugar en Siberia, al pie de los Urales. Cuando se lo llevaron, mi marido y yo fuimos algo así como los padres de Natascha, porque su madre murió de pena al poco tiempo. Entonces Natascha terminaba sus primeros estudios en la universidad. Primeros porque luego continuó estudiando y trabajando, pero se sepultó en el silencio. Un silencio total. Un silencio real y concreto, hasta cuando llegó Emilio a esta región de la ciudad. No es fácil encontrar a un hombre tan seductor con su propia mujer como lo es él. Pasó el tiempo y una tarde le avisaron a Natascha que su padre iba a morir. Los contrasentidos de la vida: a Iván le faltaba poco para terminar de pagar su condena y como él era lo único que tenía Natascha después de Emilio, esa misma noche le dijo:

»—Emilio, debemos separarnos.

»Al parecer él no pudo hablar, no tuvo fuerzas para pronunciar una sola palabra, y cuando las lágrimas le devolvieron el ánimo, respiró nuevamente:

»—¿Por qué? ¿Pero por qué?

»—Porque mi padre está muy enfermo y va a morir. Y yo me voy a morir a su lado en el campo de destierro.

»Emilio la abrazó y le dijo:

»—Sasha, nos vamos a morir los tres. Yo me voy contigo.

»Hoy sé que aquel sitio es un universo de hielo y de agonía. Es el destierro. ¿Otro té?»

—Sí, otro té.

—A las mujeres rusas y a muchos hombres rusos nos han quedado el alma y la cabeza engarzadas al destierro. Entre tantas culturas, hemos heredado ésa. Uno de los sentimientos de la gente ha sido marcharse detrás de su marido para sufrir con él y para compartir la tumba con él, si es necesario. A cualquier precio. Así somos las rusas... Hace dos siglos algunas mujeres comenzaron a irse a Siberia siguiendo la angustia de sus compañeros. La más famosa fue la princesa Yekaterina Trubeskaya, que abandonó sus palacios y abandonó su fortuna y abandonó a sus hijos, y una vez entre los desterrados cambió el anillo de bodas por un aro hecho con los grilletes del marido.

—Si de verdad quieres hallar a Emilio, comienza por Siberia.

Diez de la mañana. A medida que las luces del coche perforaban la oscuridad, comenzó a descubrir una aldea rusa sin pretensiones de modernismo. No cruzó por plazas, no atravesó avenidas, no vio construcciones en piedra. Las viviendas eran isbás de madera, de diferentes tipos según hubiesen sido construidas por lituanos, rusos o ucranianos. Las ventanas y las puertas enmarcadas por listones calados, blancos o grises según las emanaciones de la noche; techos con planchas herrumbrosas de metal, y sobre la tierra negra, alerces miserables carcomidos por el viento. Tampoco vio pinos, ni robles. Eran los umbrales del Ártico.

Finalmente se detuvieron frente a una isbá tal vez más amplia que las demás. Ante la fortaleza del viento, el chofer le advirtió que midiera sus pasos sobre la plataforma de troncos antes de la entrada.

Salieron a recibirlos todos los que vivían allí. En la isbá no había abuelas ni abuelos, ni muebles viejos. Era un lugar sin pasado, con paredes rematadas por ramas de abeto y las ventanas cubiertas de gasa. La estancia estaba dividida por un vestíbulo en dos mitades. En la primera encontró un colchón y tres taburetes. No había samovar ni rincón para los iconos, y frente a él, miradas de añil, labios inmóviles. Sus caras eran máscaras envejecidas por el tiempo y la lejanía. Luego supo que para ellos nada tenía sentido, y su afán era luchar por borrar lo que quedara del mañana y del ayer.

Una mujer trajo un plato con carne seca y salada y una botella de vodka de contrabando. Él podría dormir en el lugar más pequeño, ocupado hasta entonces por un hombre que había seguido a su madre presa, pero ella estaba ahora en el cementerio y él quería regresar en el coche que esperaba afuera.

¿A qué había venido? En busca de Iván, uno de los desterrados y de su hija, una mujer rubia, muy bella, y de su marido, un hombre de piel cetrina, amable y solidario. Los demás se miraron y callaron. El ingeniero aceptó el silencio. No tenía prisa.

A las doce del mediodía las ventanas dejaban traslucir una claridad azul como la niebla. Luego el alba gris. Durmió unos minutos y despertó nuevamente en las sombras. Había anochecido y un hombre le alcanzó la botella de vodka. Luego de ésa, vinieron muchas botellas. Nunca supo cuántas, pero al cabo de un cerrar y abrir ese tiempo que se pierde en la memoria y en las sombras, ellos comenzaron a hablar. Comenzaron a decir algo.

La aldea era realmente joven. Tenía unos cincuenta años. La comenzaron a construir gentes desterradas, o familiares de desterrados en torno a algo llamado *Katorga*, el primer campo de muerte para condenados a trabajos forzados, pero aquella prisión se multiplicó hasta formar un panal de barracones y campos en los cuales sepultaban en vida presos comunes y presos políticos. Sólo el primer año murieron tantos seres como para llenar un gran coliseo y los que no morían enloquecían. Mucho después de la caída de Stalin, hace poco tiempo, empezaron a descubrir fosas y en ellas una multitud de esqueletos humanos.

Pero ellos no estaban contando una historia antigua. Era algo reciente que había pasado por su piel. Un ayer inmediato que merecía desaparecer de la memoria.

Cuando tal vez finalizaba marzo, en la visión subterránea de los campos descubrió la taiga de árboles achicharrados a pesar de que en San Petersburgo y Moscú, ya los bosques habían comenzado a retoñar. En cuanto avanzaba hacia el norte y se acercaba al océano Polar, veía una naturaleza que se empobrecía. Durante el recorrido fueron desapareciendo gradualmente el bosque de abedules y álamos temblones y fresnos y cerezos y filipéndulas, y píceas parecidas al abeto, y debajo de ellos, los helechos de hojas púrpura y las bayas silvestres de sabor agrio: moras, drupas, arándanos. Finalmente dejaron de existir los fresnos y los sauces. Un poco más al norte comenzaba la tundra.

En la aldea, muchas de las mujeres desterradas y algunas de las libres que habían venido voluntariamente a acompañar a sus familiares terminaron en la prostitución. «¿Qué más podían hacer en este universo de luz, avara como el cielo? Aquí sólo deben cultivarse pensamientos opresivos y morbosos», pensó.

Sin embargo, creyó que no era justo prejuzgar y una mañana en la penumbra del vestíbulo se acercó hasta los cristales de la ventana cubiertos por una capa de hielo y desde allí le preguntó a la mujer más adulta, la que le había traído carne de alce cuando llegaron, en qué ocupaba su cabeza, y le pareció que había cerrado los ojos. No quería responder.

—¿Cuánto tiempo permanece el firmamento negro? —le preguntó luego.

—Ocho meses del año.

Durante nueve anocheceres trató de averiguar por Iván y por Natascha Ivánovna y por Emilio, pero nadie respondió, pero al décimo, cuando los días de luz se hicieron más largos y los muros comenzaron a llorar porque el hielo enquistado en los poros de la madera se derretía, algunos de ellos olvidaron el olvido.

Natascha Ivánovna llegó con Emilio cuando su padre había dejado el alcohol y se encontraba en el hospital, inmóvil y sin voz como la noche. Ellos estuvieron siempre a su lado y tal vez el amor, algo que había olvidado por completo, le despertó la lengua. Dejó de maldecir con la mirada y comenzó a decir cosas, a contarles los pocos recuerdos que le quedaban en la memoria. Y luego de hablar, pudo incorporarse. Caminaba por el hospital del brazo de Emilio. Tal vez un par de meses más tarde lo trajeron a esta isbá. Aquí vivieron los tres un año de sombras pero a la vez doce meses de luz porque había amor. El mes trece, Iván dejó de padecer la vida mientras dormía. Lo sepultaron bajo la nieve y Natascha Ivánovna le dijo a su marido: «Entrañable mío, tú eres un geólogo y he escuchado que al otro lado de los Urales, más hacia el frío, hay una estación de geología. No sé qué andarán buscando. Yo presumo que allí encontraremos trabajo». Él siempre la escuchaba, porque ella... Ella era una mujer talentosa, una mujer dulce, y para Emilio sus palabras tenían el acento de la ley. Se fueron para Muiscámeni.

—Amigo, si deseas hallarlos, comienza por el Ártico.

Cuando el ingeniero remontó los Urales estaba amaneciendo. Ahora no había noche a ninguna hora. Poco después llegó a una ciudad desangelada en busca del único transporte que lo podía llevar a un lugar de fantasmas llamado Muiscámeni, en los confines del Ártico.

La mañana siguiente, en el aeropuerto le dijeron que para ir hasta donde comienza el norte del mundo era necesario presentar un permiso especial y habló con la policía. «Efectivamente, la legislación cambió con la época soviética; ahora no necesita usted autorización. Puede volar», dijo un oficial.

Muiscámeni es una base militar establecida por la ex Unión Soviética en el Asia, para controlar la presencia de buques y submarinos enemigos en un golfo estrecho que se interna en el continente.

Miró el reloj. Eran las ocho de la mañana y había lluvia y niebla. «Por ahora el vuelo está cancelado. Espere».

Al mediodía alguien dijo: «Puede haber vuelo más tarde».

—Si cancelan éste, ¿cuándo será el próximo? —preguntó.

—La semana siguiente.

Mucho después el piloto avisó que sí iba, pero tenían que esperar más tiempo.

Afuera, en el aire congelado, se hallaba un pequeño avión *Antónov* construido a finales de la década de los años cincuenta, con un motor enorme, dos alas, la superior más larga que la inferior, conectadas por cables de acero, voz ronca, fuerza suficiente para elevarse en pocos metros. «Es el único que vuela a Muiscámeni», le explicó la mujer que vendía los billetes.

Por fin despegaron entre la niebla. Navegaban sobre la tundra, una planicie con elevaciones imperceptibles desde las alturas. Lo demás eran terrenos bajos y, desde luego, inundados. Unos minutos más tarde el cielo estaba limpio y empezaron a ver la tundra cerca. El avión volaba lento y bajo: la llanura inmensa estaba invadida por las aguas que corren sobre las tierras bajas y se abren en brazos y brazos en busca de un cauce único. Pero eran ríos de aguas quietas en la superficie, porque se hallaban congeladas: ríos y charcos y pantanos y lagunas. Lagos de colores con un sello de hielo blanco en los bordes y el resto azul claro, verde esmeralda, ámbar, algunas veces ocre, según los suelos. Pero no eran colores absolutos sino con vetas un tanto más claras, como las del mármol. Placas separadas por aquella alfombra verde oliva del musgo de reno, una esponja similar a la que cubre los bosques húmedos del trópico, apretada, formando remolinos. Donde la luz le pegaba mejor, se parecía al asiento de un pisapapeles de cristal. Pero no brillaba. Nada brillaba allá abajo. Era una visión apagada entre el azul verdoso y el gris del techo de nubes que terminaba en el infinito porque la visibilidad ahora era ilimitada.

Cuando se despejó el escenario pudieron verse, a trechos, comunidades de alerces. Árboles delgados y pequeños, quemados por la ventisca y plantados como grupos de alfileres en aquella inmensidad de musgo y mármol. No se veían huellas de caminos. No había líneas de ferrocarril.

Durmió estirado sobre las sillas de tela a lo largo del cuerpo del avión y cuando despertó, miró nuevamente a través del cristal: ahora no se veían árboles. A medida que avanzaba hacia el norte desaparecía la flora, y a ras del suelo únicamente se apreciaba la moqueta de musgo.

Más adelante cambió la imagen de la tundra y empezaron a volar sobre blanco, en medio de vapores azulados. Y en medio del blanco y de la neblina, siluetas de casas grises, cubos dispuestos con simetría y grandes espacios entre unos y otros. Arquitectura soviética.

El avión se había detenido sobre un colchón de hielo por encima del cual empezó a resbalar, y unos metros adelante dos soldados le pidieron su pasaporte. Dijeron que los siguiera. Allí no había calles, no había autos, no había gente más allá de la valla que demarcaba la terminal. Cuidad solitaria a la que nunca había llegado nadie diferente de los militares y de unos cuantos representantes del Estado.

Avanzaron primero sobre la nieve y luego por un camino de tablas a un metro y medio del piso, pero en los costados la nieve superaba su altura.

Los soldados le contaron que la semana anterior a su llegada, una ventisca polar había castigado el lugar y cuando dejó de caer la nieve, una capa de hielo cubría parte de las ventanas de la primera planta de los edificios. «Los geólogos no pudieron salir de su vivienda», dijo uno de ellos.

La oficina del ejército estaba tibia. Cuando entraron allí, uno de los soldados le dijo al oficial:

—Capturamos a este extranjero en el aeropuerto. Hago entrega.

«Extranjero». Lo había escuchado tantas veces con ese tono que alude a lo extraño, a lo insólito. En ruso se dice *inostranetz*, o sea, de un lugar ajeno. A su vez, el extranjero es el mundo más allá de las fronteras. Pero las fronteras se hallan siempre muy lejos, en un país inmensamente grande: cuando está saliendo el sol en Moscú, atardece en Vladivostok, a nueve horas de vuelo en jet.

El oficial lo estudió con los ojos, le dijo que se acomodara en una silla frente a su mesa, miró el pasaporte, salió y cerró una puerta acolchada por dentro para aislar el ruido. Sin embargo, alguien entró y la dejó entreabierta. El oficial se comunicaba por radio y el ingeniero escuchó que leía su nombre lentamente. Luego lo deletreaba. Volvieron a cerrar la puerta. El que se quedó adentro, dijo:

—Usted ha violado la ley. Ésta es una zona de frontera y aquí sólo se puede llegar con permiso del gobierno.

—¿Para ustedes qué es zona de frontera? —preguntó.

—No se lo puedo decir —respondió el soldado.

—¿Aquí han capturado antes a algún extranjero?

—No se lo puedo decir.

Una hora después regresó el oficial:

—Sí. Usted ha violado los decretos tales y los artículos tales y las disposiciones tales —dijo—. Ha cometido una infracción que acarrea multa, pero no se la voy a cobrar porque si le vendieron el billete en la ciudad, la infracción no fue por voluntad suya. Ahora: si vuelve a cometer una nueva, lo capturo y lo envío esposado al campo de detención al otro lado de los Urales.

—¿Qué castigo me impondrá?

—Tiene que permanecer en la aldea. Si quiere salir de ella debe avisarnos.

Para ellos, aún el ser humano tenía que vivir controlado.

Pero, ¿cómo iba a alejarse? En ese momento creía imposible caminar siquiera un par de verstas hasta el cementerio sobre aquella nieve que comenzaba a ablandarse. Un cementerio en el cual, durante el invierno de ocho meses deben perforar las tumbas con dinamita porque la tierra está congelada.

Un profesor suyo lo había recomendado ante un tal Sergei Andréievich, el amo del aeropuerto, y, por lo visto, uno de los hombres más importantes del lugar. El ingeniero pidió hablar con él y le permitieron comunicarse, pero cuando terminó, el oficial tomó el teléfono:

—Sergei Andréievich: este hombre tiene que salir de aquí dentro de ocho días. Hoy es jueves. El próximo debe hacerlo desaparecer.

Después vino el interrogatorio y salió de allí cuando en el resto de la Tierra debía ser de noche.

La única posada del lugar era un bloque de hormigón prefabricado, gris, no había comedor, no había duchas, no había huéspedes. El baño estaba abajo, atrás: una cabaña de madera con estopa embutida entre los troncos y un pequeño tanque de acero para depositar el agua caliente que también alimenta la calefacción. A su lado había un arrume de piedras hirvientes, sobre las cuales se derramaba el agua hasta inundar el recinto con vapor. Durante el baño la gente se azotaba el cuerpo con una rama de alerce y luego se tiraba sobre la nieve.

Le dieron una habitación limpia con cortinas de tela liviana, a través de las cuales se colaba la luz las veinticuatro horas. La noche había desaparecido por completo. A la una de la madrugada la luz parecía filtrada por un vidrio ahumado. A esa hora cruzaron dos gatos grises por la calle del frente. A las tres regresó uno de ellos. En Muiscámeni había algo más que silencio: había vacío.

A las seis una vieja tiró frente a la puerta de su casa las tripas de unos pescados. A las ocho comenzó a subir la niebla. Las ventanas eran dobles y selladas con gasa como en la aldea de desterrados, para detener cualquier hilo de viento que aquí soplaba a cien kilómetros por hora, según la meteoróloga. Ella lo recibió con una taza de té y una sonrisa cuando unas horas después fue en busca del refugio de Emilio:

—¿Qué vientos te arrastraron por aquí? —le preguntó.

Como todas las horas eran iguales, guardó el reloj. Entonces había perdido la noción del tiempo y del espacio en una geografía gigantesca, con un paisaje que no cambiaba, con un clima que no parecía variar: dos semanas de primavera, ocho meses de noche. No había prisa para vivir, porque, entre otras cosas, era imposible llegar pronto a cualquier lado y pensó que los desterrados le habían transmitido la cultura de manejar el tiempo en un espacio cósmico en el que no cuenta la rapidez.

Desde cuando descendió del avión era tal vez el más popular del poblado y en la puerta de la estación de meteorología le dijeron que Aleksei Akílovich, el plomero, andaba preguntando por él. Con un soplete y un taladro había abierto una tronera en la placa de hielo que cubría el agua y pescó una docena de *coriushkas* que arrastraba sobre un pequeño trineo: «Huelen y saben a pepinos frescos», explicó, y le regaló dos.

—Sé que buscas a Emilio el geólogo —dijo luego—. Él vive con sus camaradas en un poblado, a una versta de aquí. Tu no caminas bien sobre el hielo y para mí es un paseo. ¿Deseas que lo traiga? —le preguntó, y el ingeniero le dio un abrazo.

Era el mismo Emilio que había dejado de ver, a pesar de las grietas que reducían el tamaño de su cara. «Son pocas comparadas con lo que le ha tocado vivir», pensó, y lo invitó a entrar en la posada, pero pronto salieron a la nieve. Emilio no podía comprender aún aquella aparición, ni lo que estaba escuchando. «¿Un hombre que atraviesa el mundo hasta encontrarme?» La del ingeniero era una historia alambicada, de aquellas que comienzan con disculpas y explicaciones y rodeos que no vienen al caso y a medida que dan giros tratando de destilar algo, vuelven a expandirse. Sin embargo, Emilio creyó entender de qué se trataba y antes de que el serpentín volviera a abrirse, concretó al emisario:

—Dímelo con claridad: ¿se trata de un negocio sucio?

—No. Para ti no lo es. Tú no vas a untarte de nada. Simplemente los introduces con alguien, si es que conoces a alguien que camine por debajo de la tierra, y luego das la espalda. Que ellos hagan lo demás.

—¿Qué piden a cambio?

—Vaya pregunta. No piden nada. Ofrecen dinero.

—Eso no lo veo claro.

—Yo sí. Tú te has jodido mucho en la vida para terminar en esta nevera abriendo huecos en una tierra congelada, y tu mujer de profesora en una escuela, mal pagos, sin un mañana claro. Perdóname que intervenga en tus asuntos pero creo que eso no tiene sentido. Hay momentos en la vida en los cuales el camino recorrido es la clave para abrirse al triunfo, y eso hay que aprovecharlo. ¿Cuándo podré conocer tu decisión? Ya te dije que debo salir de aquí el jueves. Hoy debe ser viernes o sábado.

—Hoy es viernes. Te lo diré el próximo lunes.

Se despidieron. Emilio no deseaba llevarlo a su vivienda, no quería que Natascha Ivánovna se enterara antes de que él hubiese analizado las ventajas y también el peligro de algo tan incierto. Sin embargo, de la historia descabellada del ingeniero algunas cosas le aleteaban en la mente.

Realmente nada tenía sentido en aquel moridero, aparte de la imagen de su mujer. La lejanía había sido una prueba suficiente de solidaridad. Pero el hielo no era su medio, ni tampoco el de Natascha. Y dentro de poco tiempo, cuando fueran mayores, ¿qué? ¿Mañana qué? El ingeniero tenía razón en algunas cosas.

Regresó a casa silencioso y permaneció así hasta el domingo. El lunes había desaparecido la imagen del peligro y se lo contó a su mujer. Desde luego, ella no comprendía nada y tuvo que repetir la historia varias veces, cada una con diferentes argumentos, hasta que por fin Natascha Ivánovna le dijo que bueno, que a lo mejor podría ser una oportunidad interesante, al fin y al cabo él conocía Sudamérica, pero que sentía temor. Él intentó nuevas versiones y terminó en lo mismo: nada se les había perdido en aquellas lejanías y con algún dinero podría cambiar su situación. Es que hoy ellos dos eran tristeza errante, y él, pues, definitivamente había decidido meter la cabeza en un asunto confuso, es posible, pero menos incierto que jugar al papel de testigos de su propia autopsia.

Una vez se levantó la niebla caminó hasta la posada y cuando vio al ingeniero, movió la cabeza:

—Sí.

Esa misma semana se tragaron medio mundo y terminaron en una isla del Caribe. Emilio había olvidado el trópico. La incandescencia de las flores atacándole los ojos, la temperatura del mar, el sabor de tantas frutas diferentes y especialmente la llamarada del sol, lo descodificaron.

—Es un hombre inteligente, y además, culto —le explicó el ingeniero a Candelaria.

—Cuéntame qué sabes de él.

Se lo contó y ella dijo que quería conocerlo.

—Sí, pero dile que vayamos a caminar por la playa esta noche —respondió Emilio.

—Esta noche no, al atardecer —dijo Candelaria y cuando él lo supo, pensó una vez más que no hay enigmas entre los seres humanos.

Atardecía cuando se encontraron pero él no quiso abrir su vida frente a alguien que no conocía y fue directamente al tema. Ella le explicó que se trataba de un cargamento «de algo» que llegaría pronto a San Petersburgo. No le mencionó en ningún momento la historia del guerrillero, ni habló tampoco del sitio de llegada de la cocaína, que ya era acuerdo pactado con el capitán Bespálov (sin dedos), como había dicho que se llamaba el comandante del submarino ruso que recogería la cocaína en alta mar una vez zarpara de Cuba y la llevaría hasta su base en el Báltico. No reveló cómo la sacaría de allí, pero estaba en capacidad de hacerlo unos cinco días después del arribo y la colocaría en el sitio que le indicaran dentro de San Petersburgo.

Emilio no lo dijo, pero mientras hablaba Candelaria vio claramente que el asunto sería caviar en la boca de Nicolai Andréievich, Mi Padre.

—Creo saber quiénes podrán ayudarte, pero una vez tienda el puente con ellos, tú o alguien enviado por ti se encargará del resto. A partir de ahí, como dicen en este lugar, «ni te conozco, ni me conoces, chiquitita» —le advirtió, y ella le explicó que justamente se trataba de eso.

—Es posible que primero tenga que viajar a Indonesia, venir con alguien a Rusia y volver a colocar a esa persona en Bandjar...

—¿Dónde?

—En Indonesia.

—No importa. El asunto es que el reloj nos está ganando la carrera. ¿Cuánto tiempo emplearás en todas esas gestiones? Porque si hay que escarbar tanto como lo hicimos para dar con tu paradero, estaremos hablando de la eternidad.

—Esta vez no será igual porque yo sé donde ponen las garzas. Pero si la primera de ellas no quiere volar, fríos: no hay nada qué hacer. Absolutamente nada. En ese caso te lo diré con claridad, sin rodeos, sin engaños, y no tendrás que pagarme nada.

—Sí voy a pagarte porque todo saldrá bien. Yo lo sé, tu cara me lo está diciendo —respondió Candelaria, que ahora sentía un deseo incontenible de escucharlo, y le prometió no hablar más del asunto esa noche si cenaban juntos.

—¿De acuerdo?

—Sí.

Luego caminaron por la zona turística. Se detuvieron frente a un bar y Emilio dijo que le gustaría entrar. También había olvidado la música caliente, pero antes de que continuara, Candelaria dio un paso adelante: la brisa en lo alto del edificio donde ella se alojaba, y además un vodka o un whisky eran mejores que el bullicio de aquel sitio.

Los poemas de Pushkin, el Preludio de Bach eran notas de otras dimensiones. Candelaria vibraba con la salsa desbordante de Joe Arroyo. El piso era un teatrino preparado para Emilio, que en ese momento ya sabía perfectamente quién era la señora, qué buscaba esa noche, y decidió entrar en el juego de su estrategia elemental. En casa, el guión de Candelaria comenzó por un baño de cuerpo como él lo había calculado.

—Voy a refrescarme y a cambiarme de ropa. Esta humedad... —dijo, y él guardó silencio para darle paso al siguiente parlamento que desde luego fue el que había imaginado:

—¿Qué clase de vestido deseas que me ponga esta noche?

La respuesta debía ser sencilla y lógica en estos casos. Un lugar común: «Oscuro, que te deje el cuello y la espalda al descubierto; yo te ayudaré a cerrarlo y simularé un beso en el hombro», pensó, y luego dijo sonriente:

—Me da igual. Uno que te haga sentir cómoda —dijo, aunque realmente lo atraían sus clavículas y la frontera *sexi* entre las curvas del cuello y el nacimiento de los senos. El cuello le parecía más erótico que los labios.

Cuando regresó, Candelaria lucía un vestido de noche oscuro, abierto en la espalda.

—¿Cómo es la gente donde vives tú? —preguntó.

«La hora del romanticismo», se dijo él.

—Muy bella. Ahora mismo está comenzado la primavera, solamente dos o tres semanas de «buen tiempo». El primer día de luz, la gente sonríe, especialmente las mujeres.

—¿Por qué?

—Pensamos que durante el invierno se congelan las palabras y cuando alumbra eso que llaman sol, se derriten, y la tundra se llena de voces. En ese momento, ellas comienzan a escuchar las cosas bellas que les dijimos los hombres en el frío.

Candelaria estaba en silencio y Emilio decidió dibujar nuevamente el tema inicial, pero con una variación. Ahora quería sobreactuarse. «Por algo estoy en un teatrino», pensó.

—La verdad —comenzó diciendo—, la verdad es que durante esa noche constante se congela la respiración y el aire es una brisa constelada de gotas de hielo que producen sonidos parecidos a un susurro. Pero cuando está próximo a regresar el sol, aquel rocío luminoso crece tanto que los susurros se convierten en palabras.

Ahora se escuchaba el mar arenizando en la playa y el sonido de algunos coches que cruzaban por la avenida.

Como buena colombiana, Candelaria pensaba que Dios había colocado el principio y el fin de la vida, y el comienzo y el fin de la humanidad, y de la cultura y del idioma y de la moral y del universo en Chicago y sus alrededores. A partir de allí empezaba el vacío. Emilio conocía bien aquel complejo y dejó salir de sí el viajero entre dos mundos cuando ella le preguntó qué comía la gente en el Ártico:

—Comen peces —le contó—. Las aguas... Sesenta, cincuenta grados centígrados bajo cero casi todo el año. Aguas espesas. Y sin embargo, hay una cantidad de vida... La superficie del mar es una placa de hielo. Muchos peces emigran huyendo del invierno, pero muchos se quedan allí, quietos, inmóviles toda esa eternidad de frío. Cuando comienza el deshielo, los impulsa la fuerza del erotismo. Las hembras desean desovar, los machos buscan hembras. Llegan a la desembocadura de los ríos y comienzan a subir.

Pensó que el Caribe arrastrándose por la playa le daba perspectiva a cada palabra. Hizo una pausa y continuó.

—La subida de aquellos peces resulta dramática por la lucha contra la corriente. Y luego el hambre, los choques contra las piedras y las raíces los agotan y se cubren de llagas. Un poco más arriba tú los encuentras demacrados y cuando se les agotan las fuerzas, se dejan consumir hasta el fondo, clavan la boca entre el limo y mueren agotados. Eso se llama «el viaje de la muerte».

Esa noche Emilio llegó a pensar que el deseo era la versión sensual de la agonía. «No he vivido de nadie, el dinero nunca ha gobernado mi vida y sigo siendo el mismo, aunque se me haya aparecido esta visión», pensaba, y un reflejo inmediato lo llevaba hasta el baño.

Allí se encerró varias veces y cada una de ellas se aligeró la libido con la misma pasión que lo agobiaba. «Si el presidente de los Estados Unidos recurría a lo mismo en la oficina Oval, ¿por qué no puedo hacerlo yo que soy un ermitaño?», pensaba al regresar, y ella le preguntaba:

—¿Por qué sonríes?

«Ahora lo erótico en ella son el espacio de sus caderas y el arco de su espalda. Cuando se agacha para tomar la copa se curva como una ballesta», pensaba, y entonces... Oh, nuevamente al baño: la mano firme del presidente de los Estados Unidos.

Candelaria había fijado la mirada en él desde el comienzo de la noche, lo observaba, parecía devorarlo con la vista y como no estaba acostumbrado a esos ojos, más de una vez estuvo a punto de bajar la guardia.

Finalmente ella pareció olvidarse del whisky y de Joe Arroyo. La noche estaba terminando.

Cuando amaneció, Emilio había vuelto a sentir el paso del tiempo. Miraba desde la terraza los límites de la luz y de las sombras.

—¿En qué piensas? —le preguntó ella.

—Había olvidado los colores y estoy recuperándolos. En el Ártico me apabulla la falta de claridad, definitivamente la luz está en el centro de nuestra cultura. Y el color también. Aquí he vuelto a ver cosas que para mí son maravillosas. Allí la mayor parte del año es invierno y no hay luz; entonces no podemos ver lo que hay afuera. La gente se encierra y uno habla mucho consigo mismo. Aquí hay demasiada luz y todo es hacia afuera.

—¿Qué cosas te parecen ahora maravillosas?

—El azul de la noche —por ejemplo.

—La noche es negra.

—El negro no existe. Si lo miras con detenimiento, algunas veces la noche en el Caribe es azul ultramarina como la superficie de los mares profundos, y en temporada de lluvias, azul plomo. Ahora mismo estaba mirando la salida del sol. El sol es rojo y durante el día va mezclándose con el azul de la noche que se aleja. En esa medida, cada hora hay colores distintos allá arriba: desde el azul hasta el azul. Y en el centro el amarillo, el rojo, el naranja y el violeta.... En San Petersburgo, mucho más al sur de Miuscámeni, mucho más, nunca dejo de ver los atardeceres. Pero son diferentes. Allá las tonalidades de la luz a uno le parecen incoloras si comete el error de tratar de compararlas con esto.

El viajero entre dos mundos calló un instante.

—Creí que pensabas en tu mujer —dijo luego Candelaria.

—En cierta forma, sí. Natascha Ivánovna es lo único importante en mi vida. Por ejemplo, en este momento se halla clavada en una trinchera de hielo defendiendo lo nuestro, y yo aquí, en algo irrelevante en comparación con su lucha. No sé quién dijo alguna vez que las guerras que han hecho los hombres, que han ganado los hombres o perdido los hombres, han sido posibles gracias a las mujeres que se quedan defendiendo el único frente vital que es el hogar.

—Emilio: ¿lo que vas a hacer es irrelevante?

—Sí. Para mí, sí. Para ti no. Respeto las cosas de los demás.

—Vente a vivir en el Caribe. Escoge el lugar que hayas soñado. Yo...

—Algún día, si Natascha lo desea.

Hasta esa noche, Candelaria no recordaba haberse quedado sin palabras. «La pobre soy yo», pensó, y sintió punzadas en la piel. Dejó de mirarlo. Luego de un silencio él le dijo que a partir de ese momento comenzaría su trabajo. Esa tarde ella le daría el dinero que estimara necesario para regresar y hacer lo que debía. Las comunicaciones se harían a través de alguien conocido como el Barón Rojo.

Después del mediodía volvieron a reunirse. Esta vez Candelaria estaba silenciosa. Emilio había quebrado la lanza del puerco espín y eso la sepultó en una crisis más cruel que todas las que recordaba en su vida. Ella era consciente de que aquel hombre se había colado en su casamata para repetirle: «recuerda que tú sientes», y ahora pensaba que cada uno debería irse a morir por su lado. Quería agredirlo, sentía la necesidad de ser hostil para demostrarle que aquella relación pasajera estaba bajo su control, pero tuvo que tragarse la rabia porque lo necesitaba en Rusia.

Sin embargo, la agobiaba un último deseo de repetirle que regresara. No obstante, sus argumentos, los mismos de la noche anterior, la detuvieron. «Sí, realmente soy pobre», se dijo una vez más.

Él se limitó a hablar de su trabajo y cuando le anunció cuánto iba a cobrar, Candelaria bajó la cabeza. «Es un dinero miserable como él, podría entregarle todos los millones que tengo si lo quisiese», pensó, y le preguntó:

—¿Crees que esa suma es justa?

—Necesito muy poco para vivir —respondió él.

De regreso a Moscú, Emilio se comunicó con Bandjarmasín y le dijeron que Valentina había regresado a Rusia. Tenía que hallarse en San Petersburgo, pero el solo nombre de la ciudad lo colocaba en el desfiladero de soledades y traiciones del que había logrado escapar. Acortar esa distancia de temor, en cierta forma era capitular.

Lo hizo.

Ahora Valentina Nicoláievna significaba algo más que una quimera. Ella también había cambiado. En Indonesia había aprendido a olvidar sus costumbres y a abrir la mente para meterse entre la piel de los demás, único camino que le permitiría entender un mundo diferente del suyo.

—Al poco tiempo de practicar aquello me di cuenta de que toda mi vida había actuado como una estúpida, pero como una verdadera estúpida tratando de medir a los demás por mis valores, y ahora sé perfectamente que no hay pueblos mejores que otros, ni lugares más bellos que otros, sino que todo es distinto. Hoy intento no comparar para no caer nuevamente en la estupidez. Por fin te escuché.

El temor que asaltaba a Emilio desde cuando aceptó ayudarle a Candelaria fue desapareciendo con aquellas palabras. Hasta entonces todo le parecía sencillo en aquella locura, menos contárselo a Valentina, y además, pedirle que le presentara a su padre. Le dijo que contara algo de Indonesia, antes de ir al grano, y ella sonrió:

—Pocos días después de llegar caminaba sola, empezó a llover y yo continué. Eso es algo que no hacen las mujeres de allí, pero no lo sabía. No llevaba el tradicional vestido indonesio y como estaba mojada y con la ropa pegada a la piel, me rodearon varios hombres. Querían violarme. Logré escapar. Fue un aviso y en ese momento dije: «Tengo que conocer bien esta cultura».

—¿Qué piensas ahora de tu padre?

—Pues fíjate que la realidad ya no me aplasta. No sé si acepto a mi padre como un mafioso o como esa persona rígida que, sin embargo, buscaba lo mejor para mí. Por lo menos he tratado de ponerme en su lugar y verlo como un producto de esta apertura, y he logrado entenderlo.

—¿Lo entiendes?

—Bueno, yo creo que uno tiene la obligación, primero, de entender. Y luego el sagrado derecho a estar de acuerdo o no estar de acuerdo con las cosas. Pero primero debe tratar de entender para partir de un criterio maduro.

Definitivamente Valentina desmenuzaba la vida a través de un microscopio distinto, de manera que cuando él le contó lo del Caribe la notó tranquila.

—Sí. Te presentaré a Nicolai Andréievich, mi padre, y lo único que espero, y lo único que deseo es que no entres de lleno en su mundo —respondió. Hizo una pausa, y luego dijo—: Aún creo conocerte y sé que me dices la verdad: será algo pasajero, pero definitivo para escapar de la trampa en que te encuentras.

No comentó nada más y esa noche lo llevó adonde su padre.

Nicolai Andréievich parecía certero en cuanto a resultados prácticos, hablaba lo justo, nada lo distraía de sus intereses. Era un economista de la palabra y la reunión fue breve.

—Todo es posible. Que venga alguien con cifras en la mano y si son favorables para mí, pondremos a caminar ese proyecto —dijo finalmente.

El Barón Rojo vino a San Petersburgo cuando comenzaba el verano y conoció todos los parques y plazas de la ciudad al paso lento de Mi Padre. Finalmente llegaron a un acuerdo.

—Para que no nos equivoquemos, es necesario dividir ese cargamento en tres. Una parte se quedará aquí y las otras dos saldrán a Moscú y Volgogrado, a orillas del Volga. Antes se llamaba Stalingrado, usted va a conocerla. Bella ciudad.

—Explíquemelo mejor.

—La cocaína no es droga bien conocida en Rusia y puede resultar cara en la calle si la comparamos con la heroína o con las drogas de síntesis que están entrando por todas las fronteras. Usted sabe: metanfetaminas y esas cosas, pero algo se puede colocar en el mercado, aunque la idea es mandarla por esta vía a los Estados Unidos y una vez allá, volver a sacarla al mundo con la estampilla *amerikanskie* que es la que realmente la valoriza, según su teoría.

—¿Cómo es el mercado en San Petersburgo?

—En San Petersburgo y en todo lado, el consumidor es lo que llamamos aquí «los nuevos rusos»: gente que lleva una vida, digamos, nueva, dinero en la bolsa y costumbres de Occidente, y especialmente la legión del alto gobierno, que tiene el poder en todo sentido. Aquí debemos asociarnos y abrir una discoteca o un casino para presentar la coca «en sociedad», como dicen los occidentales.

—¿Y el resto?

—Todavía no hay quién pueda pagarla con monedas extranjeras. No hay dólares suficientes. El pago será un canje: en Volgogrado puedo entregarle a cambio, latas de caviar con doble etiqueta. La de encima dirá salmón o algo similar, y en Moscú diamantes. Cero problemas para entrar a Nueva York con esa mercancía. Pero en adelante cambiarán las condiciones. Eso lo establecerá la situación del momento en que hablemos de un nuevo... O de nuevos embarques.

—Lo del club nocturno en San Petersburgo. Acordémoslo ya —dijo el Barón, y Mi Padre se lo explicó en pocas palabras.

—Dinero. Nos reuniremos con alguien que conoce bien esas cifras. Ustedes me dan la mitad y nosotros haremos el resto. Para facilitar las cosas, todo se hará a nombre nuestro. Mire: los casinos aquí son la sensación del momento. En el nuestro tendremos a las mujeres más bellas de San Petersburgo y ellas serán el canal para colocarle la coca en las narices a quien se acerque. Desde luego, parte de esa nieve habrá que entregarla para que la gente empiece a conocerla, pero no será una gran cantidad. Acuérdese: es una «presentación en sociedad».

Mi Padre jugaba un ajedrez reuniendo piezas de diferentes mafias y moviéndolas simultáneamente. Cuando se despidió del Barón, su primer paso era acumular una buena cantidad de dólares estadounidenses, pero no en préstamo, ni en ayuda. «La ayuda es limosna y nadie se ha hecho grande con limosnas», le había dicho al Barón.

Con un grupo de marinos desempleados, antiguos miembros del KGB y gente del puerto que formaban uno de los mil tentáculos de los Tambovski, orquestó el robo de un buque cargado con aluminio, para ellos metal estratégico de fácil mercado en el mundo. Por tanto, la jugada del barco estaba en primera línea.

En la segunda entró al tablero un hombre llamado Evyeni Yákovlev de Krasnoyarskaya, en Siberia, a partir de donde es controlado el aluminio de Rusia, y por tanto poseía una información minuciosa de cualquier movimiento del metal.

El tercer movimiento lo haría con una mafia de Estonia.

—El viernes terminará el cargue del *Kapitán Filátov,* que zarpará con destino a Kaliningrado —sentenció una noche el hombre de Siberia.

Kaliningrado es territorio ruso, y luego de San Petersburgo, navegando por el Báltico, los buques cruzan frente a Estonia, Lituania y Letonia, Estados que se independizaron de la Unión Soviética. Por tanto, se trata de cruceros domésticos de un par de jornadas, sin controles aduaneros ni pago de impuestos para el aluminio. En Kaliningrado fabrican coches.

El *Kapitán Filátov* se hizo a la mar una noche con tripulación de marineros rusos y algunos filipinos bajo el gobierno de un miembro de la banda Tambovskaya y cuando navegaba frente a Estonia reportó una falla y recaló en Tallinn, la capital y puerto más grande de Estonia.

El barco pasó a manos de la mafia local, lo pintaron diferente, en todo lado hay *picassos*, le pusieron como nombre *Islas Cayman*, bandera de Liberia, y según su nueva documentación, ahora transportaba chatarra y vajillas de aluminio. Cuando zarpó y cruzó cerca de la base hasta la cual debería llegar la cocaína, en su documentación figuraban un nuevo origen y un nuevo destino.

Navegó hasta Argelia. El aluminio en bloques fue transbordado a otro buque, y una nueva mafia, la argelina, lo llevó a alta mar y lo hundió legalmente. Un accidente. Ahora sus dueños podrían cobrar el seguro. Unos días después el aluminio ingresó a Francia por el puerto de Marsella.

Con parte de esos dineros nació el casino. Faltaba poblarlo con muñecas de pasarela y Mi Padre llamó a la mafia italiana que manejaba las mujeres en Moscú y San Petersburgo.

El resto de la operación fue más sencillo aún. Como estaba previsto, los azerbaiyanos que controlan el caviar a partir del mar Caspio, entregaron el cargamento en Volgogrado, y la gente de Yakutsk, cuyo universo en Moscú es la Calle Arbat, hizo lo propio con un lote de diamantes.

La historia de la cocaína fue simple como el raciocinio de Candelaria. Ella planeó despacharla en una lancha desde las costas colombianas hasta las cercanías de una de las islas de sotavento en el Caribe, donde le fue entregada a seis marinos rusos que habían salido a navegar con algún pretexto, en una pequeña embarcación. Ellos la llevaron hasta Cienfuegos y la introdujeron en el submarino, y el submarino navegó hasta el Báltico y de la base en el Báltico la transportaron a San Petersburgo donde la esperaba gente organizada por Mi Padre.

El invierno siguiente, el Barón Rojo confirmó que la coca había llegado a su destino y le dijo a Candelaria: «Hemos coronado en Rusia» y ella creyó que el cielo se derrumbaba sobre su cabeza. No se trataba de los diamantes y el caviar. No. Era una estampida de emociones que tenían que ver con su soberanía para tomar decisiones, con su vitalidad, con aquella desesperación creadora que la llevaba a originar desafíos para poderlos vencer y sentirse ganadora. A estas alturas, el dinero no figuraba en su mente. Y era también la sensación de derrotar la nostalgia de aquel amanecer en un balcón, violentada por la dignidad de Emilio y el sentimiento de pobreza humana que la atormentaba desde entonces.

Sin darse un respiro abrió las pestañas y le dijo al Barón que lo de Rusia había sido apenas un juego.

—¿Juego? ¿Eso ha sido un juego? No entiendo.

Candelaria se había convertido en un torbellino de ideas. En cuanto terminaba una maniobra se imaginaba otra, y luego de aquélla, otra más.

—¿Te has detenido a analizar lo que hizo la lancha que le llevó la perica a los rusos? —le preguntó, y él le confesó que no.

—Esa lancha nos está señalando que hay un mundo por descubrir. Mira: nos está diciendo «Vengan, aquí estoy» y ese mundo va a ser mío.

—¿En qué piensas ahora?

—No diré nada hasta cuando hayamos botado al agua el nuevo submarino.

Esa semana, Brad Clarke le había anunciado que la construcción del *Barracuda* estaba a punto de terminar y ella ordenó hundir al *Albatros* mar adentro.

Cuando vio la estructura del *Barracuda*, Candelaria recordó aquel caldero deforme que descansaba en el fondo del mar y le dijo a Brad Clarke: «Éste sí es un submarino de verdad».

Se trataba de un cilindro tres veces más largo que *Albatros*, espacioso, ordenado. Ella cabía de pie adentro y le sobraba un espacio generoso sobre la cabeza. «Una obra de alta tecnología», pensó, y mientras recorría con los ojos aquel horizonte curvado, escuchó la voz de Clarke diciéndole algo.

—Por ejemplo —le explicó—, el *Barracuda* puede permanecer no una sino veinte horas bajo el nivel de las aguas.

—¿También lamiendo la superficie? —preguntó ella.

—No, por favor. Este monstruo está en capacidad de bajar hasta ochenta metros. Tiene casco doble, seguridad absoluta.

Ella le preguntó cuánta carga podría acomodar allí y Clarke le señaló «cuatro toneladas» escritas sobre un plano. Luego dio pasos golpeando con los tacones, pero los pasos no se escucharon.

—El submarino fue ideado para mantenerse oculto. Aquí tienes una nave estratégica cuyo poder es la sorpresa —le recordó.

—¿Es un secreto total?

—Un secreto total —respondió Clarke—. Yo tampoco tengo máscaras en mi vida. Desconozco la traición. Vete tranquila, yo soy leal.

La semana siguiente, el *Barracuda* navegaba ochenta metros debajo de la superficie del Caribe.

En ese momento, la mente de aquella mujer se hallaba en otro tiempo y en otro mundo.

Terminando la primavera, Candelaria fue a Miami y en una reunión informal le dijo a Gary Dobson que la excitaba el vértigo. Al escuchar aquello, el capo se agarró la cabeza con las manos y le preguntó si lo que deseaba tenía que ver con el negocio. Ella le dijo «NO» en forma categórica.

—Sencillamente quiero descansar, hacer algo diferente. Eso se llama vivir. Los deportes náuticos siempre me han apasionado y cuando me asome a ellos quiero mirar hasta el fondo.

Dobson se lo creyó porque sabía que cuando ella metía la cabeza en algo, lo hacía con tanta pasión que había llegado a mirarla como «el ser más obsesivo que he conocido en mi vida».

Esa tarde, Candelaria había pedido que la introdujera en el mundo de las embarcaciones deportivas y unos días después, él le presentó gente de un club náutico. A partir de allí se sumergió en el mundo que buscaba y desapareció semanas y semanas y en septiembre se comunicó con el Barón Rojo para decirle que lo esperaba en Florida.

—Renta un avión y llévame el domingo al mar. Vamos a hacer turismo —le explicó cuando lo vio.

—¿Adónde?

—No lo sé. Tú eres el experto. Partiremos temprano para observar una carrera de lanchas *off shore*, la Fórmula Uno del mar, y luego volaremos sobre el Caribe. Luego quiero ver el océano desde arriba. Te invito a comer en República Dominicana o en Puerto Rico, tú decides. Después regresaremos.

En ese momento ella sabía que allí las olas marcaban algo así como veintinueve pies de distancia entre una cresta y otra, por lo cual, si aprovechaba un casco ligeramente más largo, podría romper las olas y planear sobre ellas saliéndose de su ciclo. Quería volar sobre el agua burlando los brincos, el cabeceo y seguramente la rotura de la embarcación que ahora navegaba a una gran velocidad en su cabeza.

El domingo despegaron de un aeropuerto secundario de Miami y una vez el Barón escuchó aquello, soltó una carcajada. Cuando le había preguntado unos meses atrás por la lancha que le llevó la coca a los rusos, imaginó todo menos que ella fuese a llegar a este punto.

—¿No estás satisfecha con el nuevo submarino? Es una maravilla.

—Sí, desde luego que sí. Déjalo ahí haciendo su trabajo, pero métete entre la cabeza que ésa es una idea del pasado. Ahora estamos en la de mañana.

—¿Cocaína en lanchas?

—En lanchas que vuelen como proyectiles... ¿Sabes? Las llamaremos «lanchas bala» porque las que tengo entre las cejas navegarán mucho más rápido que cualquier buque o que cualquier patrulla guardacostas. De eso ya sé un poco —le dijo.

—¿Cómo serán esas lanchas?

—En la proa, las «balas» han de ser como cuchillas. Casco en «V» profunda se llama eso. A partir de allí se ensancharán un tanto para recibir la carga y lograr mayor estabilidad. Cuando vengan con perica navegarán de noche; serán de fibra de vidrio, pero las voy a forrar con asbesto para burlarme de los aviones de la ley, y las haré pintar... A ver: de gris, y de blanco con gris para ciertas temporadas, y también de azul oscuro y de verde para épocas de sol. Ésos son los colores de este mar. Mira a tu alrededor y dime: ¿puedes distinguir una aguja azul en este pajar? Pero, además, dependiendo de la cantidad de azul del cielo y de la luminosidad del sol, que son las que le dan la coloración al mar, las «balas» irán cubiertas con lonas de doble fase: verdes claras y verdes oscuras por un lado, y azules claras y azules oscuras por el otro, para navegar de día.

No lejos de la costa divisaron las *off shore*. Candelaria observó que su estela era larga y las hacía demasiado visibles a pesar del espeso tapiz de crestas blancas que agitaba el viento en la superficie del mar, y eso la llevó a pensar en motores menos potentes que aquéllos.

Observaron la competencia y a eso de las doce del mediodía le dijo al Barón que enfilara hacia Puerto Rico. Ahora miraba silenciosa las penachos de las olas en mar abierto.

«El problema de las balas se presentará durante el día. Si acorto la estela con motores menos potentes que éstos, tiene que confundirse con las crestas y en una emergencia, el timonel ha de apagar máquinas, cubrir la lancha y dedicarse a dormir... O a navegar a velocidades mínimas», pensó.

Comieron en el jardín de un hotel. El mar estaba encrispado y el Barón le recordó que era septiembre.

—Mar agitado —dijo—, porque este mes tiene «bre» o «ere». En diciem-bre, a-bril, noviem-bre, los vientos alisios son muy fuertes. El Caribe es bien diferente, por ejemplo, al Mediterráneo, un mar más tranquilo.

Ella pidió una copa. «Emilio debe estar pudriéndose nuevamente en las sombras», pensaba. Hacía un año y algunos meses lo había conocido. Se quedó mirando al mar y cuando terminó de beber le dio la cara al Barón:

—Buena idea. A los lancheros se les pagará mejor si navegan cuando haya mal tiempo. Lo ideal será buscar mares crispados —y él le preguntó por qué.

—Sencillamente porque los de la ley tienen que respetar márgenes de seguridad. Los comandantes no pueden arriesgar a sus tripulaciones, ni tienen mando sobre gente que gane quince mil dólares en veinte horas como la nuestra, y por tanto, durante el mal tiempo, que es buena parte del año, «bre», «ere», no hallarán guardacostas que los persigan. ¿Para ti, qué es mal tiempo en el Caribe?

—Bueno, olas de cuatro y cinco metros de altas. Cuando alguna rompe sobre la costa, destruye lo que encuentra. El mar de leva son olas que llegan, y se siente en las proximidades de la playa. Más afuera hay una masa de agua que lo absorbe. Quiero decir que en mar abierto, tus lanchas no sentirán las olas con la misma fortaleza, aunque encontrarán millones de rebaños de carneros cada vez más blancos sobre las olas: turbulencia.

—Es el camuflaje ideal para disimular la estela de las balas —dijo ella, y se pusieron de pie.

La noche siguiente le preguntó al Barón si había conocido leyendas de piratas a través de tantos años escarbando en los rincones del Caribe.

—Podría permanecer aquí mil noches contándotelas —respondió, y comenzó con algunas, al final de las cuales Candelaria trazó varias líneas sobre una hoja de papel.

—¿Cuáles son las cuevas y las rocas y los lugares en los cuales los piratas escondían sus tesoros?

Él mencionó nombres como Albuquerque, Guajira, el golfo de Morrosquillo y luego le habló de la Isla de la Tortuga, al norte de Haití, refugio de piratas franceses y algunos puntos en Jamaica, nido de ingleses.

—Los ingleses —le explicó—, traficaban por este mismo mar, con plata, con oro y, óyeme bien: con seres humanos que secuestraban en el África y luego los vendían en América.

—¿Los ingleses?

—Espera. El duro del Cartel de Londres era un pirata muy áspero llamado Francis Drake… Bueno, hoy es «Sir» Francis. La reina, que era su amante y el verdadero capo del Cartel, le hizo el honor de elevarlo a la dignidad de caballero de la Corte. ¿Y sabes otra cosa? Con los maderos de uno de sus buques hicieron una silla que ahora veneran en la universidad de Oxford.

Cuando calló el Barón, Candelaria subió la cara, alargó la mirada al techo y se quedó muy seria, con un aire de dignidad. Para bajarla de su nube, él tosió y ella pareció regresar a esta tierra.

—Esos escondites de piratas volverán a cumplir algún papel ahora, porque allí esconderemos carburante y cocaína según cada estrategia —sentenció con su voz apagada.

Abandonaron Miami en octubre y Candelaria dijo que quería pasar algunos días en aldeas de pescadores. Los tripulantes de las balas tenían que haber nacido en el Caribe y llevar bajo la camisa un don, una química, un sentimiento especial con ese mar.

Convivieron con ellos en diferentes lugares y a medida que los escuchaban, aprendían, por ejemplo, que sus riñones estaban hechos de acero, no tenían noticias del cansancio, ni de las quemaduras en la piel por la descarga del sol. Eran isleños, algunos hablaban en inglés y, al fin y al cabo, tenían oído de pescadores, porque siempre captaron el sonido de los aviones, diez, quince minutos antes de que lograran avistarlos. «Cuando los de la ley estén encima, así hayan descendido a mil pies, no podrán localizarlos porque ellos habrán parado motores y cubierto sus lanchas de azul, por lo menos ocho minutos antes», pensaba Candelaria.

Con ellos partieron muchas veces en su botes. Por las mañanas se alejaban y regresaban antes de terminar el día. ¿Cómo se orientaban? Nunca supieron explicárselo. Navegaban por instinto. El último atardecer, la embarcación se llenó de peces voladores empujados por la brisa.

A través de aquellos pescadores confirmó que en cada lancha deberían acomodarse cinco personas, encabezadas por un motorista hecho en ese ambiente, dos timoneles que se relevarían en travesías de más de veinte horas, alguien que hablara inglés, y el más importante de todos: un hombre de su confianza, un «veedor del tesoro» que debía entregar la cocaína y tomar decisiones como lanzar al agua el cargamento cuando se vieran perdidos.

Este hombre llevaría consigo un teléfono satelital, varios móviles que se llamarían «loros», según lo imaginó Candelaria, una radio de alta frecuencia para comunicaciones a través del mundo y un cubo con cuantos *yi-pi-es* cupieran allí, de manera que podrían lanzarlos al agua en cuanto se agotaran sus baterías.

Al final de un largo viaje, Candelaria realizó en dos ciudades costeras lo que para ella eran «alianzas estratégicas». No deseaba entenderse con lanchas, ni marinos, ni pescadores. Con nadie. Desde luego, impuso su condiciones, desde la longitud de las balas hasta la clase de propulsión que debían llevar:

—Quiero que cada una tenga dos motores y dos turbinas *hidro jet*, de chorro de agua, las mismas de un avión, pero funcionando sobre el mar —le dijo al Barón antes de la primera reunión con los navieros.

—Sí, eso no tiene ningún misterio si hay dinero —respondieron ellos.

A través del Barón, Candelaria estaba hablando de embarcaciones con una velocidad monstruosa y una autonomía de día y medio sin tener que reabastecerse de carburante; dos mil quinientas millas de alcance. El Caribe les quedaría pequeño en ese sentido.

Luego indicó que los trajes de las tripulaciones debían ser confeccionados con una goma llamada neopreno, la misma de los buzos, no solamente para protegerlos del sol y del frío por las noches.

—Ese material aisla la temperatura del organismo y con él podremos escaparnos de cualquier sistema utilizado por los de la ley para detectar calor. Los relojes de la gente deben ser opacos, que cubran con cinta cualquier metal sobre cubierta. Nada puede dar destellos en las lanchas bala.

—¿Algo más?

—Sí. Lo más importante. Eso lo has hablado muchas veces, pero debes repetírselos, tienen que tirar los motores o vendérselos muy baratos a los pescadores después de cada viaje. Todos los recorridos se harán con máquinas nuevas. Tú sabes, no podemos correr riesgos. Éste no es negocio para limosneros —le explicó.

Dos años después de aquella noche frente a Emilio, Candelaria tenía a su servicio una flota de lanchas en la que transportaba toneladas de cocaína a diferentes puntos del Caribe, donde la recibía gente de Gary Dobson. Pero el tráfico había alargado sus brazos. La dinámica del fenómeno la llevó a introducir la cocaína a los Estados Unidos, desde donde Dobson la reexportaba por su cuenta a Australia, sitio clave para el acopio de heroína y coca, especialmente en verano, cuando la droga valía más.

—En Inglaterra, en Francia, en la misma Australia, ¿a quién se le puede ocurrir buscar droga en un barco que venga de los Estados Unidos? —decía Dobson.

—En Australia, por ejemplo —le reveló a Candelaria con su insipidez mental—, la *yakuza* japonesa adquiere la heroína del Asia que ha venido primero a Estados Unidos y regresado a Oceanía. Los japoneses la compran allá al doble del precio y nuevamente la traen a través de Hawai. Al llegar aquí, vale tres veces más.

Para ponerse a tono, meses más tarde ella hizo algunos cambios. Ahora los cargamentos de coca salían al mar y eran entregados a buques mercantes que habían zarpado de cualquier puerto diferente de los colombianos, y cruzaban por aguas cercanas. Su destino eran Estados Unidos o Europa.

12

Candelaria no se encontraba en ningún sitio conocido. Era un domingo y todos estaban en los asuntos de domingo, menos ella, una mujer llena de recuerdos, de lejanías, y el Barón Rojo se resignó a que fuera medianoche para verla a su regreso.

Por la tarde se había ido a tomar el sol y a mirar las nubes elásticas por la brisa alta, desde la cubierta de un barco jubilado por el mar. Estaba encaramado en la arena frente a dos casas de pescadores que a nadie se le ocurría visitar. Cuando se acercaba la noche, como en cualquier domingo, se alejó de allí y entró en un bar, pidió un par de Martinis con el pretexto de la sed y luego caminó. Y cuando los restaurantes estuvieron casi vacíos se fue a cenar, y más tarde volvió a caminar.

Se encontraron frente a la cabaña que ella había rentado a espaldas de la playa ¿Qué sucedía? El Barón tenía cara de funerario. No sabía si seguir o hablar allí mismo o desaparecer.

—Saca ya lo que tienes en el alma —le dijo ella.

—Anoche capturaron a Brad Clarke y parte de su gente en un taller. Estaban terminando de construir un submarino en las montañas de Colombia, cerca del lugar que tú escogiste para que trabajara en *Albatros* y *Barracuda.*

—¿Brad en Colombia? Eso es imposible. Hace más de un año dejé de verlo.

—Bueno, he sabido que compró allí un terreno y montó su propio taller. Han descubierto que trabaja con la mafia rusa del sur de Miami que negocia la coca con los mexicanos.

—¿Con quién cayó?

—Hablan de seis estadounidenses y un colombiano.

—¿Y el barco?

—Por lo que dice la prensa, es igual, exactamente igual al *Barracuda.* Yo me pregunto, ¿por qué carajo Clarke se quedó en el mismo lugar donde hacía los trabajos para ti?

—Fácil. El sitio queda en las montañas, a media hora de un gran aeropuerto internacional, en una ciudad con industria pesada. Hasta allí puedes llevar directamente en avión equipos y motores y todas esas cosas.

—Vaya.

—Cuando pensé en *Albatros* jugaba a eso: una ciudad con industria pesada bien lejos del mar, donde nadie conoce de embarcaciones y puede confundir un submarino con una caldera industrial o algo así, y en la cual es absolutamente normal comprar metales especiales, tornillos, válvulas, conseguir soldadores, electricistas muy calificados. Luego, el transporte hasta la costa es largo, dos días, pero no tiene ningún misterio. Ese era el secreto, Brad lo aprendió y se lo llevó a su país.

—Candelaria: ese hombre va a hablar.

—Que hable. ¿Acaso soy rusa? ¿Acaso le echaron mano trabajando para mí? Ya te lo dije: no sé de él desde hace un año.

No mucho tiempo después, cuando finalizaba aquel verano, el ingeniero que buscó a Emilio en el Ártico deseaba hablar con Candelaria.

—¿De dónde ha salido ese hombre? —preguntó ella, y el Barón le contó lo qué pensaba en ese momento:

—Cuídate, piérdete en algún lugar del mundo. Cierra la boca. Presiento que él es el colombiano que cayó con Brad Clarke y el submarino.

Ella no estaba de acuerdo. Siempre había creído que podría vencer los temores sólo cuando le diera la cara los problemas.

—Yo creo que para salvarse hay que perderse primero. Tráelo, pero antes de traerlo, montemos el cuento de la cámara de video detrás de algún muro —le indicó.

El ingeniero estaba ahora en las manos del sargento Lee Moore y su compañero, aquel hombre sin nombre, ni boca, ni movimiento. A cambio de la cárcel, su tarea consistía en conducirlos a Candelaria. Brad Clarke había hecho negocios con los de la ley y dijo que el submarino era para ella. Cuando lo llevaron ante los jueces, no nombró a nadie más y ahora andaba por las calles.

Tenían que haber pasado diez días cuando Candelaria enfrentó al ingeniero. Él la miró con seguridad, habló pronto y con desparpajo y ella se limitó a escucharlo.

—Tengo unos amigos en el gobierno que pueden arreglarte cualquier problema —comenzó diciendo.

—Yo no tengo ningún problema.

—Desde luego que sí. Ellos lo saben todo. La oferta es que negocies con ellos los cargos que tienen contra ti. Primero debes entregarnos dos millones de dólares.

—¿Y?

—Te darán una visa, puedes irte tranquila a vivir en Miami. Es con lo que sueñas, ¿no?, pero debes entregar también los dos millones de dólares.

—Tú estás loco. Yo no soy dueña de ese submarino, yo no soy traficante, yo no soy delincuente, no tengo dinero. Márchate de aquí.

El ingeniero regresó un tiempo después. Repitió que Lee Moore y los demás conocían cuanto había hecho ella en su vida y por tanto debería escucharlos. Al fin y al cabo ellos eran el gobierno y podían mandarla al calabozo por el resto de sus días. El hombre no conocía pormenores ni sabía manejar una conversación de este tipo. Era apenas un mensajero de Moore. Finalmente Candelaria aceptó reunirse con el sargento y escucharlo. No pensaba marcharse, ni esconderse. «Soy inocente en cuanto a ese submarino y no pueden hacerme nada», pensó.

La reunión fue pactada en el mismo lugar, pero a ella no solamente asistieron el sargento Lee Moore y su compañero, sino el jefe Dalton, y Kim, y George y dos hombres más.

Por fin, una mañana el jefe Dalton le entregó un cartapacio de papeles impresos por una computadora con información sobre ella.

—Lindo *print out* —le dijo, y se lo entregó.

Candelaria lo tomó en sus manos y al cabo de algunos minutos sonrió. Le parecía increíble, no sabían nada de ella más allá de lo que había dicho Brad Clarke, el constructor, sobre el submarino descubierto.

«Si supieran mi verdadera historia, tendrían que haberme entregado un libro completo. Yo no soy una santa, sí, soy delincuente y lo que sea, pero en este caso no tienen nada contra mí. Yo no sé nada de ese submarino», pensó, y les dijo:

—Ahí no hay nada concreto. Yo no tengo nada que ver con ese barco —les dijo, y antes de marcharse, ellos le anunciaron una nueva visita.

En la segunda reunión Moore habló de Emilio y su viaje desde Rusia en compañía del ingeniero. Cuando ella escuchó aquel nombre se estremeció y aunque hizo un enorme esfuerzo por mantenerse impávida, la tristeza y el temor ya estaban ante los ojos de los demás. Candelaria esperaba muchas cosas menos ésa, y ahora estaba dispuesta a dar su vida para protegerlo, si fuese necesario. Le dijeron algo más pero no los escuchó y cuando creyó haber vencido el desmoronamiento síquico, decidió negociar con sus propios cazadores.

—Puedo entregarles ahora mismo al narco más grande de América, al Señor de los Cielos.

En ese momento podía hacerlo y tenía razones para hacerlo. Ella sabía que aquel hombre se hallaba de juerga en una ciudad costera lejos de su territorio.

—¿Cómo lo vas a lograr? —le preguntaron.

—Es problema mío. Yo sé que ustedes no me van a dar nada hasta cuando lo tengan encadenado.

—No. Hagamos otro negocio. Tú te irás a vivir en Miami legalmente y nos entregarás «positivos» —dijo el sargento Moore.

—¿Cómo?

—Sí, desde Miami viajarás a Colombia y allá debes asociarte cada vez con un narco de los grandes y enviarás embarques de coca significativos, nos dirás cuándo y por dónde, y nosotros la capturaremos, y los capturaremos a ellos. Eso te puede rebajar los cargos por lo del submarino.

—Allí no conozco a nadie —respondió ella.

Candelaria no podía creer lo que acababa de escuchar: «Les he ofrecido al traficante de cocaína más grande del mundo, les entrego el golpe policíaco de su vida y ellos me piden miseria. Eso no lo entenderé nunca», pensó, y decidió ampliar su oferta.

—No traficaré con cocaína para ustedes ni para nadie. Mejor, volvamos atrás: en cambio de convertirme en «su» traficante porque eso no es lo mío, puedo darles el regalo más espectacular que hayan tenido en sus manos.

—¿Sí? ¿Cuál es ese «regalo»? —preguntó el jefe Dalton en tono sarcástico.

—La organización de traficantes de coca más grande del mundo. Toda.

Dos días después Candelaria les entregó un bloque de papeles en el cual figuraba el panorama completo de las mafias mexicanas. Allí estaban explicados los nombres de todos los capos, con sus ayudantes, con sus asistentes, las indicaciones sobre los barcos en que movían la cocaína, las pistas clandestinas más activas, los lugares de algunos túneles a través de la frontera, los nombres de los comandantes de la policía que trabajaban para ellos y los estados en que lo hacían, sus señas, sus teléfonos, las claves para comunicarse con cada narco.

—Es la organización más importante de la Tierra. Es lo más grande que ustedes hayan tenido en sus manos —repitió.

Los hombres se marcharon con la información y ella nunca volvió a saber de ellos, ni se enteró nunca de la captura de alguien en México.

Un domingo cuando miraba las nubes desde la cubierta del viejo barco, la cargaron de cadenas y luego la metieron dentro de un avión. Se elevaron al atardecer. Cuando el avión inició un giro alrededor de la isla buscando altura, ella trató de acomodarse mejor, pero las cadenas en sus pies se habían engarzado a las patas de la silla. Las soltó y acercó la cara a la ventana. Abajo vio el barco y las casas de los pescadores, tan pobres, tan miserables. Pero tan felices. El edificio de aquella noche con Emilio. La terraza: allí estaba amaneciendo. Él le hablaba del tono de los colores del cielo en el Caribe, que a partir de aquella mañana, ella buscó con sus ojos todos los días. La luz iluminando el salón. En adelante, sus palabras también serían gotas de hielo. Y los peces del Ártico en invierno: «el viaje de la muerte». El vestido oscuro que jamás quiso mirar después de aquella noche flotó unos segundos y desapareció cuando el avión atacó el techo de nubes.

La mañana siguiente le anunciaron que afrontaba varias cadenas perpetuas por la construcción de un submarino descubierto en las montañas colombianas, además de un abanico de nuevos cargos.

Un lunes temprano, el sargento Moore y el hombre sin nombre llamaron a la puerta del ingeniero. Querían que fuese a Rusia en busca de Emilio.

—Pero es que ya ha terminado mi acuerdo con ustedes; ya los llevé hasta Candelaria —respondió.

—No. Tu acuerdo apenas va a comenzar. Pero si tú lo deseas, bien. Estás en libertad de tomar una decisión. En ese caso irás a la cárcel a pagar lo que debes. Tú eres un delincuente. No lo olvides.

Esta vez necesitó sólo de tres aviones para llegar al Ártico. Emilio y Natascha Ivánovna, su mujer, aún vivían allá, porque ella deseaba dar por terminada su labor en la pequeña escuela. Su misión comenzada desde abajo y consistía en ayudarles a los niños a entender el papel que jugaban en el mundo de hoy, y según ella, eso tomaba un año más, de manera que se estiró el tiempo y se les acabó el dinero que había ganado Emilio en el Caribe.

—Vivir aquí, ahora cuesta —explicó él cuando vio nuevamente al ingeniero.

Pero, ¿de qué se trataba ahora? ¿Candelaria? ¿Qué sucedía con ella? ¿Continuaba siendo bella y solitaria? El ingeniero le dijo que ella deseaba verlo. ¿Una cosa limpia? Sí, desde luego. Limpia como las leyes. Bueno, si es como el trigo limpio…

—Sasha, es algo limpio, es una segunda oportunidad. No tenemos dinero y quiero que cuando termines tu labor regresemos a Moscú —le explicó esta vez a su mujer, y ella se puso a llorar. El día que partieron, lo acompañó hasta la terminal del aeropuerto y al despedirlo le besó las manos, tal como lo hacía él todos los días al abrir los ojos:

—Emilio, tengo mucho miedo, no vayas.

Él la abrazó y se subió al avión.

El viaje fue largo hasta una isla en el Caribe que no conocía. Se hospedaron en un motel en las afueras de la ciudad y cuando despertó la mañana siguiente, no vio al ingeniero que más tarde apareció al lado de la puerta.

—Alguien quiere hablar contigo —le dijo, y detrás de él entraron cuatro hombres más.

Uno de ellos se presentó como Jack Dalton, los demás le decían jefe. Otro era el sargento Lee Moore, otro no dio su nombre. El último tampoco.

—Somos policías y usted está bajo arresto —sentenció Moore.

—¿Arresto? ¿Qué he hecho? No soy un delincuente.

Se escucharon las frases de rigor en estos casos. La situación fue cada vez más tensa y inalmente le pidieron que tratara de tranquilizarse.

—Venimos como amigos y te pedimos que nos trates como amigos. No somos tus enemigos —dijo el jefe Dalton. «¿Amigos? ¿Desde cuando?», pensó Emilio.

Moore continuó hablando. Venían a hacerle una propuesta, conocían su andanzas durante los últimos años, él era un delincuente.

—¿Qué he hecho todos estos años? —preguntó Emilio, y el sargento Moore prendió en ira.

—Usted lo sabe. No somos unos tontos. ¿A qué vino al Caribe hace dos años? ¿Con quién habló? ¿Qué hizo en Rusia a su regreso? ¿Va a escucharnos y a colaborar? Afuera está la cárcel.

Siguió un diálogo confuso y a través de cada palabra y de cada gesto, Emilio captó que no sabían nada de su vida, no sabían de Valentina Nicoláievna, no conocían la existencia de Mi Padre. Aprovechó una pausa en el interrogatorio para tomar la iniciativa y les habló del norte. No, no se refería a Seattle ni a Minnesota. Se trataba del Báltico. ¿El Báltico? ¿Helsinki? Recordó la lucha contra el Ejército de Liberación y dijo algo de Georgia, pero Moore sentenció airado que la única Georgia del mundo quedaba en los Estados Unidos.

Se encontraba en tierra extraña, allí no conocía nadie, el ingeniero que lo llevó había desaparecido. Quería ganar tiempo y aclarar sus pensamientos. «¿Un delincuente? ¿Yo soy un delincuente?», pensó varias veces y no halló ninguna explicación a nada. Absolutamente a nada. «Debe ser una broma, pero esta clase de bromas...», se dijo.

—Queremos que nos ayudes —explicó el sargento Moore.

«¿Ayudarles yo a unos policías que no sé si realmente son policías o mafiosos?» Todo carecía de lógica, hasta cuando Moore fue al grano: querían que trabajara para ellos infiltrando a la mafia rusa, primero en el sur de Florida, luego en San Petersburgo y Moscú. Era un trabajo «a largo plazo», le darían una visa como residente, podría venirse a vivir en Miami con su mujer, le pagarían bien, colmaría su «sueño americano». «¿Sueño americano yo? Nunca lo he tenido, nunca me ha pasado por la cabeza. Yo...». Estaba en silencio y lo invitaron a un restaurante. Dijo que no. Quería permanecer solo si se lo permitían.

—Piénsalo y luego nos cuenta tu decisión —dijo el sargento Lee Moore antes de salir.

Al día siguiente regresaron y nuevamente le preguntaron por su familia, por su vida en Rusia, por sus amigos de infancia. Uno de ellos anotaba las respuestas en una computadora. Le preguntaron por Candelaria. Él no sabía nada de su vida, no sabía qué hacía. Ella lo había buscado y quería vivir con él. Tuvieron una reunión en su piso y al día siguiente desapareció para siempre. Moore soltó una carcajada. Realmente el cuento no convencía a nadie pero él no pasó de allí. Luego trataron de averiguar por gente que nunca había visto ni tratado. Llegó la noche. Volverían una vez más.

Después del mediodía aparecieron. El sargento Moore se quedó con su pasaporte y con el billete de avión que lo llevaría de regreso al Ártico.

—¿Qué he hecho yo? ¿Que delito he cometido? —preguntó, y Moore le respondió con otra pregunta—. ¿Usted cree en Dios?

—Sí.

—Pues ore para que lo saque del lío en que se ha metido —respondió.

Llegada la noche detuvieron el interrogatorio y cuando salieron de allí, Emilio decidió ir en busca de alguien para contarle lo que le estaba sucediendo. Sentía que no era nadie, no tenía un documento que lo identificara, no cargaba dinero, no conocía el lugar, no podía salir de allí. Buscó la calle, atravesó un bosque de palmeras y cuando la alucinación llegó a su clímax, empezó a correr. Galopó sin rumbo por la playa, atravesó una zona de acantilados, otro campo de palmeras, una avenida iluminada. Extendió los brazos y se miró las manos y a través de sus lágrimas vio la cara de Natascha Ivánovna. Quería recuperar su caricias, su voz. No podía permitir que lo amaestraran aquellos inquisidores de tres soles. Apuró el paso y llegó a lo que parecía el centro de la ciudad, calles angostas, laberintos de música, una catarata de sudor. Ahora no podía explicarse cómo ni cuándo había caído en manos de esta secta. Corre que has de correr. Andaba tan rápido en busca de algún refugio, como nunca lo había hecho.

Un poco más tarde, en la zona turística se escucharon dos balazos. Por la mañana el jefe de la policía local, un mestizo con espejos azules cubriéndole los ojos, declaró en la televisión que un ratero sin identidad, un NN, sin *N*ingún *N*ombre, había sido sorprendido tratando de asaltar a un grupo de visitantes. La policía le ordenó que se entregara, pero el delincuente se les enfrentó a balazos.

—Mis hombres actuaron en legítima defensa propia —explicó.

El cadáver de Emilio tenía dos perforaciones en la espalda.

En Muiscámeni había una senda trazada por los pasos de Natascha Ivánovna hasta el aeropuerto, llegara o no llegara vuelo. Allí le decían que no era necesario ir todos los días. El poblado era una familia y alguien le daría aviso tan pronto se elevara el pequeño avión en la ciudad más cercana y así podría escapar del frío en la escuela o en su casa, antes de que el Antónov de dos alas se detuviera frente a la terminal, pero ella regresaba una y otra vez con el silencio de sus pesadillas, convencida de que el largo recorrido la ayudaría a sobrevivir hasta el día siguiente. «Cuando amanezca, si amanece, ha de regresar Emilio», pensaba, y se quedaba mirando el sitio donde lo vio por última vez. Tenía su último gesto impreso en la memoria, un gesto de ausencia. Luego levantaba la cara y sus ojos se perdían entre la niebla, que marcaba lo desconocido.

Pronto, muy pronto después de su partida, dejó de ir a la escuela y se quedó en su casa. Le parecía que él iba a llegar en cualquier momento y temía que no la hallara en aquel sótano de sombras. Dejó de comer. Se dedicó a doblar y a desdoblar y a ordenar una y otra vez las pocas camisas que él había dejado antes de marcharse. Luego las colocaba sobre la cama, las miraba una vez más y cuando las miraba contaba en ellas las caricias y agotaba la distancia que la separaba de Emilio. Después leía. A los dos meses sabía de memoria cada palabra escrita por él en una serie de cuadernos. Evocación cruel de sus vidas desde el día que llegaron a aquel lugar.

La noche de la tragedia, que allí podría ser de día, no lo supo y, además, nunca se enteró de su muerte, sintió que un dolor le cruzaba la memoria. Ella estaba en la puerta de su casa hablando con alguien y de pronto calló y se retiró en silencio.

A partir de ese momento, se encerró con sus miedos y sus camisas y sus notas y las lágrimas de tantos meses coaguladas por el frío. No volvió a hablar. Los vecinos leían sus pensamientos en una cara que como la de su padre parecía un espejismo.

Aleksei Akílovich, el plomero, le llevaba peces, pero en la siguiente visita los hallaba donde habían quedado, hasta que una mañana, comenzando la primavera, unos diez meses después de la partida de Emilio, la encontró arrodillada en el piso, con los brazos extendidos a lo ancho de la cama y la cabeza descansando sobre uno de los cuadernos. Se le había escapado la vida. Murió de pena, igual que su madre después del destierro de su padre.

El plomero le cerró los ojos y cubrió con un paño negro el único espejo que encontró en la vivienda. Allí mismo la velaron sus vecinos y al tercer día salieron en busca del cementerio. Adelante llevaban la mesa del comedor. No había flores ni ramas, pero regaban musgo de reno sobre el hielo, señalándoles el camino a dos hombres que cargaban la tapa de la caja. Detrás de ellos, en un ataúd de tablas rústicas forrado con tela roja, como la tapa, el cuerpo de Natascha Ivánovna iba expuesto al aire entumecido. La habían vestido de gris y zapatos negros. Detrás de ella dos vecinos llevaban un marco con su fotografía. La fotografía de una mujer de pelo rubio, pómulos redondos, ojos azules. Tendría entonces unos veinticinco años. Más atrás crujían sobre la nieve los pasos lentos del resto de los vecinos. Todos fueron al entierro: las mujeres con la cabeza cubierta, los hombres que cargaban el féretro con pañuelos de colores atados en un brazo.

Natascha había dicho alguna vez en la escuela: «Cuando muera, deseo volver a la tierra. Que no cremen mi cadáver». Quería ser sepultada en una fosa profunda, voluntad que debían respetar, pero al llegar allí no encontraron la tumba, ni huellas de palas sobre el hielo, ni pisadas. Nada. Colocaron el ataúd sobre la mesa y como todos la amaban, fueron acercándose uno por uno, y todos le dieron un beso en la cara, pálida como la nieve.

Habían partido sin saber que en Muiscámeni no guardaban dinamita para taladrar la tierra congelada, y luego de un murmullo cortado por el frío, cerraron el ataúd y cada uno tomó tres puñados de nieve y los lanzó debajo de la mesa. Adelantándose nueve días, una mujer colocó frente a la caja un vaso con vodka y un pan negro de centeno. Luego empezaron a alejarse.

Antes de llegar al pueblo, Aleksei Akílovich volvió los ojos. La niebla de la tundra arropaba el ataúd.

Candelaria era conducida algunas mañanas hasta un edificio distante de la cárcel. Cuando llegaba allí, le ataban las manos y los pies con una serpentina de acero. Luego caminaba través de un pasillo anunciando su paso con el tono de la cadena engarzada en los pies.

A pesar de todo, la vida parecía resbalarle por la piel. Al fin y al cabo, ella era quien había determinado su destino. A estas alturas tampoco la atormentaba haber perdido la fortuna que nunca la obsesionó, porque nunca fue su gran meta. Jamás había sido esclava del dinero y ahora menos. Tampoco las formas de su cuerpo que, viéndolo bien, tenían que estar acusando la inercia de los últimos meses y, hombre, su edad. Ya era hora. La soledad de una celda no era nada nuevo. El monólogo había sido siempre su patrimonio concreto. Por el contrario. Ahora tenía hundida en su memoria la cercanía de Emilio, de cuya muerte nunca se enteró, y sus noches le parecían la prolongación de la noche interminable del Ártico.

La última vez que habló con un fiscal, analizó las cifras aprendidas de Bob Collins, el abogado de Chicago; habló de los millones de empleos que generaba la cocaína sudamericana y de cuantos análisis había hecho en su celda, y le entregó los videos con la voz y la imagen que ella había hecho grabar y en los que aparecían el jefe Dalton, el emisario del sargento pidiéndole de dinero y del propio Lee Moore y sus compañeros. Ésos eran los fundamentos de su defensa.

El fiscal pasó sus ojos por algunos folios y pronto los hizo a un lado y la miró fijamente. Tenía la cara enrojecida. Dejó salir un «ju» de la garganta y les dijo a los guardias que se la llevaran. Increíble: ni el fiscal ni los policías sabían de la existencia del Barón Rojo que había intentado acercarse a ella desde cuando la capturaron, pero Candelaria lo impidió para protegerlo. Definitivamente era un hombre sin sombra.

Pasado algún tiempo la llevaron a una corte, lugar de miradas imperativas y policías desafiantes frente a ella. El fiscal la presentó ante el jurado como una muestra de enajenación total. Como un personaje delirante. Luego dejó escuchar sus descargas, y cuando terminaba el juicio y ella pudo hablar, recitó una vez más las cifras barajadas anteriormente y resumió el contenido de los videos.

Luego de un silencio, el fiscal acercó la voz al jurado y le dijo:

—Está loca.

Ahora la geometría de sus espacios iba hasta un muro dos pasos más allá de su cara. Muros verdes, techo blanco. Sus manos atadas a la cama. Arriba sonreían máscaras que luego dejaban ver los rostros. Uno de ellos tenía el perfil de su sentimiento más intenso.

Ya no había soledad.